DIE AUTORIN

Elfriede Jelinek, am 20. Oktober 1946 in Mürzzuschlag/Steiermark geboren und in Wien aufgewachsen, studierte Theaterwissenschaft, Kunstgeschichte und Musik. Lyrik und Prosatexte erschienen in Anthologien und Literaturzeitschriften. 1998 erhielt Elfriede Jelinek den Georg-Büchner-Preis und 2004 den Nobelpreis für Literatur.

Elfriede Jelinek

THEATERSTÜCKE

Was geschah, nachdem Nora ihren Mann verlassen hatte
oder
Stützen der Gesellschaften

•

Clara S.
musikalische Tragödie

•

Burgtheater

Herausgegeben von
Ute Nyssen

Krankheit
oder
Moderne Frauen

Herausgegeben von
Regine Friedrich

Mit einem Nachwort
von Ute Nyssen

Rowohlt Taschenbuch Verlag

13. Auflage Januar 2021

Veröffentlicht im Rowohlt Taschenbuch Verlag,
Reinbek bei Hamburg, August 1992

Umschlaggestaltung any.way, Barbara Hanke
Satz Garamond (Linotronic 500)
Gesamtherstellung
CPI books GmbH, Leck, Germany
ISBN 978 3 499 12996 4

INHALT

WAS GESCHAH, NACHDEM NORA IHREN MANN VERLASSEN HATTE
ODER
STÜTZEN DER GESELLSCHAFTEN

Das Stück spielt in den zwanziger Jahren. Man kann aber auch in den Kostümen ein wenig die vorkommenden «Zeitsprünge» andeuten, vor allem die vorweggenommene Zukunft.

Nora muß auf jeden Fall von einer akrobatisch geübten Schauspielerin gespielt werden, die auch tanzen kann. Sie muß die jeweils angeführten Turnübungen machen können, dabei ist es aber egal, ob es «professionell» wirkt oder nicht, es kann also ruhig auch ein wenig ungeschickt aussehen, was sie macht.

Eva muß immer ein wenig verzweifelt und zynisch wirken.

PERSONEN

Nora Helmer
Personalchef
Arbeiterinnen
Eva
Vorarbeiter
Sekretärin
Konsul Weygang
Ein Herr
Sekretär
Minister
Annemarie
Torvald Helmer
Frau Linde
Krogstad

1

Büro des Personalchefs. Der Personalchef sitzt am Schreibtisch, Nora drückt sich ein wenig verspielt herum, faßt alles an, setzt sich mal kurz hin, mal springt sie jäh auf und geht herum. Ihr Verhalten steht im Widerspruch zu ihrer ziemlich heruntergekommenen Kleidung.

NORA: Ich bin keine Frau, die von ihrem Mann verlassen wurde, sondern eine, die selbsttätig verließ, was seltener ist. Ich bin Nora aus dem gleichnamigen Stück von Ibsen. Im Augenblick flüchte ich aus einer verwirrten Gemütslage in einen Beruf.

PERSONALCHEF: An meiner Position können Sie studieren, daß ein Beruf keine Flucht, sondern eine Lebensaufgabe ist.

NORA: Ich will aber mein Leben noch nicht aufgeben! Ich strebe meine persönliche Verwirklichung an.

PERSONALCHEF: Sind Sie in irgendeiner Tätigkeit geübt?

NORA: Ich habe die Pflege und Aufzucht Alter, Schwacher, Debiler, Kranker sowie von Kindern eingeübt.

PERSONALCHEF: Wir haben hier aber keine Alten, Schwachen, Debilen, Kranken oder Kinder. Wir verfügen über Maschinen. Vor einer Maschine muß der Mensch zu einem Nichts werden, erst dann kann er wieder zu einem Etwas werden. Ich allerdings wählte von Anfang an den beschwerlicheren Weg zu einer Karriere.

NORA: Ich will weg von meinem Pfleger-Image, dieser kleine Eigensinn sitzt fest in mir. Wie hübsch sich dieser Vorhang von den düster und geschäftlich wirkenden Wänden abhebt! Daß auch unbeseelte Dinge eine Seele besitzen, erkenne ich jetzt erst, da ich mich aus meiner Ehe befreite.

PERSONALCHEF: Arbeitgeber und Vertrauensleute haben die freie Entfaltung der Persönlichkeit der im Betrieb beschäftigten Arbeitnehmer zu schützen und zu fördern. Haben Sie Zeugnisse?

NORA: Mein Mann hätte mir sicher das Zeugnis einer guten Hausfrau und Mutter ausgestellt, aber das habe ich mir in letzter Sekunde vermasselt.

PERSONALCHEF: Wir verlangen hier Fremdzeugnisse. Kennen Sie denn keine Fremden?

NORA: Nein. Mein Gatte wünschte mich häuslich und abgeschlossen, weil die Frau nie nach den Seiten schauen soll, sondern meistens in sich hinein oder zum Mann auf.

PERSONALCHEF: Es war kein legaler Vorgesetzter, was ich zum Beispiel bin.

NORA: Doch war er ein Vorgesetzter! In einer Bank. Ich gebe Ihnen den Rat, sich nicht, wie er, von Ihrer Stellung verhärten zu lassen.

PERSONALCHEF: Die Einsamkeit, die oben am Gipfel besteht, schafft immer Verhärtung. Warum sind Sie abgehauen?

NORA: Ich wollte mich am Arbeitsplatz vom Objekt zum Subjekt entwickeln. Vielleicht kann ich in Gestalt meiner Person noch zusätzlich einen Lichtstrahl in eine düstere Fabrikshalle bringen.

PERSONALCHEF: Unsere Räume sind hell und gut gelüftet.

NORA: Ich möchte die Menschenwürde und das Grundrecht auf freie Entfaltung der Persönlichkeit hochhalten.

PERSONALCHEF: Sie können überhaupt nichts hochhalten, weil Sie Ihre Hände für etwas Wichtigeres brauchen.

NORA: Das Wichtigste ist, daß ich ein Mensch werde.

PERSONALCHEF: Wir beschäftigen hier ausschließlich Menschen; die einen sind es mehr, die anderen weniger.

NORA: Ich mußte erst mein Heim verlassen, um ein solcher Mensch zu werden.

PERSONALCHEF: Viele unserer weiblichen Angestellten würden kilometerweit laufen, um ein Heim zu finden. Wozu brauchen Sie denn einen fremden Ort?

NORA: Weil ich den eigenen Standort schon kannte.

PERSONALCHEF: Können Sie maschineschreiben?

NORA: Ich kann büroarbeiten, sticken, stricken, nähen.

PERSONALCHEF: Für wen haben Sie gearbeitet? Namen der Firma, Anschrift, Telefonnummer.

NORA: Privat.

PERSONALCHEF: Privat ist nicht öffentlich. Zuerst müssen Sie öffentlich werden, dann können Sie Ihre Objektstellung abbauen.

NORA: Ich glaube, ich eigne mich speziell für außergewöhnliche Aufgaben. Das Gewöhnliche verachtete ich stets.

PERSONALCHEF: Wodurch glauben Sie sich zu solcher Außergewöhnlichkeit prädestiniert?

NORA: Weil ich eine Frau bin, in der komplizierte biologische Vorgänge vorgehen.

PERSONALCHEF: Wie sind denn Ihre Qualifikationen auf dem Gebiet, das Sie außergewöhnlich nennen?

NORA: Ich habe ein anschmiegsames Wesen und bin künstlerisch begabt.

PERSONALCHEF: Dann müssen Sie eine weitere Ehe eingehen.

NORA: Ich habe ein anschmiegsames, rebellisches Wesen, ich bin keine einfache Persönlichkeit, ich bin vielschichtig.

PERSONALCHEF: Dann sollten Sie keine weitere Ehe eingehen.

NORA: Ich suche noch nach mir selber.

PERSONALCHEF: Bei der Fabrikarbeit findet jeder früher oder später sich selber, der eine hier, der andre dort. Zum Glück muß i c h nicht fabrikarbeiten.

NORA: Ich glaube, mein Gehirn sträubt sich noch, weil es bei der Arbeit an der Maschine kaum verwendet werden wird.

PERSONALCHEF: Ihr Gehirn brauchen wir nicht.

NORA: Da es in der Zeit meiner Ehe brach lag, wollte ich jetzt eigentlich...

PERSONALCHEF *unterbricht*: Sind Ihre Lungen und Ihre Augen gesund? Haben Sie Zahnschäden? Sind Sie zugempfindlich?

NORA: Nein. Auf meinen Körper habe ich geachtet.

PERSONALCHEF: Dann können Sie gleich anfangen. Haben Sie noch weitere Qualifikationen, die Ihnen vorhin nicht eingefallen sind?

NORA: Ich habe seit vielen Tagen nichts mehr gegessen.

PERSONALCHEF: Wie außergewöhnlich!

NORA: Zuerst will ich jetzt das Gewöhnliche tun, doch das ist nur eine Zwischenlösung, bis ich das Außergewöhnliche in Angriff nehmen kann.

2

Fabrik, Werkshalle, Arbeiterinnen und Eva und Nora bei der Arbeit.

ARBEITERIN: Hast du Kinder?

NORA: Ja. Und alles in meinem Blut schreit nach ihnen. Das ist das Blut in mir. Aber mein Hirn sagt nein, weil zuerst ich komme, noch vor meinen Kindern.

ARBEITERIN: Die Arbeit am Menschen oder auch die Textilarbeit kreist uns Frauen wohl ununterbrochen im Blut. Wir müssen dieses Blut nur noch aus uns herauslassen.

EVA: Blutarmut ist hier übrigens eine beliebte Berufskrankheit.

ARBEITERIN: Wenn man acht Jahre lang den Weg nach ein und derselben Arbeitsstätte zurücklegt, kennt man fast jedes Gesicht. Auch höre ich wohl manchmal ein wenig den andren Gehenden zu und bin erfreut, wenn neben viel Belanglosem auch einmal vom Verband und den Interessen der Arbeiterschaft die Rede ist.

ARBEITERIN: Nach zwanzig Minuten trete ich in das Tor ein und hänge mein zweites, dem Unternehmer gehörendes Ich, die Kontrollmarke, ab.

ARBEITERIN: Um halb sieben beginnt die Maschine, die mein Tätigkeitsfeld ist.

EVA: Um sieben höre ich auf und bin überhaupt nichts mehr.

ARBEITERIN: Während der Arbeit schweifen unsere Gedanken zu unsren Männern und Kindern ab, die der echtere Teil von uns sind.

EVA: Die Maschine ist der falsche Teil.

NORA: Dann muß man es eben sein lassen und auf die Suche nach seiner ureigensten Begabung und Bestimmung gehen, die möglicherweise ganz woanders liegt. Ich selber wagte zum Beispiel diesen Schritt.

EVA: Vielleicht liegt meine Bestimmung in der Brandmalerei oder im indischen Tempeltanz. Wie soll ich das wissen?

NORA: Indem du soviel wie möglich versuchst. Indem du in dich hineinblickst und danach handelst, was du dort drinnen siehst.

ARBEITERIN: Meine Bestimmung liegt in meinen Kindern, für die ich aber leider keine Zeit habe, weil ich fabrikarbeiten muß.

NORA: Es gibt Augenblicke, da man alles rücksichtslos hinter sich lassen muß.

EVA: Sie berücksichtigt eben die Tatsache, daß ihre Kinder ohne sie vor Hunger krepieren würden.

ARBEITERIN: Wir können es ja alle nicht verstehen, Nora, wie du deine Kleinen schutzlos zurücklassen konntest!

ARBEITERIN: Du mußt gleichzeitig ein Stück deines Herzens zurückgelassen haben!

ARBEITERIN: Wir sind zwar einfache Frauen, wären aber nie dazu fähig.

NORA: Ich bin eben kompliziert und war dazu fähig.

EVA: Viele von uns wären gern komplizierter, etwa so kompliziert wie die Maschine, die sie bedienen.

NORA: Da ich ein schwieriges Naturell habe, brauche ich auch viel Zeit für seine Erforschung.

ARBEITERIN: Die Arbeit machen wir innerlich unbeteiligt, die Kinder machen wir unter großer innerer Anteilnahme.

ARBEITERIN: Ohne unsre Kinder können wir nicht träumen, daß aus unsren Kindern einmal etwas Besseres wird.

NORA: Der hohe Preis, den ich zahle, ist, daß ich innerlich geteilt bin, seit ich keine Kinder mehr habe.

EVA: Angeblich soll die erste Teilung der Arbeit diejenige von Mann und Frau zur Kindererzeugung sein. Die Arbeit mit den Kindern aber hat die Frau allein. So wird sie wieder ganz gemacht und wie neu.

ARBEITERIN: Wenn wir geteilt blieben, würden wir unsere Arbeit schlecht verrichten, die nämlich einen ganzen Menschen erfordert.

EVA: Manchmal tötet die Maschine, wenn sie will, damit wäre man wieder in Stücke zerteilt.

NORA: Huh, wie gruslig!

ARBEITERIN: Wir müssen dankbar sein, daß es uns noch nicht erwischt hat.

ARBEITERIN: Schon erscheint der Meister mit dem neuen Parteizettel.

NORA: Was für hübsche Kinderparties wir feierten! Manche Erinnerungen schneiden wie ein Messer in einen hinein.

EVA: Im Gegensatz zur Maschine ist die Frau das völlige Gegenteil, weil sie vom Gefühl her funktioniert. Keiner muß an ihr drehen.

ARBEITERIN: Wir Frauen sind zur Erwerbsarbeit gezwungen, wir dürfen kein Kindchen hegen und pflegen.

EVA: Wenn sich uns allerdings eine männliche Hand entgegenstreckt, dürfen wir gleich ein, zwei oder mehrere Kindchen hegen.

NORA: Ich habe diese männliche Hand gehabt und sie von mir gestoßen.

EVA: Viele von uns würden einer männlichen Hand meilenweit nachlaufen. Anschließend würden wir liebend gern die Maschine mit dieser Hand vertauschen.

NORA: Aber wenn sie die Hand dann haben, wird sich früher oder später ein Abgrund zwischen den Partnern auftun: die Krise.

ARBEITERIN: Dafür haben wir keine Zeit.

ARBEITERIN: Dafür haben nur die Bürgerlichen Zeit.

EVA: Wenn eine Epoche der wirtschaftlichen Instabilität herannaht, in Gestalt einer Arbeitslosigkeit, wird man uns ohnedies von der Maschine wieder abpflücken.

ARBEITERIN: Dann wird das Gebären wieder eine kreative Tätigkeit sein.

EVA: Dann wird das wieder was sein: das Heim.

ARBEITERIN: Dann werden wir endlich unsere Eheringe legal hergeben dürfen, wie du vorhin gesagt hast, Nora.

EVA: Gold werden wir für Eisen geben.

NORA: Nein, den Ring nicht hergeben, weil man muß, sondern weil man den inneren Drang hat, daß dir der Mann plötzlich wieder ein Fremder ist.

ARBEITERIN: So was kennen wir nicht. Das ist für die Bürgerlichen.

EVA: Zuerst Gold für Eisen, dann Kinder für den Frontkampf.

ARBEITERIN: Dann wird auch eine Mutter wieder eine Schönheit ausstrahlen.

EVA: Bald ist es soweit, bald naht diese Zeit!

ARBEITERIN: Außerdem sehe ich eine Zeit, in der der Mensch wieder Gefühle zeigen darf.

NORA: Gefühle muß man notfalls vergessen können.

EVA: Der Vater Gefühle des Schmerzes beim Bauchschuß, die Mutter Gefühle der Freude, über ihre toten Söhne weinen zu dürfen.

ARBEITERIN: Heute herrscht mehr Egoismus.

NORA: ... wird in dieser künftigen Zeit die Frau nicht eine Milchkuh sein? Davor bin ich schließlich geflohen!

ARBEITERIN: Wird das schön sein, wenn sich Frauen an Männer schmiegen und sagen, sie wollen nie mehr eigenwillig und herrschsüchtig sein!

ARBEITERIN: Ich stelle mir auch gerne vor, daß ich einmal erlebe, wie eine Frau zu einem Mann sagt, er soll nicht schlecht gegen seine Mutter sein, weil die ihm einst das Leben schenkte.

ARBEITERIN: Wir könnten überhaupt noch viel mehr Leben schenken, wenn wir nicht ständig an der Maschine stehen müßten.

ARBEITERIN: Wenn man sich einem Mann hingibt, ist das ein Höhepunkt im Leben, leider gewöhnt man sich auch daran.

NORA: An die Maschine hab ich mich nie gewöhnt. Außerdem werde ich mich nie daran gewöhnen, daß die Frau ein anderes Niveau haben soll als der Mann. Dagegen müßten wir doch auch kämpfen!

ARBEITERIN: Das ist für die Bürgerlichen.

3

Fabrik, Umkleideraum, Spinde, etc. Nora, Eva, der junge Vorarbeiter.

VORARBEITER: Ich liebe dich, Nora. Ich weiß von dem Augenblick an, da ich merkte, daß du das Beste bist, was ich im Moment erreichen kann, daß ich dich liebe. Allerdings bin auch ich das Beste, was du in deiner augenblicklichen Lage erreichen kannst. Ich sehe gut aus...

Nora: ...es bemerkt den auffälligen, sichtbaren und großen Penis eines Bruders oder Gespielen, erkennt ihn sofort als überlegenes Gegenstück seines eigenen kleinen und versteckten Organs und ist von da an dem Penisneid verfallen, kann nichts Kulturelles mehr schöpfen.

Vorarbeiter: Das sind lauter Wörter, die ich noch nie gehört habe, bis auf eines, das mir aus Frauenmund nicht so gut gefällt wie aus Frauenhand.

Nora: Ich schiebe den Gedanken an Liebe weit von mir. Die Liebe sucht nicht nach Wert oder Unwert, weil sie nie das Ihre sucht. Ich suche jedoch das Meine sehr kräftig.

Vorarbeiter: Auch ich suche das Meine, was du werden sollst.

Eva: Warum kann nicht ich die Deine werden? Ich tue alles für dich!

Vorarbeiter: Ich will nicht, daß man sich mir anbietet, ich will, daß man sich kostbar macht.

Eva: Ich bin schon seit Jahren hier, und mich liebst du überhaupt nicht.

Vorarbeiter: Noras Weiblichkeit ist unzerstörter, weil sie noch nicht so lange an der Maschine steht. Nora ist mehr Frau als du.

Eva: Meine Stückzahlen sind aber höher.

Nora: Für die Liebe ist jetzt keine Zeit, nur für die Selbstfindung ist Zeit.

Eva: Wenn du mich schon nicht lieben kannst, so konzentriere dich wenigstens auf die Tatsache, daß sie die Produktion verschleppen, den Maschinenpark nicht mehr erneuern und unsere Wohnsiedlung verfallen lassen!

Vorarbeiter: Eine Frau verhärtet, wenn ihre Gefühle nicht erwidert werden. Du brauchst dich nicht zu wundern, daß deine Liebe nicht von mir erwidert wird.

Eva: Wenn wir unsere Häuser nicht mit Blumenkästen aufputzten, fiele der Mangel an Renovierung noch deutlicher ins Auge.

Vorarbeiter: Aus dir spricht kein Funke Gefühl.

Nora: Das Volk ist in seiner überwiegenden Mehrheit angeblich so feminin veranlagt, daß weniger nüchterne Überlegung als vielmehr gefühlsmäßige Empfindung sein Denken und Handeln bestimmt, sagt Adolf Hitler.

EVA: Das gehört doch im Moment nicht hierher!

VORARBEITER: Ich höre dir gerne zu, Nora! Den Worten folge ich nicht, doch deine Stimme ist Musik. Musik deshalb, weil Gefühle eine Frau verschönern.

EVA: Aber ich liebe dich doch!

VORARBEITER: Das ist mir egal.

EVA: Merkst du nicht, wie unsere Häuser verfallen? Unter Blumenvasen, Spitzengardinen und Gartenzwerge zerbröckeln? Hast du denn nur mehr Augen für Nora? Du solltest doch früher mal sogar Vertrauensmann...

NORA *unterbricht*: Frauen müssen solidarisch und nicht eifersüchtig sein, Eva, weil sie von Natur aus einen starken inneren Zusammenhalt haben.

VORARBEITER: Wenn man liebt, merkt man keine Verkommenheit. Du kannst mich daher unmöglich so stark lieben wie du behauptest, Eva.

NORA: Wie kannst du so deinen Stolz verletzen lassen, Eva?

EVA: In der Liebe muß man seinen Stolz vergessen können.

NORA: Das könnte ich niemals. Aber ich will dir trotzdem eine Freundin sein. Willst du, Eva?

EVA: Du hast leicht großzügig sein!

VORARBEITER: Ich will Nora. Ich will Nora.

NORA: Die Liebe sucht nicht das Ihre, ich aber suche das Meine noch sehr stark. Ich bin in einem Prozeß der inneren Gärung.

EVA: Es wird ohnedies eine Zeit kommen, da man für Gefühle keine Zeit mehr haben wird, weil die Fabrik hier vor die Hunde geht, weil unsere Arbeitsplätze...

VORARBEITER *unterbricht*: Eben das mißfällt mir an dir! Daß du dir für Gefühle keine Zeit nimmst. Selbst ein Mann muß für Gefühle Zeit haben.

NORA: Auch ich wehre mich stark gegen Gefühle. Wenn man fühlt, ist man oft der Dumme, weil man der schwächere Teil wird.

EVA *zu Vorarbeiter*: Ich liebe dich aber! Ich wehre mich nicht.

NORA: Diese Umgebung ist überhaupt nicht dazu angetan, Gefühle zu wecken.

VORARBEITER: Wenn man liebt, verschwindet die Umgebung und nur mehr die Liebe ist da.

NORA: Im normalen Liebesleben wird der Wert der Frau durch seine sexuelle Integrität bestimmt und durch jede Annäherung an den Charakter der Dirnenhaftigkeit herabgemindert.

VORARBEITER: Das habe ich wieder nicht ganz verstanden, Nora, du sollst mit mir nicht so reden! Das demütigt einen liebenden Mann.

EVA: Vielleicht wird diese Umgebung ja kaputtgeschlagen, ohne daß die Liebe anklopft.

VORARBEITER: Das habe ich verstanden, und es mißfällt mir sehr.

EVA: Ich liebe dich!

VORARBEITER: Ich will aber nicht dich, sondern Nora.

NORA: Ich liebe dich aber überhaupt nicht.

VORARBEITER: Das glaubst du nur, weil du nicht weißt, wie das ist, wenn man mich liebt.

4

Nora fegt den Boden der Fabrikhalle aus, der Vorarbeiter sitzt dabei und schaut ihr zu, ab und zu faßt er sie an, doch Nora entzieht sich ihm immer wieder. Die Sekretärin kommt dazu.

SEKRETÄRIN: Ich habe Ihnen eine Mitteilung zu machen: Unser Herr Personalchef wird morgen nachmittag einige Herren einer befreundeten Firmengruppe durch unseren Betrieb führen. Sie haben heute, vorausgesetzt, daß Sie eine Frau sind, eine Stunde früher frei, um aufzuräumen, die Toiletten bitte nicht zu vergessen.

NORA: Aber ich räume doch schon die ganze Zeit auf!

SEKRETÄRIN: Außerdem wünscht die Firmenleitung, daß Sie ein kleines Begrüßungsprogramm auf kulturellem Gebiet einstudieren. Sie, Frau Helmer, sollen ja, wie man mir mitgeteilt hat, für derlei Dinge eine gewisse Eignung, die man vielleicht besser mit dem Wort Übung umschriebe, besitzen. Angeblich sind Sie ja früher in Kreisen gewesen, in denen Kultur etwas bedeutete, was man Ihnen noch bruchstückhaft ansieht. Also bitte: ein, zwei Lieder mit gemischtem Chor ohne Orchester, etwa wie beim Betriebsfest voriges Jahr, dann vielleicht eine kleine Tanzeinlage, Sie wissen Bescheid.

NORA: Sind Sie nicht auch eine Frau...?

SEKRETÄRIN: Natürlich. Sieht man das denn nicht?

NORA: Warum sehen Sie dann nicht wie eine Frau aus, nämlich fröhlich? Warum sehen Sie ernst aus?

SEKRETÄRIN: Wenn man eine Direktionssekretärin ist, hat man es nicht nötig, ständig ein Grinsen auf den Lippen zu tragen, weil die eigenen Lebensumstände auch ohne das schön sind.

NORA: Fühlen Sie denn keine Verbundenheit mit mir?

SEKRETÄRIN: Uns verbinden höchstens gewisse Geburtsschmerzen, wenn wir einmal ein Kind bekommen. Obwohl ich diese Schmerzen wahrscheinlich stärker empfinden würde. *Geht.*

NORA: Ich könnte morgen Tarantella tanzen. Das lehrte mich mein Gatte.

VORARBEITER: Tanze nicht Tarantella! Du vergrößerst dadurch den Abstand zwischen uns nur unnötig.

NORA: Könnte eine andere als ich Tarantella tanzen, tanzte sie sicher auch Tarantella. Außer mir kann doch keine etwas vortragen.

VORARBEITER: Der Werkschor ist aber schon fast ein professionelles Gebilde!

NORA: Wenn ich morgen getanzt haben werde, werde ich still aus deinem Leben gehen. Nachdem jetzt wieder einige Wochen verflossen sind, fühle ich einen Stachel in mir, der mir sagt, daß ich ohne meine Kinder nicht mehr sein kann. Diese lange Prüfung hat mich das erkennen lassen.

VORARBEITER: Das darfst du nicht, Nora! Du darfst nicht gehn! Eine Arbeit ist nicht immer ein Schmerz oder eine Prüfung.

NORA: Ich bin an meine Grenzen gestoßen.

VORARBEITER: Wenn du tanzt, hebst du dich zu sehr von mir ab, und man sieht den Hintergrund, nämlich mich, nicht mehr.

NORA: Ich halte es hier nicht mehr aus. Ich muß in eine Umgebung gehen, wo meine Kinder auf mich warten. Nur mehr für die Kleinen will ich jetzt leben und so meinen Fehler wiedergutmachen.

5

Chefbüro. Der Personalchef hält eine Rede, Konsul Weygang und ein zweiter Herr sprechen währenddessen leise miteinander, man merkt, daß sie die Hauptpersonen sind. Im Hintergrund noch zwei, drei Personen, Sekretär etc.

PERSONALCHEF: Sie, Herr Konsul Weygang, sind wohl zu den führenden Persönlichkeiten der Wirtschaft unseres Landes aufgerückt. Um das Gemeinwohl sorgen Sie, der Textilkönig, sich als Präsident der Olympischen Gesellschaft, des Weltnaturschutzbundes, des Vereins zur Förderung des alpinen Gedankens, als Mitglied im Beirat für Entwicklungspolitik beim Ministerium für wirtschaftliche Zusammenarbeit sowie im Außenhandelsbeirat des Haushaltsministeriums.

WEYGANG *leise*: Mein Amt als Präsident des Groß- und Außenhandelsverbandes habe ich jedenfalls aufs Erfreulichste mit den kurzfristigen finanziellen Schwierigkeiten meiner Firma verbunden.

HERR: Ich erinnere mich gut, Weygang, gestützt auf Ihre Macht als oberster Chef dieser Organisation, die über zwölf Landessowie 75 Fachverbände rund 100000 Firmen repräsentiert, haben Sie sich um eine Staats-Bürgschaft in der Höhe von 14,5 Millionen sowie um eine Zinsbürgschaft des Landkreises u. a. für ein hochspekulatives Baumwollgeschäft mit Ägypten bemüht. Man nennt das eine Verbindung von Amt und Geschäft.

WEYGANG: Um Naturfasern kümmere ich mich jetzt nicht mehr, weil in der Kunstfaser die Zukunft liegt.

HERR: Was soll diese Besichtigung für einen Zweck haben, sagen Sie es endlich, Sie Geheimniskrämer!

WEYGANG: Nur Geduld, mein Lieber!

HERR: Hat der Minister... *Weygang macht psst, Herr fährt leiser fort:* – hat der Minister die Akten noch immer nicht einsehen können? Sie wissen...

PERSONALCHEF *laut und selbstgefällig*: In Ihrer engeren Heimat amtieren Sie, verehrter Herr Konsul, außerdem als Vorsitzender des Wirtschaftsbeirats der Landesregierung sowie des Wirtschaftsforums e. V. in unserer Hauptstadt. Nebenher sitzen Sie, Herr Konsul Weygang, noch in fünf Aufsichts- bzw. Verwaltungsräten, u. a. der Bräuninger-Brauerei, der Herdy-Bank sowie der staatlichen Kreditanstalt für den industriellen Aufbau.

Weygang und Herr haben sich zum Fenster hin ganz zurückgezogen, sprechen sehr leise.

HERR: Was meinen Sie, wie weit schon durchgesickert ist, daß das ganze Gelände hier Spekulationsobjekt ist...

WEYGANG: Angeblich gibt es seit neuestem Unruhe in der Belegschaft, weil der Maschinenpark langsam veraltet, Sie wissen ja... dann die Wohnsiedlung... natürlich steckt kein Mensch mehr was rein.

HERR: Die Leute kriegen Angst.

WEYGANG: Das Schöne ist, daß auch die andere Seite, Sie wissen... unsere Freunde, denen das Objekt noch gehört, kein Interesse an Investitionen hat. Das Werk ist seit längerem unrentabel, das Transportproblem...

HERR: Sie wollen ohnehin die Produktion verlegen.

WEYGANG: Andrerseits, wenn wir jetzt an dem Gelände zuviel Interesse zeigen, werden sie auch mißtrauisch, vergessen Sie das nicht.

HERR: Andrerseits müssen sie uns, wenn sie verkaufen wollen, die Fabrik als rentabel präsentieren.

WEYGANG: Andrerseits darf natürlich niemand auch nur ahnen, was gewisse interessierte Kreise mit dem Gelände in Wirklichkeit...

HERR: Die Energiedebatte ist abgeschlossen...

WEYGANG: Ja, der Energie gehört die Zukunft. Wie ich diesen Hugo Stinnes immer bewundert habe...! Den Zusammenschluß des horizontalen Elektrizitäts-Trusts von Siemens-Schuckert mit den Kohle- und Eisenzufuhren der Rheinelbe zu diesem gigantischen Superkartell...

HERR: Wollten Sie damals nicht auch in Währungen...?

WEYGANG: Damals war ich noch nicht soweit. Sie wissen ja, er hat ausländisches Geld mit Märkern gekauft, die er sich von der Reichsbank geliehen hatte, was den Kurs der Mark natürlich ins Bodenlose gesenkt hat.

HERR: Anschließend hat er die Darlehen zu einem Bruchteil des ursprünglichen Betrags zurückgezahlt.

WEYGANG: Und die kleinen Leute haben das Geld in Schubkarren zu ihren täglichen Einkäufen gefahren.

HERR: Das waren noch Zeiten!

WEYGANG: Sie werden wiederkommen.

HERR: Diesmal werden Sie dafür sorgen, daß sie wiederkommen.

Weygang macht pantomimisch psst, nimmt ihn bei der Schulter und führt ihn wortlos wieder nach vorne in die erste Reihe. Der Personalchef, der inzwischen ein Glas geleert hat, fährt fort –

PERSONALCHEF: Für Ihre Mühen und Verdienste wurden Sie, Herr Konsul, nicht nur zum Ehrenbürger Ihrer Heimatstadt, zum Ehrensenator der dortigen Universität sowie zum Ehrenpräsidenten des Centre International du Commerce de Gros, Brüssel, ernannt, sondern zugleich mit dem großen Verdienstorden am Bande, der Ehrenplakette Ihrer Vaterstadt, dem großen silbernen Ehrenzeichen der...

Weygang will zur Türe hinaus, Herr will ihm folgen, doch Weygang bedeutet ihm, er solle bleiben und die anderen Herren beschäftigen. Herr gehorcht augenzwinkernd und mit beruhigenden Gesten. Weygang alleine und verstohlen ab.

6

Fabrikhalle. Sie ist sauber aufgeräumt und mit Girlanden, Lampions, Blumen, Zweigen etc. etwas primitiv aufgeputzt. Im Hintergrund vielleicht zwei, drei einfache Tische, gedeckt für das Festessen der Arbeiter. Nora übt im Vordergrund Tarantella. Sie tanzt. Nach einer Weile kommt der Personalchef.

PERSONALCHEF: Was wollen denn Sie hier so früh?

NORA: Ich kann später nicht tanzen, wenn ich vorher nicht eine Generalprobe abgehalten habe.

PERSONALCHEF: Nicht so stürmisch. Erhöhen Sie lieber Ihre Stückzahlen!

NORA: Gerade so muß es sein. *Tanzt immer wilder.*

PERSONALCHEF: Ihre Bewegungen könnten statt dessen ruhig etwas Sinnlicher ablaufen.

NORA: Ich bin hier in keinem Nachtklub oder Kabarett. Ich bin privat hier und tue meinen Kollegen einen Gefallen.

PERSONALCHEF: Dadurch, daß Sie hier tanzen, tun Sie nicht Ihren Kollegen, sondern der Firma einen Gefallen.

NORA: Das ist doch das gleiche! Zusammenarbeit ist, was zählt.

PERSONALCHEF: Sie tanzen zu ungeil.

NORA *atemlos*: Geilheit, Pornographie ist ein Akt des Tötens der Frau, während Männerbünde stets geheiligt wurden durch die Entweihung der Frauen. Das ist ein Ritual patriarchalischer Herrschaftserhaltung, nichts anderes. *Pause. Sie tanzt.*

PERSONALCHEF: Was Sie immer für Wind machen wegen der primitivsten Dinge.

NORA *atemlos*: Mein Gatte nannte es unanständig, wenn ich zu wild tanzte.

PERSONALCHEF: Hat Ihr Mann Sie bezahlt? Na, sehen Sie. Wir hingegen bezahlen Sie gut.

NORA: Nicht mehr lange! Ich werde bald in meine ursprüngliche Umgebung zurückkehren, die besser für mich geeignet ist.

Im Hintergrund tritt unbemerkt Weygang auf, bleibt jäh stehen und beobachtet, seinerseits unbeobachtet, Nora beim Tanzen. Nora tanzt immer wilder, flicht akrobatische Kunststücke hinein, macht die große Brücke.

PERSONALCHEF: Hören Sie auf, mir wird schon beim Zusehen ganz schwindlig! Das muß Ihnen ja furchtbar wehe tun.

Nora tanzt weiter.

Sie werden sich noch was brechen!

Nora tanzt weiter. Weygang tritt endlich hervor und scheucht den Personalchef, der sich tief verbeugt, mit einer Handbewegung weg. Personalchef ab.

WEYGANG: Mein Gott, was für ein beachtlicher Frauenkörper! Gäbe es solche Körper in unsrem Leben nicht, nie könnten wir uns regenerieren.

NORA *die ihn noch nicht bemerkt hat*: Ich will wieder einmal die Bewegung ausführen, wie mein Gatte es mich lehrte, sinnlich, doch nicht zu sinnlich.

WEYGANG *leise*: Was dem einen zu wild oder zu schnell ist, ist genau richtig für mich. Wovor eine kleinere und feigere Natur zurückschreckt, das zieht mich magisch an.

Nora tanzt weiter, bemerkt plötzlich Weygang und erschrickt.

NORA: Wer sind Sie? *Tanzt nach einer kleinen Pause weiter. Weygang schweigt.* Ich fühle, daß Sie nicht nur an meinem Körper, sondern auch an meiner Seele interessiert sind. Das habe ich sofort gespürt. Schon lange hat sich niemand mehr für meine Seele interessiert.

WEYGANG: Mir ist ja, als ob der Blitz in mich einschlägt. Wie kommt das?

NORA *tanzend*: Nicht wahr, es ist ein Zusammenklang aus Körper und dem, was in dem Körper drinnen ist?! Das Innere einer Frau beachten viele Männer zuwenig.

WEYGANG: Ich dagegen fühle mich zu ganzheitlicher Betrachtung fähig. Plötzlich fährt etwas wie ein Pfeil durch mich hindurch. Es ist nicht das leidige Waffenverdikt des Versailler Vertrags, sondern du bist es!

NORA: Man darf eben den Körper nicht vom Kopf trennen.

WEYGANG: Was entsteht plötzlich in mir? Es wird doch nicht etwas wie ein Gefühl sein, was ich längst verschüttet glaubte?

NORA: Wenn etwas derart Starkes von einem Besitz ergreift, dann darf man sich nicht wehren.

WEYGANG: Auch ich darf einmal ein Privatleben haben.

NORA: Darf ich Ihnen diesen bescheidenen kleinen Tanz widmen? *Tanzt die ganze Zeit über, wirft ihm jetzt ihr Halstuch wie bei einem Stierkampf zu.*

WEYGANG: Ich fange es auf und übernehme damit gleichzeitig eine heilige Verpflichtung. Werden Sie jetzt nur für mich tanzen? Nur für mich?

NORA: Ich werde die Welt um mich herum vergessen und nur für Sie tanzen. Sie sind ein fremder Mensch und kommen mir doch so nah und vertraut vor. Auch in mich schlägt plötzlich dieser Blitz ein.

WEYGANG: Jetzt sind es schon sehr viele Blitze.

NORA: Sie sehen mich plötzlich mit einer Spur Unsauberkeit in Ihren Gedanken an. Ich weise aber diese Blicke nicht wie sonst zurück, sondern erschauere unter ihnen. Etwas Neues ist an mich herangetreten.

WEYGANG: Darf ich mein neuestes teuerstes Gut nicht ansehen?

NORA: Sie besitzen doch hoffentlich noch viel teurere Güter?!

WEYGANG: Selbstverständlich. Doch sie entwerten zusehends im Vergleich mit dir.

NORA: Das sind Worte, die eine Frau aufblühen lassen. Es sind lang entbehrte Worte. *Sie tanzt näher an ihn heran, schmiegt sich plötzlich an ihn.*

WEYGANG: Du hast noch die Tarantella im Blute, das merk ich. Und das macht dich noch verführerischer.

NORA *tanzt noch einmal davon*: Ich versuche, mich diesen unsichtbaren Fäden ein letztes Mal zu entziehen. Nicht sprechen bitte! Nur gemeinsam schweigen. *Sie kommt in Weygangs Arme.* Dieser Pelz erinnert mich an etwas Langentbehrtes. Gleich werde ich alle Schranken beiseite fegen. Auch diese Fabrik ist eine solche Schranke.

WEYGANG: Wie heißt du?

NORA: Nora.

WEYGANG: Wie die Hauptfigur des Theaterstücks von Ibsen?

NORA: Was Sie alles wissen... Sie sind so stark!

WEYGANG: Vor einem starken Gefühl kann auch ein Mann erschrecken. Sie sind keine gewöhnliche Arbeiterin. Sie sind etwas ganz andres.

NORA: Meine Herkunft ist kein Geheimnis, obwohl ich ein geheimnisvolles Wesen bin. Die Herkunft stammt aus einem besseren Milieu.

WEYGANG: Ein jähes Erschrecken überkommt mich.

NORA: Ich erschrecke mehr als du, weil Gefühle mehr weiblich sind.

WEYGANG: Ich werde dich hier herausholen. Der Unternehmer ist nicht der böse Wolf, als den ihn die Öffentlichkeit sieht. Als Gewinne gelten schließlich noch nicht einmal alle Zinsen, die mein Eigenkapital trägt.

NORA: Ich beobachte, wie auf deinem Gesicht unerbittliche Härte in raschem Wechsel mit unvorstellbarer Zärtlichkeit kommen und gehen. Dieser Wechsel fasziniert mich.

WEYGANG: Als ich dich während der Tarantella jagen und locken sah, da kochte mein Blut.

NORA: Wie deine Blicke auf meiner Haut brennen! Sie ziehen mir förmlich die Kleider vom Leibe. Ich wehre mich nur noch schwach. Ein unglaublich starker Sog geht von dir aus.

Im Hintergrund treten die Arbeiterinnen in Festtagskleidung auf und formieren sich zum Chor. Ganz im Hintergrund auch ein paar männliche Arbeiter für die tiefen Stimmen. Sie stehen unbeweglich da und warten auf ihren Einsatz.

WEYGANG: Motor des Wachstums: Jener Satz, um den die Verzinsung des Eigenkapitals die marktübliche Vergütung für langfristig verliehenes Geld übersteigt. Das ist die Prämie für mein Risiko des Scheiterns und der Lohn für die Gefahr, auf meinen Waren sitzenzubleiben.

NORA: Solche Worte lassen eine ziehende Schwäche in meinem ganzen Körper entstehen. Gleich muß ich mich unwillkürlich so weit zurückbiegen, daß mein Kopf beinahe den Erdboden berührt. *Tut es.*

WEYGANG: Du tanzest ja, als ginge es um Leben und Tod, wohl deshalb, weil es um mich geht, nicht wahr?!

NORA: Ich schlage ein Rad und mache zum Abschluß einen Spagat. Ächzend richte ich mich wieder auf, müde, aber glücklich.

WEYGANG: Ich kann meinen Gefühlen jetzt nicht länger entfliehen.

Sie umarmen einander. Die Arbeiter beginnen leise zu summen. Vorarbeiter hält es nicht länger aus und stürzt aus dem Chor heraus auf Nora zu.

Nora, komme zu mir!

NORA: Ich kann nicht mehr nein sagen. Ich sage ja!

VORARBEITER *schüttelt Nora*: Nora, du kannst nicht so einfach fortgehen! Du kennst diesen Mann doch gar nicht!

NORA *beachtet ihn nicht*: Ich muß diesem Ziehen nachgeben.

WEYGANG *beachtet Vorarbeiter nicht*: Ich danke dir. Ich werde für dich sorgen.

VORARBEITER: Du mußt bei mir bleiben, Nora! Du kannst nicht mit einem fremden Mann mitgehn.

NORA *zu Vorarbeiter*: Ein Mann muß auch lernen zurückzustehen vor dem Stärkeren. Das ist in der Natur so weise eingerichtet.

VORARBEITER: Geh nicht, Nora! Ich werde dich sicher hier herausholen können! Ich werde unermüdlich Kurse besuchen und Aufstiegschancen wahrnehmen.

NORA: Schließe dich endlich der Meinung an, daß auch Männer Gefühle empfinden dürfen.

VORARBEITER: Ich kann ja gegen meine Gefühle nichts ausrichten!

NORA: Ich liebe ihn.

VORARBEITER: Du liebst nur sein Geld!

NORA: Schon einmal ist Geld ein schlimmer Abstieg für mich gewesen, ein zweites Mal werde ich einen Aufstieg nehmen. Geld will ich diesmal von meiner Liebe fernhalten.

WEYGANG: Wollen wir nicht endlich gehen, Liebste? Gleich führe ich dich zu meinem wartenden Automobil.

VORARBEITER: Wenn ich nun aber ohne dich nicht leben kann, Nora?

NORA: Das Leben geht immer weiter.

WEYGANG: Komm! Eine ganze Ewigkeit liegt vor uns.

PERSONALCHEF *schüchtern*: Wir haben aber noch ein kleines Kulturprogramm...

Weygang und Nora stehen umschlungen, während die Arbeiter immer noch die Anfangstakte summen.

NORA: Ach ja, bitte, Liebster! Ich soll doch das Sopransolo singen! Mach mir die Freude!

WEYGANG: Wenn meine kleine, übermütige Hummel denn durchaus will...

NORA: Oh, bitte, bitte... schmeichelnd hüpfe ich aus dem Stand heraus sehr oft und sehr hoch in die Luft empor. *Tut es.*

WEYGANG: Da kann ich freilich nicht nein sagen. Das sind ganz neue Töne in meinem Leben.

Nora geht in die Mitte des Chors und singt mit den anderen einen Kirchenglockenwalzer Bim bam bim bam. Während die Arbeiter singen –

In der Wirtschaft sind nicht Naturkräfte mit ihren zwingenden Folgen, sondern beseelte Menschen am Werke. Sie bedürfen leitender, ordnender Prinzipien, um nicht Chaos und Anarchie Tür und Tor zu öffnen.

Die Bühne verdunkelt sich langsam. Der Chor singt im Dunkeln weiter: «Oh, wie wohl ist mir am Abend» – Kanon.

7

Fabrikbesichtigung. Die Arbeiterinnen sitzen an ihren Maschinen und «schauarbeiten» demonstrativ für die Gruppe der Besichtiger. Die beiden Gruppen wechseln sich in den Dialogen ab. Nora hat Weygangs Mantel um, er hat den Arm um ihre Schulter gelegt und beschäftigt sich zwischendurch immer wieder liebevoll mit ihr. Nora nickt demonstrativ zu Weygangs Worten.

EVA *leise*: Etwas wirft seinen Schatten voraus. Es ist möglicherweise der Schatten der Spekulation.

ARBEITERIN: Oft bin ich müde und abgespannt, daß ich weder lesen noch schreiben kann. Aber welcher Unternehmer fragt auch nach Geist und Wissen der Arbeiterin?

ARBEITERIN: Und doch sehne ich mich, trotz Arbeit, ein Mensch zu sein, und als solcher zu leben.

EVA: Wenn man aber die Liebe erleben darf, sind alle Schatten verflogen und nur mehr die Liebe ist da.

ARBEITERIN: Man müßte mehr auf sich aufmerksam machen...

EVA: Wenn wir uns etwa ins Zuschneidemesser stürzten oder uns von der Krempelmaschine beziehungsweise dem Reißwolf in Stücke hacken ließen...

ARBEITERIN: Nur dürften wir uns nicht allzusehr verstümmeln. Ein Rest der Weiblichkeit müßte gewahrt bleiben.

ARBEITERIN: Daß wir geschlagen werden, tröstet unsre Männer darüber hinweg, daß wir sie über die Zustände nicht hinwegzutrösten vermögen.

ARBEITERIN: Es ist keiner so niedrig, daß er nicht noch etwas Niedrigeres hätte: seine Frau.

WEYGANG *laut*: Mit dem Stand der Ehe steht und fällt das Gemeinwesen.

HERR: Die einen sind die Hüterinneren unseres Hauswesens und werden wiederum von uns strengstens gehütet, die anderen sind gar nichts.

WEYGANG: Der Mann hat eine Begierde und einen Trieb. Die Frau ist Gegenstand des Triebes. Die Frau reizt und läßt den Trieb sich an ihr befriedigen.

HERR: In der Erotik kann ein Mann stark anarchische Gedanken ausleben. Der Mann wird von deren Illegalität fasziniert und enthemmt.

WEYGANG: Ein Mann kann auch oft über die bürgerliche Moral siegen, vorausgesetzt, er gehört überhaupt der bürgerlichen Klasse an.

HERR: Der Mann siegt durch Zerstörung, Kampf, Raub und Gewalt über die bürgerliche Moral.

WEYGANG: Unser Trieb kann sogar durch den Kopf der Frau gereizt werden. Den Mann reizt es in Wirklichkeit noch mehr, diesen kleinen Kopf ebenfalls zu unterwerfen.

HERR: In der Wirtschaft und mit Hilfe der Wirtschaft geht es um das Überleben.

WEYGANG: Die Frau hat als Subjekt keinen Anteil an revolutionären Gedanken und Aktionen. Das bedeutet in der Praxis zum Glück, daß mindestens die Hälfte der Menschheit wegfällt, wenn es um umstürzlerische Akte geht.

ARBEITERIN *wieder leise*: Ein stolzer, ernster Mann würde sich über uns beugen, uns das Blut mit seinem weißen Stecktuch abwischen, uns in weiche Kaschmirdecken hüllen und zu seinem Automobil tragen.

EVA: Auch die Blutflecken auf den schneeweißen Lederpolstern würde uns dieser gütige Mensch nachsehen.

ARBEITERIN: Er wäre kein Gigolo, von denen ich schon gehört habe, daß es sie gibt.

EVA: Durch irgend etwas muß er wertgemindert sein, sonst bekämen wir ihn doch niemals für uns!

ARBEITERIN: Besser als durch Impotenz, Körperschäden, Idiotie oder Charakterschwäche, wäre er durch ein Alter behindert.

ARBEITERIN: Ich möchte aber lieber einen jungen...

ARBEITERIN: Für Jugend kannst du dir nichts kaufen.

ARBEITERIN: Jung bin ich selber.

EVA: Lieber jung und reich als arm und alt.

ARBEITERIN: Mir wäre Impotenz egal.

ARBEITERIN: Mir wäre ein Aussehen egal, weil nur die Liebe und das Wesen zählen.

WEYGANG *wieder laut*: Im unverdorbenen Weibe soll angeblich kein Geschlechtstrieb hausen. Nur die Liebe wohnt darin. Das Weib hat den Naturtrieb, einen Mann zu befriedigen.

HERR: Leider ruiniert sich die Frau oft bewußt am Arbeitsplatz.

WEYGANG: Zum Glück gibt es uns noch, die wir uns als Empfänger von Beschreibungen weiblicher Schönheit verstehen.

HERR: Fängt die Investitionslust an zu sinken, beginnt die Industrie, zu teuer gewordene Arbeitskräfte in Gestalt des schönen Geschlechts einzusparen.

WEYGANG: Daß Frauen immer das Schönste an sich kaputtmachen müssen: Zuerst die Hände, dann das Gesicht, dann den Körper!

HERR: Jedes Volk und jede Klasse hat die Frauen, die es verdient.

WEYGANG: Die Frau ist das, was nicht spricht und von dem man nicht sprechen kann.

HERR: Genau. Dieser Freud sagt, daß jemand erst erfahren muß, daß er kastriert ist, bevor er zu sprechen anfangen kann.

WEYGANG: Der Mann muß der Frau ihre Kastration erst beibringen, äh, ich meine, er muß sie sie lehren.

HERR: Sehr richtig. Außer dem Penis kann sie sonst nichts mehr verlieren.

WEYGANG: Interessant! Sie haben das also auch gelesen...

HERR: Na, stellen Sie sich vor, die beiden Geschlechter wären gleich und alle Exemplare wären auch noch gleich schön!

WEYGANG: Furchtbar.

ARBEITERIN *leise*: Mir wäre auch ein geistiger Schaden recht, weil man den durch Liebe, Zuwendung und Geduld wieder wettmachen könnte.

ARBEITERIN: Mir wäre nur der Charakter wichtig. Schön müßte er dafür nicht sein. Trinken soll er nicht.

ARBEITERIN: Schließlich ist mein Mann ja auch nicht schön.

ARBEITERIN: Meiner auch nicht.

ARBEITERIN: Auch meiner nicht!

ARBEITERIN: Ihr habt ja alle schon Männer. Ich aber wäre frei! Frei für ihn!

EVA: Impotenz wäre vielleicht ganz gut. Man müßte dann keine Kinder mehr gebären.

ARBEITERIN: Wenn ein Geld da ist, machen Kinder nichts.

ARBEITERIN: Nur das Wesen zählt.

Während der letzten Sätze der Frauen geht die Unternehmer-Delegation. Weygang, der sich alles genau ansieht, nimmt Nora mit sich, die Arbeiterinnen bleiben allein zurück.

8

Im Hause des Unternehmers Weygang. Herrenzimmer. Weygang, der Minister, der Sekretär Weygangs, der sich im Hintergrund hält.

MINISTER: Nora lebt nun schon seit einigen Monaten in Ihrem Haus, lieber Fritz, und die Zeit konnte ihrer Schönheit noch nichts anhaben.

WEYGANG: Was Frauen betrifft, zählt für mich, ausgehend davon, daß sie leicht verderbliche Ware darstellen, Qualität vor Quantität.

MINISTER: Wenn man jedoch bedenkt, wie rasch Sie Ihren Bestand auszutauschen beziehungsweise zu ergänzen pflegen, kommt man beim Rechnen doch auf eine gewisse Quantität.

WEYGANG: Und was sagen Sie zu Noras Körper, lieber Minister?

MINISTER: Es ist beinahe undenkbar, daß er bereits mehrere Kinder geboren haben soll, wie ich gehört habe.

WEYGANG: Der Mensch verwirklicht sich jedoch in seinem Tun.

MINISTER: Der eine mehr, der andre weniger.

WEYGANG: Die Wirtschaft muß Maßnahmen treffen, nicht für eine Welt, wie sie sein sollte, aber nicht ist, sondern um der Welt zu helfen, wie sie ist.

MINISTER: Oder wie es Sokrates so trefflich ausdrückte: Ich weiß, daß ich nichts weiß, haha...

WEYGANG: Und er fügte hinzu: Aber Ihr wißt nicht einmal das, haha...

MINISTER: Entweder weiß man oder man weiß nicht.

WEYGANG: Wissen ist Macht.

MINISTER: Gar nichts ist gar nichts.

WEYGANG: Das soll wohl bedeuten, daß die Gerüchte stimmen.

MINISTER: Welche Gerüchte?

WEYGANG: Sie wissen genau, was ich meine. Ich habe das Werk besichtigt. Man hat versucht, auf dilettantische Weise, möchte ich sagen, den Anschein zu erwecken, als handle es sich um eine Firma mit gesunder Infrastruktur.

MINISTER: Und handelt es sich oder nicht?

WEYGANG: Völlig verrottet. Die Transportkosten sind ihnen längst zu hoch. Sie planen eine Verlegung. Es muß allerdings eine Person existieren, die ein Interesse daran hat, mir das Ganze anzudrehen.

MINISTER: Soweit ich informiert bin, wollen die meisten Aufsichtsratsmitglieder erst mal schließen und dann in Ruhe abwarten, ob die Grundstückspreise vielleicht in Zukunft einmal anziehen werden.

WEYGANG: So lange können wir nicht warten, und Sie wissen das. Ich hoffe, Sie wissen das! Ich muß die Person herausfinden, die das auffallend interessierte Glied in der Kette ist.

MINISTER: Einer ist immer der Schwächste, das lehrt uns die Natur mit ihren zahlreichen Wundern.

WEYGANG: Auf dem Boden, der noch nicht der Meine ist, der aber der Meine sein wird, falls Sie mir die Informationen besorgen, lernte ich Nora kennen, die nun die Meine ist.

MINISTER: Eine solche Frau...

WEYGANG: Meine Nora, mein Sonnenschein und mein kostbarster Besitz.

MINISTER: ...könnte auch gut mein Sonnenschein sein.

WEYGANG: Sie hat nicht nur ein Gesicht und einen Körper, sondern auch noch eine beträchtliche Allgemeinbildung.

MINISTER: Sie sind ein guter Geschäftsmann, Fritz, das muß man Ihnen lassen. Sie verstehen es zu verkaufen.

WEYGANG: Der Gedanke, mich je von ihr zu trennen, schneidet

wie ein Dolch durch mich hindurch. Nachdem der Schnitt vollführt ist, schiebe ich den Gedanken weit fort.

MINISTER: Ich alter Kenner sage: der Mythos Frau – die Haut, der Körper als der Ort, in den sich der ewige Widerspruch eingeschrieben hat! Zu viele Laien sind auf diesem Gebiet als Wilderer tätig.

WEYGANG: Das Kapital ist jedoch von allergrößter Schönheit. Nicht einmal Vermehrung beeinträchtigt seinen hervorragenden Wuchs.

MINISTER: Sie hat eine starke Kindlichkeit wie beispielsweise Wedekinds Lulu sie auch hat. Sie hat keinen moralischen Maßstab.

WEYGANG: Ja. Ich liebe sie und bin ihr vollkommen verfallen.

MINISTER: Auch ich könnte sie lieben.

WEYGANG: Ist was dran oder nicht?

MINISTER: Woran? Mit Geld allein ist es diesmal nicht abgetan, lieber Fritz.

WEYGANG: Kapital ist ängstlicher Natur. Es scheut vor der Abwesenheit von Profit oder der Drohung von nur sehr kleinem Profit zurück wie die Natur vor der Leere.

MINISTER: Die Natur scheut keineswegs vor der Leere zurück, sie trachtet sie vielmehr aufzufüllen. Das deckt sich zufällig mit meiner privaten Philosophie, die der Thermodynamik entnommen wurde.

WEYGANG: Ein Bild, der Thermodynamik entnommen?

MINISTER: Das Maß der Entropie ist das Maß der Unordnung. Die Natur strebt demnach vom Chaos zur Ordnung. Die geringste Unordnung wäre der Wärmetod des Universums, wenn nämlich alle Atome die gleiche Temperatur besäßen.

WEYGANG: Daraus läßt sich wohl schließen, daß die größte Entropie in einer idealen sozialistischen Gesellschaft herrschte, in der alle gleich viel besäßen. Die es aber zum Glück nie geben wird. Dieses Ereignis käme nämlich dem entropischen Wärmetod des Universums gleich.

MINISTER: Diese Katastrophe gilt es, mit vereinten Kräften zu verhindern, sie wird aber ohnedies nicht eintreten, weil die menschliche Natur dagegen ist.

WEYGANG: Die Natur begünstigt den Gewerbetreibenden im

großen Stil, wie sie übrigens auch die Liebe begünstigt, meine zu Nora zum Beispiel. Wie immer die üblichen Schweizer Konten?

MINISTER: Ja. Aber diesmal müssen Sie was drauflegen, mein Gutester.

WEYGANG: Was denn?

MINISTER: Ihre Nora reizt mich nicht unbeträchtlich.

WEYGANG: Die Frau, die ich liebe, werde ich niemals verschachern, eher verschachere ich mich selber oder meinen rechten Arm.

MINISTER: Dann eben nicht!

WEYGANG: Mit Nora werde ich noch im hohen Alter zusammensein, Philemon und Baucis.

MINISTER: Im hohen Alter möchte ich ganz bestimmt nicht mit ihr zusammensein.

WEYGANG: Allerdings dauert nach meinen Erfahrungen selbst die größte Leidenschaft nur eine kurze Dauer. Wenn Sie warten, bis meine größte Leidenschaft abgeklungen ist, kriegen Sie sie.

MINISTER: Abgemacht.

WEYGANG: Noras Verlust wird mir wie einige Messer in mein Herz schneiden.

MINISTER: Sie müssen sie ja nicht umsonst hergeben. Die Regierungen dreier Länder reißen sich um das Geschäft, und ich habe den Schlüssel dazu.

WEYGANG: Na gut, sagen wir in drei Wochen. Von größter Schönheit aber ist das Kapital.

MINISTER: Das in Frage stehende Objekt wird an der bewußten Stelle gebaut. Sie wissen selbst, wie ideal das Gelände ist, dünn besiedelt, jede Menge Kühlwasser, lange Anfahrtswege für diverse Bürgerinitiativen, keine nennenswerte Industrie, etc. etc.

WEYGANG: Ist das auch ganz sicher? Sie wissen wohl Einzelheiten?

MINISTER: Auch der Ministerpräsident der Provinz ist dafür.

WEYGANG: Gut.

MINISTER: Im Frühjahr wird der Wert der Grundstücke das Zehnfache betragen. Aber wahrscheinlich noch mehr.

WEYGANG: Hauptaktionär ist die Conti-Bank, nicht wahr? Und in der Conti-Bank ist eine Schwachstelle.
MINISTER: Sehr richtig.
WEYGANG: Herr Minister, ich danke Ihnen für das Gespräch.
Der Minister setzt sich eine Sonnenbrille auf und geht durch eine Seitentür hinaus, Weygang wendet sich seinem Sekretär zu, der die Papiere, die er die ganze Zeit über sortiert hat, sofort weglegt.
Wissen Sie übrigens, was der Minister nicht weiß, wer einer der Direktoren der Conti-Bank ist?
SEKRETÄR: Nein, Herr Weygang.
WEYGANG: Helmer.
SEKRETÄR: Ich kenne keinen Helmer.
WEYGANG: Sie kennen aber Nora. Sie war mit ihm verheiratet.
SEKRETÄR: Unglaublich, Herr Weygang.
WEYGANG: Den Posten hat er durch Protektion gekriegt, er selbst verfügt weder über festverzinsliche Wertpapiere noch über produktives Vermögen. Außerdem soll er unglaublich ehrgeizig sein und weit über seine Verhältnisse leben. Angeblich will er wieder heiraten, diesmal in die Jugend und in die Society hinein.
SEKRETÄR: So was, Herr Weygang!
WEYGANG: Gut, daß der Minister das nicht mitgekriegt hat, der hätte sonst seine Prämie glatt verdoppelt.
SEKRETÄR: Wieso, Herr Weygang?
WEYGANG: Wenn der auch noch den Helmer informiert, dann... das könnte den Preis ins Gigantische treiben...
SEKRETÄR: Mein Gott, Herr Weygang!
WEYGANG: Ich muß Helmer zum Verkaufen bringen, ohne daß er mißtrauisch wird, vielleicht wird das nicht so schwer sein, weil er ohnehin verkaufen will.
SEKRETÄR: Um so besser, Herr Weygang.
WEYGANG: Ich werde Nora auf ihn ansetzen wie einen Spürhund auf die Fährte. Sie wird alles Nötige aus ihm herauskriegen.
SEKRETÄR: Das klingt plausibel, Herr Weygang.
WEYGANG: Das richtige Leben habe ich ihr erst gezeigt, jetzt will sie sich dafür rächen, daß Helmer sie vom richtigen Leben jahrelang methodisch abgehalten hat.

SEKRETÄR: So was, Herr Weygang.

WEYGANG: Außerdem entfernte ich ihre frühere Engstirnigkeit beinahe ganz, ihr Horizont ist beträchtlich geweitet worden.

SEKRETÄR: Das sieht man Frau Helmer an, Herr Weygang.

WEYGANG: Wie können Sie ihr das ansehen mit Ihren beschränkten Erfahrungen, die sich auf zweitklassiges Material beschränken?

SEKRETÄR: Ich kann es ja gar nicht erkennen, Herr Weygang! Ich habe das nur so hingesagt.

WEYGANG: Diese schöne, wilde, weite, zügellose, verrückte Welt!

SEKRETÄR: Ja, Herr Weygang.

WEYGANG: Ist gut. Ich brauche Sie heute nicht mehr.

SEKRETÄR: Vielen Dank, Herr Weygang.

WEYGANG: Die größte denkbare Schönheit jedoch besitzt das Kapital. Ihm kann auch Vermehrung äußerlich nichts anhaben. Es wird nur einfach mehr.

9

Noras luxuriöses Boudoir. Annemarie räumt auf. Nora tanzt bei der Türe herein, sie trägt ein elegantes Negligé.

NORA: Ach, wird das herrlich, Annemarie, ich sehe es schon vor mir!

ANNE: Endlich kann meine Frau Nora sich wieder ihrer ursprünglichen Bestimmung zuwenden! Ich sage immer: einen Mann verliert man, die Kinder aber bleiben einem.

NORA: Diesen Mann werde ich nicht verlieren, meine alte Annemie!

ANNE: Sie werden sich recht freuen, ihr Mütterlein wieder zu haben. Ich wage gar nicht, daran zu denken, aber, Nora, wenn Sie bald ein süßes Geheimnis in sich fühlten...? Wenn Sie sich bald sogar zum viertenmal Mutter fühlten...?

NORA: Nun bin ich soeben erst zur Frau gemacht worden, nun will ich das genießen und nicht gleich ein weiteres Kind gebären...

ANNE: Eine Frau darf nicht so sprechen, weil sie sich damit an den Kindern versündigt...

NORA: Ach, Annemarie, das verstehst du nicht, bist du doch niemals so ganz und gar Frau gewesen, wie ich es jetzt bin.

ANNE: Wenn eine Frau heftig liebt, darf sie auch vor dem Äußersten nicht zurückschrecken, nämlich dem geliebten Mann ein Kindchen zu schenken. Wir Frauen sind doch alle dieselben, wenn wir lieben!

NORA: Nun geh, Annemarie, ich glaube, der Herr kommt!

Weygang tritt ein, Annemarie geht hinaus, Nora wirft sich in Weygangs Arme.

Geliebter, wie sich das Gefühl der Liebe doch ständig in mir verstärkt! Das Erschrecken vor der Größe dieses Gefühls macht mich äußerst weiblich.

WEYGANG: Du mußt nicht erschrecken, mein Kleines! Wenn du schon erschrickst, dann erschrecke lieber vor dem Alter, das dir bevorsteht.

NORA: Mein Liebster macht solche Späße... Manchmal trifft es einen Mann und eine Frau gemeinsam, manchmal nur einen davon. Wenn es eine Frau alleine trifft, ist das schlecht, weil Frauen so was viel schwerer verwinden.

WEYGANG: Das ist eine Fröhlichkeit bei dir, die ganz von innen herauskommt. Bei Frauen ist das Innen meist sehr tief, während Männer manchmal seicht, hohl und flach sein können. Das Leben schleift die Männer mehr ab, weil sie heftiger lieben als die Frauen.

NORA: Das kleine Mädchen blickt hechelnd zur Tür und fragt, welches schöne Spiel wir heute spielen.

WEYGANG: Bei einer Frau sind innen und außen gleich wichtig.

NORA: Auffordernd blicke ich zur Eingangstür und frage: Gehen wir heute nicht aus? In einer Minute bin ich angezogen.

WEYGANG: Nein, heute nicht. Heute muß ich mit meinem kleinen Mädchen einmal ernsthaft reden.

NORA: Ooooch, leicht beleidigt stampfe ich mit dem Fuß auf und drehe mich einmal um meine Längsachse, dich jedoch schelmisch von unten her anblickend, um zu zeigen, daß ich es nicht so ernst meine wie es aussieht.

WEYGANG: Nun, nun, meine Lerche muß nicht gleich die Flügel hängenlassen.

NORA: Ich schlage mit meiner kleinen Faust auf den Tisch, blicke aber zwischen meinen wilden Haarlocken mit einer Mischung aus leichter Ängstlichkeit und banger Frage und süßer Gewißheit, geliebt zu werden, zu dir empor.

WEYGANG: Nach all den vielen, vielen Monaten kommt der Ernst des Lebens.

NORA: Ja, weil unsre Liebe jetzt tiefer und reifer geworden ist. Weil man vor so einem Gefühl demütig und ernst wird.

WEYGANG: Hat mein lockerer Zeisig wieder Geld verschwendet?

NORA: Zwischen dem Ernst blitzt der Schalk hervor. Entfesselt tanze ich im Zimmer umher und lasse die weiten Ärmel meines Negligés flattern.

WEYGANG: Ach, ich bin gar nicht froh heute, mein Herz.

NORA: Noch rasch eine doppelte Pirouette – *tut es* – zum Abschluß, so, fertig! Wie gut, daß es in der Liebe nicht mein und dein gibt, sondern nur ein unser!

WEYGANG: Leider gibt es noch ein starkes mein.

NORA: Nie suchte ich das Meine, immer nur das Deine!

WEYGANG: Kapital ist das einzige, was seine Vermehrung ständig sucht und dabei doch nichts an Schönheit einbüßt, während Frauen, die eifrig ihre Vermehrung betreiben, an ihrem Äußeren oft Schaden nehmen.

NORA: Aber ich plane ja gar keine Verunzierung meines Äußeren.

WEYGANG: Könnte meine Heidelerche Verantwortung tragen? Mir ein echter Partner sein? Der Partnertyp ist eine Art Frau, die langsam modern zu werden beginnt.

NORA: Ich bin aber mehr eine altmodische Frau, die ganz hinter den Mann zurücktritt, daß man nur mehr ihn sieht.

WEYGANG: Dann verschweige ich es lieber...

NORA: Nein, sag es, sag es!

WEYGANG: Lieber nicht! ...Vielleicht muß ich mir doch einen Partnertyp anschaffen...

NORA: Sag es! Sag es! Jetzt mache ich noch eine formvollendete Arabeske. *Tut es.*

WEYGANG: Der Kapitalist kann aus seinem Geld mehr Geld machen ohne zu produzieren.

NORA: ... indem er alles redlich mit mir teilt, Freud und Leid, was ihm wiederum doppelt an Liebe zurückkommt, haha!

WEYGANG: Meine Lerche will sich wohl ausschütten vor Lachen.

NORA: Dem Manne eine Stütze im Erwerbsleben, doch lieber einen Mann haben, der keine Stütze im Erwerbsleben benötigt, sondern allein erwirbt.

WEYGANG: Es geht um ein sehr großes Geschäft, Nora. Daher bin ich auch so ungewöhnlich ernst und vielsagend.

NORA: Solch ein vielsagender Ernst wirkt wie ein Hammer. Man fühlt sich so geborgen unter ihm.

WEYGANG: Helmer, dein früherer Mann, ist nämlich hineinverwickelt.

NORA *lacht ungläubig*: Nein!

WEYGANG: Kapital kann auch Eigengesetzlichkeiten entwickeln und wuchern.

NORA *jäh und ernst*: Mich verbinden nicht unbedingt freundschaftliche Gefühle mit Helmer, wie du weißt.

WEYGANG: Obwohl auch du über dich hinauswuchern kannst, indem du diese kleinlichen Gefühle überwindest?

NORA: Was?

WEYGANG: Es geht um eine Spekulation von gigantischen Ausmaßen.

NORA: Geht wieder dein Leichtsinn mit dir durch! Wenn wir Frauen euch nicht bremsen würden ... mit unsren kleinen Händen ...

WEYGANG: Ich muß ihn dahin kriegen, daß er macht, was ich will. Er muß aber glauben, daß ich mache, was er will.

NORA: Dafür bin ich eine schwache Frau, daß ich mir nichts gefügig machen kann, daß ich dir aber gefügig bin.

WEYGANG: Die körperlichen Spezialeigenschaften, die mich einst für dich einnahmen, können auch andere für dich einnehmen ...

NORA: Oh, pfui, Bär!

WEYGANG: Schließlich habe ich einiges in dich investiert. Mit Investition beschreibt man eine Masse von Gütern, die allesamt nur etwas gemein haben: sie werden nicht mittelbar verbraucht.

NORA: Du hast mich aber verbraucht, Bär! Und wie schön war das! Ich tue alles für dich, alles bis auf das Eine.

WEYGANG: Großzügige Menschen wie wir kennen das Eine nicht als Schranke, sondern als Schrankenlosigkeit.

NORA: Ich beuge mich weit zurück wie in Abwehr. *Tut es.*

WEYGANG: Kindfrauen wie du geben sich oftmals anderen Personen hin, ohne dabei ihr Image als Kindfrau zu beschädigen. Sie machen sich andere Menschen sogar hörig, die sich anschließend oft erschießen.

NORA: Pfui! Wie kannst du so abscheulich reden!

WEYGANG: Mir bleibt keine Wahl. Sonst stocken Kauf und Verkauf, Handel und Wandel.

NORA: Auch in einer Kindfrau kann etwas zerbrechen.

WEYGANG: Solange noch die Möse hält...

NORA: Bär! Ich rufe halt! Ich bedecke mein Gesicht mit den Händen und blicke fragend zwischen den Fingern durch, bereit, beim ersten Anzeichen eines Lächelns deinerseits wieder fröhlich im Raume umherzuhüpfen und April! April! zu rufen. *Tut es.*

WEYGANG: Mir tut es selbst am meisten weh.

NORA: Dann tu dir nicht weh!

WEYGANG: Manchmal muß man sich selbst bewußt verletzen. Manchmal sehen Frauen gerade daran, daß ein Mann sie stark verletzt, einen Beweis für seine Liebe. Weil er sich selbst dabei noch stärker mit verletzt.

NORA: Nein!

WEYGANG: Wie nennt man die Vögel, die lockeren, die alles verschwenden?

NORA: Zeisige. *Begreift langsam.*

WEYGANG: Das Motto für die nächsten Wochen: Nicht wie ein Zeisig verschwenden, sondern selber geben.

NORA: Aber ich gab doch viel... mich nämlich!

WEYGANG: Ich gab auch viel: mich und Mehrwert.

NORA: Das kannst du nicht von mir verlangen.

WEYGANG: Wenn dich nun dein kleines Bärchen recht artig und herzlich um etwas bäte...

NORA: Dann?

WEYGANG: Dein Bär würde umherspringen und allerlei lustige Streiche machen, wenn du liebenswürdig und fügsam wärst. *Ab hier schweigt Nora, Weygang redet mit verstellter Stimme ihren Part mit:* Würdest du's dann tun?
Erst muß ich natürlich wissen, um was es sich handelt.
Bei der Spekulation handelt sich's um eine Eisenbahnlinie wie in dem Stück «Stützen der Gesellschaft», auch von Ibsen. Eisenbahn! Wieso Eisenbahn? Schließlich gehören uns die in Frage stehenden Grundstücke noch nicht. Warum denn nicht? Weil wir sie erst kaufen müssen! Eigentlich soll man nicht mehr kaufen wollen, wenn man das Wichtigste schon hat: die Liebe.
Die Welt wird dann doch nur um so rascher versinken, und nur unsre Liebe wird zurückbleiben. Die Welt kann aber erst dann versinken, wenn sie zuvor durch den Akt des Ankaufs geschaffen wurde. Aber mir tun die Menschen so leid, die jetzt dort arbeiten, egal, wo das ist. Immer denkst du an andere, wo du doch nur an mich denken sollst. Meist denke ich ohnehin nur an uns.
Wir gründen andernorts, egal, wo das ist, eine neue Siedlung, die wir die Nora-Helmer-Blocks nennen... helle freundliche Wohnungen... die ersten Einbauküchen in der Geschichte des sozialen Wohnungsbaus... vielleicht sogar... kaum wage ich es auszusprechen, weil doch eine gewisse Überwindung dazugehört... die Nora-Weygang-Blocks!!! Die Nora-Weygang-Blocks! Habe ich recht gehört Liebster? Eigentlich hörte ich nur die beiden Worte Nora und Weygang.
Ich antworte: Ja, vielleicht!
Oh, Liebster!
Ich antworte noch bestimmter: Ja, wer weiß?! Ist es also wirklich nicht gemein, was ich da tun will? Nein.
Und willst du unsren Bund wirklich durch die Ehe krönen? Möglicherweise ja. Oh, Liebster, endlich gehöre ich dir richtig und ganz.
So verhält es sich mit dem Eigentum, meine kleine Lerche. *Er umarmt Nora, die jedoch bleibt erstarrt stehen. Er sieht sie lange lächelnd an, dann geht er hinaus.*

10

Noras Schlafzimmer, Annemarie, Nora.

ANNE: Ihr Gesichtsausdruck ist so weich geworden, Nora, das besagt sicher, daß Sie sich Ihrer ursprünglichen Bestimmung besonnen haben...

NORA: Besonnen? Ich?

ANNE: Gleichzeitig wirken Sie irgendwie durchsichtig. Wahrscheinlich deshalb, weil Sie sich so nach Ihren Kleinen verzehrt haben...

NORA: Wovon redest du eigentlich?

ANNE: Unser guter Herr Helmer und unser guter Herr Weygang werden niemandem eine Bitte abschlagen können, erst recht nicht die Bitte einer Mutter um ihre Kinder.

NORA: Laß mich bloß jetzt mit den Bälgern zufrieden!

ANNE: Meine kleine Nora macht Spaß, weil sie ohne ihre Kinder gar nicht zufrieden sein kann.

NORA: In diesem Augenblick zieht sich eine Frau aus einem bestimmten sozialen System zurück, in unsrem Falle aus der Familie.

ANNE: Zerreißen Sie nicht die Fäden, die Sie unsichtbar mit Ihren Kleinen verbinden!

NORA *hebt ein Strickzeug von einem Stuhl auf*: Gehört Ihnen das Strickzeug?

ANNE: Diese rohen Worte passen gar nicht zu Ihrem sanften Naturell.

NORA: Du strickst also?

ANNE: Sie sind doch bereits seit vielen Jahren Mutter, Nora, und immer noch der leichtsinnige, verantwortungslose Wildfang...

NORA: Wissen Sie was, Sie sollten lieber sticken.

ANNE: Aber es sind unschuldige Würmer. Auch ich mußte einst einen unschuldigen Wurm hergeben...

NORA: Weil das viel schöner aussieht. Sehen Sie mal: man hält die Stickerei so mit der linken Hand, und dann führt man mit der rechten die Nadel... so... hinaus in einem leichten, langgestreckten Bogen, nicht wahr...?

ANNE: Vielleicht ist es sogar bald noch ein Würmchen mehr...

NORA: Beim Stricken dagegen... das sieht immer unschön aus. Übrigens ist der Kapitalismus eine Folge der auf die Spitze getriebenen Männerherrschaft, welche ich satt habe.
Wirft das Strickzeug in die Ecke, Annemarie läuft ihm nach, kniet am Boden und fädelt die heruntergefallenen Maschen behutsam wieder auf.

ANNE: Das sollte doch ein Geschenk für Ivar werden! Ein neuer Pullover zu seinem Geburtstag.

NORA: Das Phänomen unsrer Reproduktionsfähigkeit ist das beruhigende Element, das herrscht, wenn die Frauen über ihre Regel oder ihre Kinder sprechen. Was viele zugleich aushalten müssen, gibt dem Einzelnen Sicherheit.

ANNE: Nachdem ich die Strickerei wieder in Ordnung gebracht haben werde, werde ich die schöne große Gehpuppe für Emmy verpacken. Es hat geklopft.

NORA: Na, mach schon auf!
Annemarie steht ächzend auf, geht öffnen.

WEYGANG *steckt pantomimisch-schüchtern den Kopf zur Türe herein, dann kommt er mit einem Blumenstrauß auf Nora zu*: Ich will mich mit dieser zornigen kleinen Frau hier noch einmal aussprechen. Ich spreche mich aus und genieße gleichzeitig den Anblick dieser zornigen kleinen Frau, weil Zorn eine Frau verschönern kann. Er verabreicht ein loderndes Feuer.

ANNE: Ich ziehe mich diskret zurück, weil Mann und Frau alleine bleiben wollen. *Sie geht.*

NORA: Oft gibt es, wenn ein Mann und eine Frau alleine bleiben, den zündenden Funken. Man sagt auch: es hat gefunkt.

WEYGANG: Du hast noch die Tarantella im Blut, das merk ich. Und das macht dich noch verführerischer. Horch! Wie hell deine Augen leuchten, wie erregt deine Backen blitzen, wie böse deine Zähne funkeln!

NORA: Zuerst muß man die Familie auffliegen lassen, dann muß man alles übrige auffliegen lassen.

WEYGANG: Wie deine Haare fliegen und wie auch dein Atem fliegt! Außerdem fliegt auch deine Brust hinter deinen Atemzügen.

Nora rennt ihm mit dem Kopf voran in den Bauch. Er hält sie lachend fest, sie ringen miteinander, Weygang nimmt das Ganze nicht ernst, er wehrt sie lächelnd ab.
Wie alles bebt, was wichtig und wesentlich an dir ist...

ANNE *schaut erschreckt bei der Türe herein*: Für Kinder ist das doch nichts. Kinder brauchen eine geordnete Umgebung, um geordnet aufwachsen zu können.

11

Bei Helmer daheim. Frau Linde umflattert Helmer eifrig und penetrant.

LINDE: Liebster Torvald, der Tee kocht gerade! Ist das nicht fein? Solch einen Tee hätte dir deine frühere Frau, Nora, gewiß nicht zu bereiten verstanden.
Helmer schweigt.
Liebster! Willst du ein Stück Zucker, zwei Stück Zucker oder drei Stück Zucker?

HELMER: Vier Stück.

LINDE: Aber du hast doch sonst noch nie vier Stück genommen?! Auch der Tisch ist schon gedeckt. Ist das nicht fein?
Helmer schweigt.
Du ahnst nicht, wie glücklich mich selbst scheinbar unbedeutende Tätigkeiten, wie Zucker in den Tee werfen, beglücken!

HELMER: Ich hingegen fühle überhaupt nichts dabei.

LINDE: Weil ich dabei jedesmal denken muß, wie sehr meine besten Kräfte und Fähigkeiten bisher doch brachlagen.

HELMER: Wo lagen?

LINDE: Beim Büroarbeiten natürlich, liebster Helmer und Mann! Ich bin viel zu schöpferisch begabt, um auf die Dauer bürozuarbeiten, was ich jetzt erst erkannt habe. Mit deiner Hilfe, Liebster! Deine Exfrau Nora hat das ja nie begriffen. Gibt es eine schöpferischere Aufgabe als Kindern die ersten Schritte ins Leben zu erleichtern? Vor allem so tiefgreifend gestörten Kindern wie von der Mutter, der ursprünglichen Mutter, verlassenen??

HELMER: Na ja…
LINDE: Ein Mann kann so etwas nicht begreifen. Gerade deshalb lieben wir euch Männer ja so, weil immer ein Rest Fremdheit zwischen Mann und Weib besteht.
HELMER: Man läßt gewisse Leute nicht gern an sich heran, liebende Frauen zum Beispiel.
LINDE: Du fliehst wegen deiner großen Enttäuschung noch vor der Liebe, Torvald. Aber glaub mir, Nora war das nicht wert! Unter meinen geduldigen Frauenhänden wird sich das übrigens bald ändern. Wir Frauen können eines besonders gut: warten, wenn es sein muß jahrelang!
HELMER: Ich muß jetzt viel alleine sein, seit Nora mich verließ. Ich muß jetzt in mein Innerstes hineinhören. Was ich dort höre, wird über meine Zukunft bestimmen. In groben Umrissen weiß ich es aber schon: Hochfinanz sagt mein Inneres.
LINDE: Warte nicht zu lange! Vielleicht ist es doch etwas Falsches, was dir dein Innerstes zuflüstert. Ein Mann muß nicht immer nur hinausstreben, er kann auch zu Hause bleiben. Außerdem steht zu befürchten, daß dir draußen ein möglicherweise anziehenderes Objekt als ich über den Weg läuft.
HELMER: Ich brauche jetzt sehr viel Zeit für mich allein.
LINDE: Liebesleid dauert keine Ewigkeit.
HELMER Auf Grund meiner schweren inneren Verletzung lasse ich jetzt niemanden mehr an mich heran.
LINDE: Nur ein Mann kann so sprechen! So stolz und so herzlos.
HELMER: Ich bin ein sogenannter einsamer Wolf geworden, ein lone wolf, was sehr oft von Frauen gerade deshalb begehrt wird.
LINDE: Du sollst aber von anderen Frauen nicht begehrt werden! Nur für mich darfst du dich rückhaltlos öffnen, Torvald!
HELMER: Wir einsamen Börsenhaie jagen stets alleine unsere Beute. Mit starken Reißzähnen bewaffnet, schnappen wir das scheue Wild Geld den anderen weg… mit unseren bewehrten Fängen…
LINDE: Von dir geht ein untrüglicher Geruch nach Macht aus, Torvald. Wenigen ist es vergönnt, ihn zu riechen. Darum liebe ich dich ja so sehr. Aber auch darum, weil ich, als Einzige, weiß, wie zärtlich und sanft du sein kannst.

HELMER: Wann sollte ich je sanft gewesen sein?

LINDE: Es genügt, daß deine Linde es weiß. Du brauchst jemanden, der mit zarter Hand den täglichen Kleinkram von dir fernhält.

HELMER: Das Kapital ist von großer Schönheit, Anziehungskraft und Eigengesetzlichkeit.

LINDE: Wie du sprichst... als ob du nie etwas andres getan hättest! Wir Frauen sind da eher ungeübt.

HELMER: Und was ist mit Krogstad?

LINDE: Bei Krogstad: keine Erfüllung für mich.

HELMER: Warum eigentlich nicht?

LINDE: Krogstad strahlt kein Fluidum von Macht aus, dem ich schon völlig verfallen bin. Es strahlt übrigens ganz stark von dir aus. Krogstad hat keine Position im Wirtschaftsleben. Du bist das meiste, was ich zu erreichen vermag.

HELMER: Ich bin das meiste, das Frauen, die viel mehr erreichen könnten als du, erreichen können!

LINDE: Willst du deine kleine Linde etwa eifersüchtig machen? Das ist nicht anständig, wenn man einen Tieferstehenden, der einen wahrhaft liebt, quält.

HELMER: Dann nimm dir doch einen wirklich Tieferstehenden wie Krogstad, der dann auf deiner Ebene ist. Vielleicht quält der dich dann nicht...

LINDE: Du verletzest meine Weiblichkeit, indem du so was sagst.

HELMER: Wir einsamen Wölfe verletzen eben manchmal, ob mit Absicht oder nicht. Wonach wir riechen ist Geld.

LINDE: Riechst du das selbstgebackene Teegebäck, liebster Torvald? Nur für dich buk ich es.

HELMER: Ich habe für solche Dinge keine Zeit, das weißt du doch. *Er stopft sich das Gebäck geistesabwesend in den Mund.*

LINDE: Rieche, Helmer, bitte, mir zuliebe! Einmal nur!

HELMER: Siehst du nicht, daß mich die Börsennachrichten fesseln?

LINDE: Torvald, weil du gerade von Fesseln sprichst...

HELMER *plötzlich aufmerksam*: Ja?

LINDE: Wollen wir es wieder spielen, unser Spiel, dieses Spiel unsrer langen Nächte.

HELMER: Wie meinst du?

LINDE: Ein harter Charakter, der immer nur mit Jagen beschäftigt ist, darf selbst mal, in der Abgeschiedenheit seines Schlafzimmers, wo alles nur Denkbare gestattet ist, zum Gejagten werden! Das ist der Ausgleich, den die Natur fordert.

HELMER: Ach, Lindelein...

LINDE: Wir sind doch über moralische und kleinliche Maßstäbe erhaben, Torvald, nicht wahr? Ich erzähle es auch keiner Menschenseele weiter.

HELMER: Willst du... jetzt...?

LINDE: Deine Herrin sein, jawohl, Torvald! *Zieht sich etwas mühsam die Stiefel an.*

HELMER: Jetzt habe ich aber doch gar keine Zeit... weil ich doch... die Börsennachrichten...

LINDE: Doch, Torvald, komm! Rasch! Hierher!

HELMER: Daß du ja niemandem was davon erzählst!

LINDE: Niemandem! Das ist unser alleiniges Geheimnis, Torvald.

HELMER: Schließlich ist das der Ausgleich, den ein leidenschaftlicher Spieler und Spekulant, wie ich, eben manchmal braucht.

LINDE: Sicher, sicher, Helmerchen, komm peitschen! Komm zu deiner Herrin! Sofort, sage ich! Du wirst sehen, nachher fühlst du dich gleich besser, weniger abgeschlafft.

HELMER: Ich und abgeschlafft?

LINDE: Aber doch nur bis nachher! Kommt jetzt... *Zieht ihn fort.*

HELMER: Aber die Kinder können doch jeden Moment kommen...

LINDE: Bis die Kinder wieder da sind, sind wir längst mit Peitschen fertig. Sie wollten heute bis zum Teich gehen, Schwäne füttern.

HELMER: Dann aber fix!

Draußen Türe. Kinderstimmen.

LINDE: Verflucht noch mal! Äh... jetzt sagen meine Instinkte auf einmal, daß ich mich auf die Kinder werfen und sie an meine Brust drücken muß. Offenbar wurde wegen Schlechtwetters der Spaziergang verkürzt. Ihr armen mutterlosen Kleinchen! *Eilt hinaus, das Folgende von draußen.* Wie frisch und munter ihr ausseht! Nein, wie rote Backen ihr bekommen habt. Wie

Äpfel und Rosen. *Kinderstimmen immer dazwischen.* Habt ihr euch gut unterhalten? Das ist ja fein. Ja, so: du hast Emmy und Bob auf dem Schlitten gezogen? Alle beide? Ja, du bist ein tüchtiger Kerl, Ivar. Ach, meine süßen kleinen Püppchen! Wie? Mit Schneebällen habt ihr euch beworfen? Oh, da hätt ich dabei sein mögen!

12

Weygangs Arbeitszimmer. Weygang und Helmer. Sie sind beide mit Cognacschwenkern und Zigarren beschäftigt. «Männliche» Atmosphäre. Helmer wirkt servil.

WEYGANG *leise beiseite*: Da haben wir also das schwache Glied in Person. *Laut zu Helmer:* Sie wissen wohl, lieber Helmer, was uns beide heute zusammenführt: es ist das Kapital.

HELMER: Oh, vielen Dank, Herr Konsul. Wie Sie ganz richtig sagen, färbt das Kapital auf uns beide ab, das sage ich auch immer zu meiner Haushälterin, Frau Linde. Ich trachte, meine Verpflichtungen dem Kapital gegenüber in meiner Stellung stets einzuhalten.

WEYGANG: Brav, Helmer. Sie sind noch nicht lange in unserem Club?

HELMER: Habe erst seit kurzem die Ehre, Herr Konsul. Doch schon schieße ich wie ein Hai, pardon, ein Hecht zwischen den etwas verkalkten Säulen des Großkapitals hin und her und bringe frischen Wind hinein, Herr Konsul.

WEYGANG: Sagen Sie nicht Konsul zu mir! Ich hoffe, Sie halten mich nicht für eine verkalkte Säule?!

HELMER: Nie würde ich mir erlauben, verehrter Herr Weygang...

WEYGANG: Freilich, eine Blutauffrischung können wir immer gebrauchen.

HELMER: Wenn ich einmal ein Unternehmer sein werde, Herr Weygang, werde ich wie ein Pavlovscher Hund auf jenen starken Stimulus reagieren, der Erbe für die Kinder heißt.

WEYGANG: Ach ja, Sie haben ja Kinder, mein Bester.

HELMER: Gesunde Kinder, Herr Konsul. Zwei Söhne.

WEYGANG: Wenn ich recht informiert bin, sind Sie zur Zeit noch immer Angestellter der Conti-Bank, nicht wahr, Helmer?

HELMER: Alles in mir strebt aber nach Veränderung, die Horten von Eigenkapital lautet, Herr Konsul.

WEYGANG: Ach, lassen wir das Geschäft doch einmal beiseite, Helmer!

HELMER: Das kann ich nicht, Herr Konsul, weil es mir bereits in Fleisch und Blut übergegangen ist. Ich bin wohl für das Spekulieren mit Fakten und Zahlen geboren, Herr Konsul.

WEYGANG: Sie sind eine blendende Börsenerscheinung, Helmer.

HELMER: Das glaube ich auch, Herr Konsul. Aber nehmen Sie dem Kapitalisten nicht die Kinder, Sie nehmen ihm damit alles, was ihn motiviert, Vermögen anzusammeln und Menschen zu beschäftigen. Er wird es bald verprassen! Vielleicht sogar im Ausland, wohin ich auch einmal möchte, Herr Konsul.

WEYGANG: Ich weiß, ich weiß, Helmer.

HELMER: Aber ich habe schon einen Fuß in der freien Marktwirtschaft stehen, Herr Konsul.

WEYGANG: Und den zweiten wollen Sie wohl so bald wie möglich nachziehen, was?

HELMER: Oh, das wäre wunder-wunderschön, Herr Konsul.

WEYGANG: Dann nehmen Sie einen Augenblick Ihren einen Fuß aus der freien Marktwirtschaft und den andren aus der Bank...

HELMER: Das fällt mir schwer, Herr Konsul, zu tief schon bin ich dort verwurzelt.

WEYGANG: Überbrücken Sie diesen Spalt und denken Sie daran, daß ein genialer Manager sich auch ab und zu vom Managen ausruhen muß...

HELMER: Oft sagte ich schon zu Frau Linde, meiner Haushälterin, ich müßte mehr aus mir machen, Herr Konsul...

WEYGANG: Sie müssen sich in Ihnen angemessenen Kreisen bewegen...

HELMER: Wo sind diese Kreise, wo sind diese Kreise, Herr Konsul?

WEYGANG: Fühlen Sie sich schon reif genug dafür?

HELMER: Sehr reif, sehr reif, verehrter Herr Konsul!

WEYGANG: Wenn Sie sich wirklich stark genug fühlen, dann könnte ich Sie bei einer Freundin einführen...

HELMER: Oh, lieber, verehrter Herr Konsul...

WEYGANG: Ich bin nicht Ihr lieber Konsul.

HELMER: Verzeihen Sie bitte, Herr Konsul, ich habe aber nicht «mein lieber» gesagt!

WEYGANG: Diese Dame, von der ich eben sprach, verbringt ihre Zeit, indem sie von Blüte zu Blüte flattert.

HELMER: Etwas Speichel tropft mir bei dem bloßen Gedanken aus dem Mundwinkel, Herr Konsul.

WEYGANG: Das ist ein ganz neuer und origineller Typus Frau, in den Staaten nennt man ihn den «Flapper».

HELMER: Ich könnte mein Englisch auffrischen, Herr Konsul...

WEYGANG: Die Dame ist ein Geschöpf ohne jegliche moralische Maßstäbe, das doch gleichzeitig wie ein Kind aussieht. Äh – *bedeutungsvoll* – sie kann auch oftmals sehr grausam sein...

HELMER: Mein Gott... die Dame ist Amerikanerin, sagten Sie... Herr Konsul? Werde ich mich ihr auch verständlich machen können... sollte man denn wirklich... geheime Wünsche... einer Ausländerin...

WEYGANG: Reden Sie doch keinen Quatsch, Helmer! Vielleicht sind Sie doch noch nicht soweit, und das Erlebnis würde Sie umwerfen...

HELMER: Es wird mich nicht werfen, Herr Konsul, bestimmt nicht! Ich versprech's! Eine Kindfrau, das wäre etwas andres als das, was man üblicherweise zu Hause stehen hat, Herr Konsul.

WEYGANG: Dann ist das abgemacht, Helmer?

HELMER: Wie soll ich Ihnen für Ihre Güte danken, Herr Konsul?!

WEYGANG: Sie wissen doch noch gar nicht, ob Sie das Ganze überhaupt verkraften können, Helmer...

HELMER: Mein Gott, Herr Konsul, wenn der große Jäger einmal zum Gejagten wird... Und ich darf wirklich kommen, Herr Konsul?

WEYGANG: Selbstverständlich, Helmer. Ich werde Sie einführen.

HELMER: Oh, vielen, vielen Dank für die großzügige Einladung.

Und herzliche Grüße an die Dame, äh... werde nicht verabsäumen, pünktlich zu erscheinen...

WEYGANG: Das hoffe ich. Pünktlichkeit ist die Höflichkeit der Könige, Helmerchen!

13

Noras Schlafzimmer. Nora und Annemarie. Nora ist im Schlafrock und schminkt sich vor dem Spiegel, Annemarie räumt auf.

ANNE: Ich kann mir das gar nicht ansehen... Das muß den Herren ja entsetzlich weh tun!

NORA: Die wollen, daß es ihnen weh tut, Annemarie!

ANNE: Ich erinnere mich der furchtbaren Prügel, die mir mein Vater als Kind...

NORA: Dein Vater war von Natur aus arm und verkommen, Annemarie, diese Herren sind von Natur aus reich.

ANNE: Daß sich von Natur aus wohlhabende Männer so zurichten lassen... Sie sollten lieber Ihre Kinder schlagen, Nora, wenn Sie schon etwas schlagen müssen. Das ist die Natur der Frau.

NORA: Meine Kinder würde ich nie schlagen! Und Frau und Natur ergeben nicht notwendigerweise zusammen ein Naturwesen. Man kann beide auch trennen. Keine Weiblichkeit auf Naturbasis mehr!

ANNE: Einer Frau, die so etwas tut, muß das noch mehr weh tun als einem Mann, der so etwas erleidet, weil das der Frau gegen ihre Natur geht.

NORA: Das verstehst du nicht, meine alte Annemarie.

ANNE: Neues Leben zu machen, ist unsre Bestimmung, nicht altes Leben zu zerstören...

NORA: Deine vielleicht, meine nicht. *Klingel.* Sieh mal, wer draußen ist. Er kann's noch nicht sein, es ist noch zu früh.

ANNE: Ein gebildeter Mensch kommt niemals auf die Sekunde pünktlich.

Geht öffnen. Von draußen die Stimme Helmers.

HELMER: Pünktlich auf die Sekunde! So etwas kann unter Umständen die Voraussetzung für eine Karriere oder ihren Niedergang sein. Auch die Details darf man nicht außer acht lassen... Sie sind doch... Sie sind doch...

ANNE: Annemarie. Meine Güte, der Herr Helmer! *Die Stimmen werden deutlicher, kurze Zeit später stürzt Annemarie zur Türe herein.* Frau Nora, Nora! Es ist der Herr Helmer! Es ist der Herr Helmer persönlich! Sollten sich nach so langer Zeit beide Hälften eines Ehepaares wieder zu einem Ganzen zusammenfinden?

NORA: Ich weiß, wer da ist, Annemarie. *Nimmt den Schlafrock ab. Darunter trägt sie eine Sado-Ausrüstung, hohe Lederstiefel, etc. Sie holt eine Reitgerte und setzt sich eine Maske auf.*

ANNE: Sicher will er wegen der Kinder mit Ihnen reden. Seien Sie verständig, meine Nora. *Will ihr Peitsche und Maske wegnehmen. Nora stößt sie weg.* Was Gott zusammengefügt hat, soll der Mensch nicht trennen. Nora! Seien Sie gescheit! *Nora stößt Annemarie so heftig weg, daß diese strauchelt und beinahe fällt.* Meine Nora wird gewiß das Richtige tun. Wenn eine Mutter an ihre Kinder denkt, tut sie instinktiv das Richtige. Wenn man mir mein Kind damals gelassen hätte, hätte ich in meinem Leben viele falsche Dinge nicht getan. Vielleicht kommen Mann und Frau jetzt endlich wieder zusammen und bilden eine Einheit?

NORA: Halt die Klappe, Annemarie! Sag ihm bloß nicht, wer ich bin!

ANNE: Nie würde ich mich zwischen die beiden Teile eines Ehepaars drängen, weil das, was zwischen ihnen besteht, leichter zu zerstören ist als Spinnweben.

Geht hinaus. Nach einer Weile kommt Helmer linkisch herein. Nora steht unbeweglich.

HELMER: Oh, guten Abend, gnädige Frau, wie steht das werte Befinden... äh... komm her, das ist wohl schwer, wenn man ohne festen Halt im Leben steht, also haltlos ist... *Überreicht ihr mit einer Verbeugung einen Blumenstrauß.* Darf ich mir erlauben... *Nora wirft ihn in die Ecke.* Meine Güte, es hat schon angefangen... gleich komme ich, gleich!... und sage bitte zu mir: so, mein Sklave, jetzt habe ich ein hübsch und fest, stramm und sadistisch ver- und zusammengeschnürtes Paket aus dir gemacht, damit deine Blutzirkulation besser funktioniert... *Prüft die Möbel mit dem Finger.* Was für ein hübsches Heim! Schöne Möbel – geschmackvoll. Ich hätte sie freilich lieber in dunklem Kaukasisch-Nuß als in heller Eiche, aber sonst... beste Qualität... äh, unsre Ordnung geht vom Menschen als Individuum aus. Nur in einer freien Wirtschaft kann der Mensch seine Individualität bewahren.

NORA: Würden Sie bitte niederknien!

HELMER: Entschuldigung, gnädige Frau. Aber Sie kommen mir irgendwie bekannt vor, figürlich meine ich. *Will sie anfassen, traut sich aber dann doch nicht.* Sie sehen jemandem ähnlich. Wollen wir nicht vorher den Teppich wegrollen?... Äh... ich möchte ihn nicht unnötig beschmutzen... dann will ich bitte auch noch, daß du mich raffiniert knebelst, mir dann noch ein Unterhemd von dir so fest um mein Gesicht bindest, daß ich es unmöglich von selbst abstreifen kann und daß du dich dann bitte auch, nachdem ich dir wehr- und hilflos ausgeliefert bin, über mich lustig machst und harte, gemeine und ordinäre Dinge zu mir sagst...

NORA: Auf die Knie!

HELMER: Verzeihung. Sofort. *Hebt ungeschickt die Hosenbeine und kniet nieder.* Wollen gnädige Frau nicht schauen, ob jemand horchen kann? Das beruhigt mich. Die Dame, ich meine den Diensttrampel dort draußen, kenne ich nämlich... und auch Sie... außerdem stopfe mir dann bitte noch alte Seidenstrümpfe von dir so derart fest in den Mund als es nur geht und knebel mich damit derart sadistisch, daß ich nicht den geringsten Laut...

NORA *fesselt ihn*: Sie sind Industrieller, hat man mir berichtet... da haben Sie doch sicher Informationen, das Wesen der Industrie betreffend...

HELMER: Vielen Dank für die Fesselung, gnädige Frau! Und zieh dich dabei bitte so hauteng, sinnlich und aufreizend an als du nur kannst, ziehe dir ein hautenges schwarzes Unterkleid an, das sich so hauteng an deinen sinnlich und pervers üppig schönen, festen, prallen und wundervollen Busen schmiegt und spannt, daß es höher nicht mehr geht... du Luder... ebenso bitte ich auch um schöne dunkle und lange Seidenstrümpfe und die hübschesten Schuhe, die du hast... ich werde dir das in Zukunft alles genau aufschreiben, wie ich will, daß ich es besorgt kriege...

NORA: Nun, nun, nicht diese erschreckten Taubenaugen! Ich verzeihe dir deine Angst, obwohl sie im Grunde eine Beleidigung für mich ist. Ich verzeihe dir diese Beleidigung, weil sie zugleich ein Beweis deiner großen Liebe zu mir ist. *Verschnürt ihn.*

HELMER: Nicht so fest bitte, gnädige Frau.

NORA: Wenn die Wirtschaft einen einmal fest in ihren Krallen hat, läßt sie einen nicht mehr so schnell los. Du mußt mir alles sagen. Je mehr du mir sagst, desto heftiger kann ich zuschlagen.

HELMER: Ich will ja alles sagen! Diese Stimme kommt mir immer bekannter vor!

NORA: Ich soll ja nicht reden, sondern du!

HELMER: Wenn jemand, dessen Gedanken sonst sehr hoch im Raum herumfliegen, plötzlich durch Fesseln daran gehindert wird, diese Gedanken fliegen zu lassen, staut sich das unheimlich auf und ergibt schließlich eine Eruption. In der Wirtschaft sind nicht Naturkräfte mit ihren zwingenden Folgen, sondern beseelte Menschen am Werke. *Er wird immer mehr verschnürt.* Ist das dort Sèvres-Porzellan, diese Tasse mit den Blumen drauf...? Wirklich, dieses Heim hat Stil und Geschmack.

NORA: Jetzt will ich nichts von der Wirtschaft im Allgemeinen, sondern von der Wirtschaft im Besonderen hören. *Schnürt.*

HELMER: Und das nächste Mal ziehe dir bitte von dem an, was du hast, das Hautengste, was du hast. Du weißt, ich stehe schrecklich auf das und mag es sehr... Bitte schaue auch bei dir nach, oder vielleicht ist es sonstwie möglich, gnädige Frau, ob Sie das nächste Mal ein paar feste lederne Riemen haben, vielleicht auch sonstige feste Stricke oder eine Wäscheleine, die bekanntlich jede Frau hat... Schließlich ist der Mensch Subjekt der Wirtschaft und nicht die Wirtschaft selbst! *Wird geschlagen.* Aaah. *Stöhnt.*

NORA: Ich höre gleich wieder auf, wenn du nicht über deine beruflichen Probleme redest!

HELMER: Ja, Herrin! *Wird geschlagen, stöhnt.* Der Mensch kann allein nicht überleben, er braucht den andren. Hohe Massenkaufkraft sichert Gewinn. *Schläge.* Nicht so fest, bitteschön.

NORA: Zu umständlich und zu wenig präzise. *Hört zu schlagen auf.*

HELMER: Bitte, bitte nicht aufhören, liebe verehrte gnädige Frau!... Vielleicht kannst du mich bitte, wenn ich das nächste Mal zu dir komme, gefesselt, gebunden, ver- und zusammengeschnürt, in Wachstuchschürzen fest eingepackt, zusammengeschnallt und mit deinem Kombinagehemd um mein Gesicht gebunden, so fest, daß ich es unmöglich von selbst abstreifen kann, bis zum nächsten oder übernächsten Tag so liegen lassen, bis du wiederkommst... wobei du mich bitte außerdem noch in der Wohnung einsperrst... aaah...

NORA *hört auf zu schlagen und setzt sich hin*: Ich brauche Details!

HELMER: Ich sag's ja schon! Ich sag's gleich! *Stöhnt.* Das nächste Mal mußt du bitte die Stricke und Lederriemen vorher in Wasser eine Zeitlang einweichen...

NORA: Soll ich wieder aufhören?

HELMER: Aber nein, Verehrteste, Liebste... *Wird geschlagen, stöhnt.* Nach meinen Informationen sind die Grundstücke und die darauf befindliche Textilfabrik völlig verkommen und wirtschaftlich so gut wie ruiniert. Wir planen die Schließung des Werks wegen Unrentabilität...

NORA: Und wo liegt dieses Werk?

HELMER: Ich werde dir zum nächsten Mal einen Brief geben, wie ich mir wünsche, von dir behandelt zu werden, und ich sage dir auch, daß ich darinnen recht ordinär schreiben werde, was ich möchte, daß du mit mir machen sollst... worauf du bitte sagen mußt, das macht nichts. Es gibt kaum etwas, wonach ich mich nicht sehne... schlagen, bitte! Schlagen! Nicht aufhören, Verehrteste!

NORA *schlägt*: Wo?

HELMER: Die Lerchenau, die Lerchenau, die ist nicht nur bei Tage grau. Habe ich nicht gesagt, du sollst bitte fester schlagen?

NORA *schlägt zögernder*: Was? Die Lerchenau?

HELMER: Ich werde in dem Brief nicht schön schreiben, wenn ich sage, wie schrecklich ich auf stöckelige Schuhe stehe, im Winter auf hohe, enganliegende, hochhackige Pelzstieferl, auf hautenge schwarze Reizwäsche und dunkle Seidenstrümpfe, eventuell mit dunkler Naht... Mach bitte weiter, du Hexe!

NORA: Die Lerchenau?

HELMER: Diese Grundstücke wären normalerweise keinem Menschen, der auch nur eine Ahnung hat, anzudrehen. Aber ich schaffe es, indem ich das Gerücht ausbreite, daß dort vielleicht eine Eisenbahnlinie hingebaut wird... Weiter bitte! *Wird geschlagen.* Ein Grund der Unrentabilität: das Transportproblem. Ich glaube immer mehr, daß wir uns kennen, gnädige Frau.

NORA: Die Lerchenau soll also verkauft werden. *Schlägt.* Ich würde Eichkätzchen spielen und für dich von Ast zu Ast hüpfen. *Schlägt jetzt immer wilder.*

HELMER: Wir leben heute wesentlich weiter entfernt von den Wirkungen unsrer Entscheidungen als früher. *Stöhnt immer häufiger dazwischen.* Ich hoffe doch, du hast all die Sachen, die ich dir aufschreiben werde. Auch einen schwarzen Busenhalter bitte.

NORA *schlägt*: Du also bist das, der die Lerchenau zu verkaufen hat... und du weißt auch noch andere Details, da bin ich ganz sicher... Mir aber genügt das große Ganze... deine kleine Heidelerche weiß sich den Rest schon zusammenzureimen.

HELMER: Aufhören! Aufhören, bitte, das ist denn doch zuviel! *Nora schlägt in der Folge immer stärker.* Du hast recht, wenn du nicht aufhörst, sobald ich «aufhören» sage – *stöhnt* – dann möchte ich bitte ferner, daß du auch mir Seidenstrümpfe anziehst und meine bestrumpften Schenkel mit Stricken von oben bis unten so stramm als du nur kannst – *stöhnt* – und dann noch andere Sachen bitte, die ich nicht so laut aussprechen kann, sondern nur bis zum nächsten Mal aufschreiben – *stöhnt* – nämlich mich nach allen Regeln der Kunst bitte so vergewaltigen, bis ich mich vor Wonne nicht mehr auskenne... mich so viele Stunden als du nur Zeit hast, mit meinem Gesicht unter deinem sinnlich und pervers schönen Hintern und Busen sowie mit meinem Kopf zwischen deinen festen, bestrumpften Schenkeln... *Stöhnt.* Ich glaube, wir kennen uns, gnädige Frau.

Nora *schlägt*: Wie unvernünftig ich heut wieder bin! Wie sich so was doch vererbt, vom Papi auf das Töchterlein. *Schlägt wild.*

Helmer *stöhnt*: Weiter werde ich schreiben, wie du bitte mit deinem – *stöhnt* – nein, ich kann das nicht laut sagen, ich werde auch das aufschreiben. Wenn nicht das aussichtslose Chaos jede wirtschaftliche Ergiebigkeit negieren soll, müssen Normen... ohne Aussicht auf Gewinn stockt das Rad... *Helmer fällt um und bleibt reglos liegen.*

Nora: Jetzt brauch ich meine Augen und meine feinen kleinen Hände nicht mehr so anzustrengen. *Nimmt die Maske ab.* Torvald! Hier spricht dein Zeisig.

Helmer *kommt langsam zu sich*: Nora!

Nora: Dies Jahr brauchen wir doch wirklich gar nicht zu knausrig sein. Du wirst ja nun die Lerchenau verkaufen... Daß nur dein Leichtsinn nicht mit dir durchgeht! Daß du nur nicht borgen mußt!

Helmer: Mein Gott, Nora... ich plane nichts Unethisches. Sie haben doch kürzlich erst ihre Behausungen mit so viel Liebe renoviert... so was kannst du von mir nicht glauben.

Nora: Doch.

Helmer: Ich gebe es nur schweren Herzens zu: Ich habe gelogen, Nora!

Nora: Ist es mein Eichkätzchen, das da rumort?

Helmer: So sage es wenigstens nicht Herrn Weygang, obwohl es natürlich gar nicht stimmt!

Nora: Oder ist es mein Zeisig, der da herumzwitschert?

Helmer: Außerdem bin ich gesellschaftlich ruiniert, wenn herauskommt, was aus meiner früheren Frau geworden ist... du zerstörst hiermit auch eine keimende neue Beziehung, Nora! Zu einem jungen Geschöpfe.

Nora: Um so besser.

Helmer: Nora, um unsrer gemeinsamen Kinder willen... beschwöre ich dich... niemandem etwas davon zu sagen... nein, ich bitte dich, das bist du mir wohl schuldig... da du mich doch verließest, frauenlos zurückließest...

Nora: Au pfui, wie kannst du nur so abscheulich reden!

HELMER: Um unsrer ehemaligen Liebe willen...

NORA: Pfui, wie kannst du so was sagen! Du hast noch die Tarantella im Blute, das merk ich. Und es macht dich noch verführerischer.

HELMER: Nora, du als Frau bringst so etwas über die Lippen? Nora! So hör doch, Nora!

NORA: Ach ja, ja. Es ist wirklich herrlich zu leben und glücklich zu sein. Vielleicht kriege ich auch das Meer wieder einmal zu sehen?! *Pause. Nora sitzt schwer atmend auf dem Bett. Nach einer Weile drückt sie auf die Klingel.*

Annemarie kommt herein, entfesselt umständlich und ächzend Helmer, hilft ihm auf die Beine, klopft seinen Anzug ab und führt ihn hinaus.

ANNE *zurückkommend*: Das war aber nicht sehr schön von meiner kleinen Nora, die ich einst auf meinen Armen wiegte. Der arme Mann! Sein Anzug war auch ganz schmutzig, der muß in die Reinigung, da hilft nichts. Schämen Sie sich was!

14

In Helmers Wohnzimmer. Helmer und Krogstad bei Tisch. Linde bedient die Herren.

HELMER: Für privates Glück werde ich in nächster Zeit nicht viel Zeit haben.

LINDE: O Liebster, zwischen deinem privaten und deinem beruflichen Glück darf es aber keine Schranken geben, sonst machst du dich kleiner, als du bist!

HELMER: Ist das Essen denn noch nicht fertig?

LINDE: Zwischen meiner Hingabe und dir steht ja auch keine Schranke. Meine Hingabe ist schrankenlos.

HELMER: Hast du nicht gehört?

Linde ab in die Küche.

LINDE *aus der Küche*: So? Also ein großer Hund war da, der hinter euch herlief? Aber er biß doch nicht? Nein, artige Kinder beißen die Hunde nicht. So? Spielen sollen wir? Was sollen wir denn spielen? Verstecken? Ja, spielen wir verstecken. Bob soll sich zuerst verstecken. Ich soll's? Ja, ich will mich zuerst verstecken.

Lärm aus der Küche, Krachen, Splitter.

HELMER: Sagen Sie mal, Buchhalter Krogstad... wir wissen alle aus dem Theater, daß Sie diese Frau, die da eben in der Küche, einst geliebt haben.

KROGSTAD: Dies Gefühl ist in mir verschüttet. Ich glaube, ich kann in Zukunft nie wieder etwas fühlen, weil ich mich neuerdings für den Weg des selbständigen Geschäftsmanns entschieden habe, übrigens so wie Sie, Herr Helmer.

HELMER: Ich hätte die Linde aber abzugeben. Vielleicht wissen Sie noch nicht, daß ich heiraten werde. Eine junge Dame aus allerbester Gesellschaft.

KROGSTAD: Ich habe mich zwar für den Weg des Geschäftsmanns entschieden, habe aber noch gar kein Geschäft.

HELMER: Wenn Sie mir die Linde abnehmen, bekommen Sie Ihr Geschäft und in der Linde auch noch eine zuverlässige Hilfskraft.

KROGSTAD: Glauben Sie, sie wird das ohne weiteres akzeptieren?

HELMER: Ach, wir beide, Sie und ich, wir kennen doch die Frauen...

KROGSTAD: Ich kenne zusätzlich auch noch das Leben.

HELMER: Ich kenne das Leben viel besser! Nur das Leistungsprinzip ermöglicht einen wirtschaftlichen, kulturellen und persönlichen Aufstieg. Es kann ferner Wohlstand und Reichtum erhalten.

KROGSTAD: Zuerst brauche ich nur einen Ort, an dem ich dann was leisten kann.

HELMER: Kriegen Sie, kriegen Sie. Aber da wäre noch etwas.

KROGSTAD: Ja?

HELMER: Hören Sie, Sie haben doch die Nora gut gekannt...

KROGSTAD: Ja.

HELMER: Ich habe sie wiedergesehen. Unter für sie unsagbar demütigenden Umständen, ersparen Sie mir Details!

KROGSTAD: Dem Wiedersehen muß eine gewisse Tragik angehaftet haben.

Helmer: Das Schlimmste aber ist, daß sie folgendes ruinieren könnte: meine Kinder, meinen Haushalt, mich, meinen Ruf, Sie, Krogstad, Frau Linde, meine Zukunft, mein Geschäft, meine Position, meine gesellschaftliche Stellung, meine zukünftige Ehe...

Krogstad *unterbricht*: Ich kann mir nicht denken, daß sie das alles zerstören könnte.

Helmer: Ich weiß nicht, woher sie es hat, aber sie ist plötzlich geschäftlich ungeheuer informiert. Von mir hat sie das nicht.

Krogstad *aufmerksam*: Wie meinen Sie das?

Helmer: Sie kann mich an den Abgrund bringen und vielleicht sogar in ihn hinein!

Krogstad: Dann muß sie aber eine Menge Macht haben.

Helmer *wütend*: I wo, keine Spur. Ich stelle mir nur gerade vor, wie es wäre, wenn sie eine längere Auslandsreise anträte...

Krogstad: ...oder gar nicht mehr vorhanden wäre...

Helmer: Sagen Sie nicht so grauenhafte Sachen! Zeigen Sie lieber Ehrgeiz, Erfolgsstreben, Gewinnstreben, Karrieredenken, Pflichtgefühl und Vertragstreue, Krogstad!

Linde *kommt mit einem Tablett herein*: Das Essen ist fertig! *Zu Krogstad:* Schneidet es nicht wie ein Messer in dich hinein, wenn du siehst, welch tiefe Bindung mich und Torvald verbindet?

Krogstad: Hoffentlich keine Hülsenfrüchte, die darf ich nicht essen.

Linde *wütend*: Wenn hier einer etwas nicht essen darf, dann ist es mein Torvald hier! *Sie schmiegt sich an Helmer, der wehrt sie ärgerlich ab. Zu Krogstad:* Siehst du's nun: nie denkt er an sich, immer nur an mich und meinen Ruf... weil wir doch noch nicht verheiratet sind... Daß ein Mann so zart empfinden und dabei so hart aussehen kann! *Teilt das Essen aus.* Es dauert abends immer so lang, bis er die Härte des Geschäftslebens abgelegt hat...

Krogstad: Ach, geschmortes Rindfleisch, das hab ich gern... Hast du sicher mir zuliebe gemacht, was, Christinchen?

Linde *wütend*: Nein! Für Torvald und nur für ihn! Kannst du's denn immer noch nicht lassen, dich in eine für beide Teile so beglückende Beziehung hineinzudrängen? Freilich gelänge dir das ohnehin nie!

KROGSTAD: ...und junge Erbsen... prima. *Er will sich nehmen.*

LINDE *hält ihn zurück*: Zuerst kommt mein Torvald. Finger weg!

HELMER: Halt endlich die Klappe, Linde!

LINDE *zu Krogstad*: Das sagt er jetzt nur, weil er vor dir seinen weichen Kern verbergen will, den er mir aber oftmals zeigt, wenn wir ganz allein sind.

HELMER: Mensch, Linde...

LINDE *zu Krogstad*: Würdest du's diesem edel empfindenden Mann ansehen, daß er manchmal eine Herrin hat, nämlich mich?

KROGSTAD *guckt in einen anderen Topf*: Junge Kartöffelchen... so hab ich's gern.

15

Wieder Fabrikhalle wie früher. Die Arbeiterinnen, darunter auch Eva, machen gerade Frühstückspause. Der Vorarbeiter ist auch dabei, etwas abgehoben von den anderen. Nora ist zu Besuch, ihre Kleidung ist zwar teuer, aber ihr ganzer Habitus wirkt nachlässig. Möbelteile liegen umher, es sieht ein wenig nach Heimwerkerwerkstatt aus.

ARBEITERIN: Wie du siehst, sind hier große Fortschritte entstanden, ich denke nur an die kleine Werksbücherei, die wir uns einrichten dürfen.

EVA: Bisher mußtet ihr mit eurem Buch an einem erleuchteten Schaufenster stehen, um lesen zu können, bald werdet ihr tatsächlich im Freien stehen, wartet nur ab!

ARBEITERIN: So etwas überhört man am besten, Nora!

NORA: Bildung ist Sinn für Schönheit und muß erworben werden.

EVA: Die Schönheit ist schon da. Dem Himmel sei Dank!

NORA: Bildung ist Sinn für Kultur und muß, ebenso wie der Charakter, erworben werden.

Eva: Voraussetzung allerdings ist die Beseitigung von Armut und Zeit zum Denken. Bald werdet ihr viel Armut haben und jede Menge Zeit zum Denken. Dann wird es aber zu spät sein.

Arbeiterin: Du mußt nicht auf sie hören, Nora, ungeliebte Frauen werden manchmal unleidlich.

Arbeiterin: Der Herr Personalchef hat uns auch eigens erlaubt…

Arbeiterin: …eine Kinderkrippe für die werkseigenen Kinder zu gründen.

Eva: Um uns von den Gerüchten abzulenken, die Schließung lauten.

Arbeiterin: Es kann aber gar nicht mehr geschlossen werden…

Arbeiterin: …weil die Sozialdemokratie dagegen ist, das wissen wir sicher.

Eva: Schön, daß die Sozialdemokratie es dir gesagt hat. Sie hätte gleich besseres Baumaterial liefern können!

Vorarbeiter: Ach, ich alter Heimwerker sehe, daß das für die Ewigkeit gemacht ist!

Eva stößt mit dem Fuß kräftig gegen ein montiertes Bücherbrett, es fällt heraus, weil die Mauer nachgibt.

Eva: Nur schade, daß die Ewigkeit hier nicht allzu lange dauern wird.

Arbeiterin *jammernd*: Jetzt hast du's kaputtgemacht!

Arbeiterin: Immer müssen sie tratschen, sticheln oder treten…

Vorarbeiter: Die Sozialpartnerschaft hat uns gelehrt, mit jedem Menschen zu reden.

Eva: Jawohl. Zuerst reißt sie die Schranke zwischen einem Menschen und dem andren ein, dann läßt sie dich voll in den andren hineinrennen.

Arbeiterin: Für die Sozialdemokratie haben wir unser Blut verspritzt…

Arbeiterin: Die Sozialdemokratie hat uns als Gegenleistung mit dem geistigen Rüstzeug versehen, unsre Arbeit durchzustehen.

Eva: Zum Glück habt ihr mehr Blut in euch als Bildung.

Arbeiterin: Das wird sich aber rasch geändert haben!

Eva: Schon im Krieg habt ihr viel davon hergegeben, und jetzt habt ihr noch immer welches!

ARBEITERIN: Aus Büchern kann man über fremde Völker und Länder lernen.

EVA *wütend*: Solang ihr euch nur nicht drum kümmert, was vor euren Augen vor sich geht!

ARBEITERIN, *dieselbe wie vorhin*: Ein Beispiel: die Sozialdemokratie gab ein Treffen auf der Straße. Die Polizei war sehr schneidig. Es kam ein Reitertrupp herbeigesprengt, geführt von einem der feurigsten Reiter. Das Riesenungetüm, auf dem er saß, drängte uns gegen die Alleebäume.

ARBEITERIN: Mir war – trotz der schon bekannten Anschauung der sozialdemokratischen Genossen – nicht wohl zumute.

ARBEITERIN: Ich war durch das Pferd so an den Baum gepreßt, daß ich nicht schreien konnte. Der Atem verging mir.

EVA: Und jetzt wartest du, daß die Sozialdemokratie sich revanchiert.

ARBEITERIN: 1905, ich erinnere mich noch, bei der großen Wahlrechtsdemonstration, konnte euer Bezirk schon eine große Zahl Frauen zu dem gemeinsamen Zug stellen.

ARBEITERIN: Herd und Kinder hatten diese Frauen verlassen, um für das Wahlrecht der Männer zu demonstrieren.

ARBEITERIN: Wohl kein Teilnehmer wird jemals den feierlichen Vorbeimarsch vor dem Parlament vergessen.

ARBEITERIN: Mäuschenstill war die ungeheure Menschenmenge, mit entblößten Köpfen.

ARBEITERIN: Der einzige Laut, der in der Umgebung zu hören war, war der feste und sichere Schritt der Arbeiterbataillone.

ARBEITERIN: Das Aufgebot der Enterbten war ja nicht umsonst.

ARBEITERIN: ...nur die Ärmsten, die Frauen, tragen noch die politischen Sklavenketten.

EVA: Und jetzt habt ihr ebenfalls eure Ketten weggeworfen und eine eigene Kinderkrippe errungen! Bravo!

ARBEITERIN: Mir scheint, du machst dich über bedeutende Sozialleistungen lustig, Eva.

ARBEITERIN: Dabei hast du gar kein eigenes Kind, um es in die Krippe zu stellen.

ARBEITERIN: Sogar der Besitzer hat versprochen, an der Eröffnung der Krippe für die Allerkleinsten teilzunehmen!

EVA *schreit*: Fällt euch denn nicht auf, warum sie ausgerechnet jetzt mit dem Verschönen anfangen? Nachdem alles hier schon verfallen ist?

ARBEITERIN: Sie bereuen es eben und wollen einiges wiedergutmachen.

ARBEITERIN: Sie schämen sich jetzt wegen ihrer vorherigen Lieblosigkeit.

EVA: Die Berliner Genossen trugen 31 Mitkämpfer zu Grabe, die, als sie trotz des Verbots ihr Recht auf eine friedliche Maidemonstration verteidigten, provoziert wurden! Sie starben unter den Kugeln von SPD-Polizeipräsident Zörgiebel und seinen Schupos!

ARBEITERIN: Mein Gott, Eva, das ist doch vorbei! Jetzt hat sich die Sozialdemokratie besonnen.

NORA, *die sich starr und abweisend verhalten hat, plötzlich, etwas maniriert*: Ich bin eine Frau! Die Geschichte der Frau war bis heute die Geschichte ihrer Ermordung. Ich sehe nicht, wie man Ermordung wieder ausgleichen kann, wenn nicht durch einen Akt neuerlicher Gewalt!

ARBEITERIN: Was meinst du?

VORARBEITER: Du vergißt, Nora, daß Kapital- und Firmeneigner einen immer kleineren Teil des Gesamteinkommens bekommen, das erscheint uns als Fortschritt, gemessen an den vielen Morden, die an uns begangen wurden.

EVA: Jetzt dürfen wir immerhin am Leben bleiben, Nora!

NORA: Hier wird alles abgerissen und verkauft werden, das heißt, verkauft ist es schon, abgerissen noch nicht.

VORARBEITER: Die Sozialdemokratie ist der beste Garant, daß nichts mehr über unsre Köpfe hinweg geschehen kann.

EVA: Außer, daß eure Köpfe rollen dürfen.

ARBEITERIN: Diese Zeiten sind zum Glück vorbei, außer, es kommt ein neuer Krieg, der aber nicht kommen kann.

NORA: Sie werden sagen, eure Wohnungen müssen einer Bahnlinie Platz machen, die zu eurem Besten ist, weil ihr damit in die Ferien fahren könnt!

EVA: Ferien lassen sich besonders genießen, wenn keine Arbeit dazwischen liegt, weil die Arbeit verloren wurde.

Nora: Aber in Wirklichkeit wird etwas viel Gefährlicheres hier gebaut werden und eure Kinderstühlchen in die Luft jagen.

Arbeiterin: Seit der Französischen Revolution schimmern Gleichheit und Gerechtigkeit durch die Zweige des Unternehmensbaumes...

Arbeiterin: ...jetzt sind sie endlich erreicht.

Arbeiterin: Nur wer nicht arbeitet, kann auch nichts essen.

Eva: So essen denn alle, die nicht arbeiten, nichts.

Nora: Weil ihr Frauen seid, deshalb tut man euch das an. Weil ein unheimlich großer Haß auf Frauen da ist. Wahrscheinlich deshalb, weil man die Stärke der Frauen spürt und nichts dagegen unternehmen kann.

Arbeiterin: Das verstehe ich nicht, Nora.

Nora: Die Männer spüren die riesige innere Potenz von Frauen. Aus Furcht davor vernichten sie daher dieselben Frauen.

Vorarbeiter: Wie seltsam du redest, Nora. In deinem Fanatismus erscheinst du mir heute beinahe häßlich!

Arbeiterin: Ja, mir kommt auch vor, als sei sie nicht mehr so schön wie früher.

Nora: Das ist eine andere Art Schönheit, eine innere, die aber noch nicht so modern ist wie die andere, die äußere.

Arbeiterin: Ich möchte lieber von außen her schön sein, damit es jeder sieht.

Nora: Alles ist immer noch besser als ein sexueller Parasit sein, der ich nun nicht mehr sein will.

Arbeiterin: Jetzt können wir uns das mit dem Parasiten kaum noch vorstellen, weil du fast häßlich geworden bist.

Arbeiterin: Ja, Frauen wie du werden auch älter...

Nora: Seht ihr denn nicht meine innere Schönheit, die vom Verstand ausgeht? Meine jetzige Schönheit ist viel wichtiger.

Eva: Der Boden, worauf wir stehen, wird abgerissen werden!

Arbeiterin: Neulich wurde ich Zeugin eines widerwärtigen Vorfalls. Ich begab mich nach dem Klosett und sah einen Vorgang, der sich recht oft in solchen Räumen abspielt und der, gelinde gesagt, eine Kulturschande ist. Eine Kollegin, die gerade unwohl ist, benützt die Spülung des Aborts als Waschgelegenheit.

NORA: Am meisten von allem wird immer die Frauenwürde verletzt.

ARBEITERIN: Inzwischen bleiben Frauenwürde und Hygiene gewahrt.

ARBEITERIN: Das wird sich nicht wiederholen können.

EVA: Nein, weil es bald überhaupt nichts mehr geben wird.

NORA: ...die Frau gehört sich nicht. Ich gehöre mir von nun an aber.

ARBEITERIN: Du bist deshalb häßlich, weil du nicht ein Teil des großen Ganzen sein willst.

ARBEITERIN: Wir sind alle Teile des Großen und auch des Ganzen. Wir passen gut zusammen.

ARBEITERIN: ...in dieser Harmonie liegt unsere Schönheit.

ARBEITERIN: Die Schönheit des einzelnen Teils ist nichts gegen die Schönheit einer Masse.

EVA: Erinnert ihr euch noch an die Zeit der Sozialistengesetze? Bebels «Frau und der Sozialismus» und das «Kapital» von Karl Marx wurden als staatsfeindlich verboten.

ARBEITERIN: Wir haben sie trotzdem gelesen!

EVA: In dieser Bibliothek sollen aber nur eine Geschichte der abendländischen Malerei, ein Lehrbuch über graphische Techniken, der erfolgreiche Kleintierzüchter sowie Wanderwege durch den Harz und ähnliches stehen!

ARBEITERIN: Und Wanderwege durch den Schwarzwald!

VORARBEITER: Es genügt, daß sie stehen könnten. Sie müssen ja nicht unbedingt stehen, um ein soziales Klima zu vergiften.

ARBEITERIN: Es genügt, daß sie stehen könnten, wenn wir nur wollten.

NORA: Wenn ich euch so zuhöre, möchte ich am liebsten alles anzünden!

ARBEITERIN: Du bist ja verrückt, Nora.

ARBEITERIN: Und entstellt, Nora.

ARBEITERIN: Und entmenscht, Nora.

ARBEITERIN *kopfschüttelnd*: Anzünden, was uns erst frei gemacht hat; die Maschine!

NORA: Wenn eine Frau eine Maschine bedient, verliert sie in dem Moment ihre Weiblichkeit, entmännlicht gleichzeitig den Mann und nimmt ihm, ihn demütigend, das Brot aus dem Munde. Mussolini.

ARBEITERIN: Wir haben aber keinen Faschismus hier!

EVA: Ja, die Maschinen wird man euch bald aus der Hand nehmen. Die Frau trifft das härter, weil sie die Maschine noch nicht so lange in der Hand hat.

NORA: Ihr müßt verbrennen, was euch unfrei macht! Wenn eure Männer mit verbrennen, macht es nichts, denn sie haben euch die Maschine in die Hand gegeben und euch damit doppelt und dreifach belastet, ohne etwas dafür zu geben.

ARBEITERIN: Das ist Anarchismus und Terrorismus!

NORA: Die Frau ist enthauptet und zerteilt. Man gestattet ihr nur den Körper und schlägt ihr den Kopf ab, weil sich dort etwas denken ließe.

ARBEITERIN: Aber ohne unseren Körper...

NORA: ...auf dem er draufsteht...

ARBEITERIN: ...hat der Mann doch gar nichts!

ARBEITERIN: Wir können unsren Männern, die ohnehin nichts haben...

ARBEITERIN: ...nicht auch noch uns selber wegnehmen.

NORA: Eure Männer haben euch, ihr habt gar nichts!

ARBEITERIN: Das stimmt nicht, es ist beidseitig.

ARBEITERIN: Und außerdem haben wir die Kinder.

NORA: Die der Mann nicht haben will, der Mann will unbelastet bleiben.

VORARBEITER: Auf einen Mann zumindest wirkst du richtig unschön, Nora. Auf eine Frau vielleicht nicht so sehr, aber auf eine Frau kommt es in dieser Frage nicht an.

ARBEITERIN: Doch, auch auf eine Frau wirkt sie unschön.

ARBEITERIN: Mir gefällt Nora auch nicht.

ARBEITERIN: Auch mir nicht!

NORA: Indem die Frau nicht mehr gefällt, tut sie den ersten Schritt zu ihrer Freiwerdung. Ein Tritt gegen die Basis einer Pyramide aus stiller Gewalt...

EVA, *die einige Zeit geschwiegen hat, fängt plötzlich an zu schreien, sie steigert sich in eine Hysterie hinein, bis man sie festhalten muß*: Ich bin auch eine Frau. Ich bin eine Frau wie Nora hier! Ich hüpfe mit kleinen Freudenschreien umher, ich wirble herum, bis man meine Gestalt kaum noch auseinanderdividieren kann, ich hänge mich dem Nächstbesten schmeichelnd um den Hals, ich gebe zu jeder Gelegenheit Küßchen, ich schlittere ausgelassen, wie ein kleines Mädchen, über den Fußboden, fange mich mühsam am andren Ende und werfe jauchzend die Arme um irgendeinen geliebten Mann, ich bedanke mich stürmisch für ein Stück Schokolade, ich gehe auf Händen und stemme mich, laut lachend über den gelungenen Streich, fußüber dem Mann meiner Wahl ins Gesicht, ich spiele «Laß die Räuber durchmarschieren, durch die goldne Brücke», ich benenne die Räuber in der Reihenfolge ihres Auftretens: Deutsche Bank AG, Berliner Disconto Bank AG, Dresdner Bank AG, Bank für Handel und Industrie AG, Bank für Gemeinwirtschaft AG, Hypotheken- und Wechselbank AG, Landesbank Girozentrale, Vereinsbank, Berliner Commerzbank AG, Hardy-Slomann Bank GmbH, Bankhaus Marquard und Co., Max Merck jr. & Cie, Conti Bank AG, Simonbank AG, H. J. Stein, Warburg, Brinkmann, Wirtz & Co. ...

Die Arbeiterinnen beugen sich über sie, verdecken sie und reden mitleidig auf sie ein, der Vorarbeiter bleibt abseits und raucht eine Zigarette, Nora sitzt unbeweglich da. Pause.

NORA: Ich könnte die Maskeradenkostüme in hunderttausend Stücke zerreißen.

16

Weygang kommt im Tennisdress herein, Nora fällt ihm um den Hals.

NORA: Gleich beichte ich dir etwas, Liebster! Ich halte sie gar nicht mehr aus, diese unnormale Situation zwischen uns. *Er kümmert sich kaum um sie, schiebt sie weg.* Ich muß dir gestehen, daß ich mich innerlich fast von dir entfernt hatte. Außer Haus jedoch habe ich so entsetzliche Sachen gesehen, daß ich mich dir gleich wieder annähern muß. Ist das nicht fein?

WEYGANG: Das finde ich nicht.

NORA: Ich habe gesehen, daß Arbeit einen Menschen töten kann. Ich will lieber unversehrt bleiben. Kein innerlicher Schlußstrich, sondern ein neuer Anfang.

WEYGANG: Ich finde das gar nicht.

NORA: Ich habe ein Ohr für das beinahe Unhörbare. Das Schicksal sagt, daß wir füreinander bestimmt sind. Man darf eine Beziehung nicht gleich hinwerfen, wenn eine Schwierigkeit auftritt.

WEYGANG: Kann ich nicht finden.

NORA: Ich zweifle jetzt nicht mehr daran, daß uns noch sehr viel verbindet. Du mußt mir bei einem neuen Anfang aber helfen!

WEYGANG: Ich zweifle nicht daran, daß dir ein Alter vor dem Tod bevorsteht. Zuvor noch die Wechseljahre. Deine Geschlechtsorgane werden dir zu dieser Zeit bei lebendigem Leib vermodern. So was möchte ich persönlich ja nicht erleben.

NORA: Falsch! Das Schicksal sagt etwas ganz anderes. Es sagt leise, daß wir für immer zusammengehören.

WEYGANG: Der Mann ist ein Toter auf Kredit, die Frau Fäulnis auf Raten.

NORA: Das Schicksal will, daß ich noch einen einzigen Versuch mit dir mache. Es hat nicht gesagt, daß ich angeblich verfaule.

WEYGANG: Kein weiterer Versuch mehr! Außerdem sehe ich bei dir eine Orangenhaut an Oberschenkeln und Oberarmen, die von Frauen immer gefürchtet wird. Auch der Mann fürchtet die Frau, gleichzeitig sucht sie ihn aus unerfindlichen Gründen immer wieder auf.

NORA: Meine Haut ist nicht so mißgestaltet, wie du sagst. Und wenn auch: ein liebender Mann sieht hinter die Hülle, auf das Gefühl der Frau.

WEYGANG: Drücke die Haut deiner Oberschenkel doch einmal zusammen und schon offenbart sich das Todesurteil: kleine Dellen! *Weygang immer beiläufig, leichthin, sich mit verschiedenen Dingen beschäftigend.*

NORA: Du glaubst aus Trotz, daß dich etwas von mir wegzieht. Man darf sich nicht gegen die Wahrheit wehren, dumm und stolz. Dein Stolz sagt: lasse diese Frau, die dich liebt, jetzt ein wenig zappeln!

WEYGANG: Dein Stolz scheint dir im Augenblick überhaupt nichts zu sagen.

NORA: Doch. Er sagt mir, ich soll diesem störrischen Mann einen Grund geben, warum er nie mehr von mir fortgehen kann. So erleichtere ich ihm eine Rückkehr, baue ihm eine goldene Brücke.

WEYGANG: Da bin ich aber gespannt. *Geistesabwesend.*

NORA: Der Grund, warum du mir verfallen mußt, ist die Lerchenau. Dort soll ein industrielles Großprojekt entstehen, du weißt, warum. Dünn besiedelt, jede Menge Kühlwasser. Die Grundstückspreise werden ins Astronomische steigen. Beide gehören wir dir dann, der Grund und ich.

WEYGANG: Alles längst überholt, meine Beste.

NORA *hört ihm überhaupt nicht zu*: Ich habe keinem Menschen ein Sterbenswörtchen erzählt! Nur dir öffne ich mich rückhaltlos.

WEYGANG: Geschäft bereits vollzogen. Nora nicht auf dem laufenden – wie immer übrigens –, Helmer bankrott. Helmer aus der Bank unehrenhaft gefeuert, Tagung der Bankaufsicht. Gewinner auf der ganzen Linie: Weygang.

NORA *hört noch immer nicht zu, wedelt mit einem kleinen Spielzeug-Staubwedel neckisch herum*: Ein Mensch ohne jeden Stolz würde dies eine Erpressung nennen. Wir stolzen Naturen scheuen uns vor dem Gefühl und schieben statt dessen das Geschäft vor. So ein Geschäft schlage ich dir jetzt vor, mein Liebster.

WEYGANG: Ich staune ja.

NORA: Damit vergebe ich mir gar nichts.

WEYGANG: Wenn du schön still bist, dann werde ich dir persönlich ein kleines Stoffgeschäft oder einen Papierhandel einrichten – was dir lieber ist –, wahrscheinlich der Stoff, weil du ja eine Frau bist.

NORA: Ich erpresse dich mit der Gewerkschaft, der Presse und nicht zuletzt mit dem Aufsichtsrat der Conti-Bank.

WEYGANG: Wieso?

NORA: In Wahrheit aber meine ich nur dich, Liebster. Nur um dich geht es mir.

WEYGANG: Hörst du mir überhaupt zu? Ich sage, daß ich die in Frage stehenden Liegenschaften bereits gekauft habe. Helmer ist der Blöde.

NORA *hört noch immer nicht zu*: Erpressung, Erpressung, ätsch! *Unerträglich neckisch und kindisch:* Ich bin mutwillig und mache wieder einmal meine geliebten gymnastischen Übungen, um dir meine große Elastizität zu beweisen. *Will hinüber zum Barren, wird von Weygang festgehalten.*

WEYGANG *ernsthaft*: Dein Hängearsch und dein Hängebusen werden sich auf das Unvorteilhafteste bemerkbar machen, sobald du dieses Sportgerät besteigst. Besteige es also nicht! Willst du jetzt lieber Stoff oder Papier?

NORA *stutzt, langsam dämmert ihr etwas*: Ob ich was will?

WEYGANG: Stoff oder Papier?

NORA *verstört*: Ich will lieber bei dir bleiben...

WEYGANG: Dort kannst du nicht bleiben, weil du nämlich immer bei dir bleiben mußt. Ich möchte deswegen ja nicht in deiner Haut stecken. Auch deshalb nicht, weil sich diese Haut immer mehr zu ihrem empfindlichen Nachteil verändert.
Nora bleibt starr stehen.

17

Auf dem Barren hängen Strümpfe und Reizwäsche. Nora trägt ein gerüschtes Ballettröckchen in Rosa mit getigertem Plüschoberteil. Kitschig. Sie ist grell geschminkt. Ein halb angezogener Mann geht, sich ganz anziehend, hinaus. Der Minister sitzt, sich ausziehend, auf dem großen rosa Satinbett. Puff-Atmosphäre.

MINISTER: Seit einiger Zeit lassen Sie sich nicht mehr allzuviel einfallen, meine Liebste. Schon lange turnten Sie beispielsweise nicht mehr an diesem Turngerät hier, was mich doch stets so erfreute. Bestand doch dabei die Chance, daß Sie, in zwei Teile geborsten, zu Boden stürzten. Das ist mir entschieden zuwenig Einsatz.

NORA: Ich bin von diesem Leben sehr angeekelt.

MINISTER: Wollen Sie damit behaupten, daß ich Sie anekle? Dazu kann ich nur nochmals betonen, daß eine Frau, die sich verkauft, immer ekelhafter ist als der kaufende Mann.

NORA: Ich muß das keine Sekunde länger machen, als ich will.

MINISTER: Eine Frau in Ihrer Situation, die so etwas sagt, wartet doch nur auf einen Mann, der sie herausholt.

NORA: Ich kann jederzeit mein eigenes Geschäft haben. Wann immer ich will.

MINISTER: Gratulation!

NORA *schmiegt sich an ihn*: Sehen Sie in mir mehr ein Eichkätzchen oder eher ein Rehlein, mein Minister?

MINISTER: Eher ein Reh, weil Sie den Erdboden nicht mehr verlassen. Für das, was Sie da bieten, kann ich Ihnen keinen Sondertarif zahlen, das sehen Sie doch ein.

NORA: Konsul Weygang wollte sich wegen mir sogar umbringen. Er sah keinen Ausweg aus seiner Leidenschaft zu mir als den Freitod.

MINISTER: Ich würde mich auch umbringen wollen, wenn ich Sie ständig um mich hätte.

NORA: Ich kann es jederzeit entscheiden, wann ich das Geschäft bekomme.

MINISTER: Zahlt der Weygang dafür?

NORA: Ja. Weil er sich selbst bestrafen will. Er weiß nicht, daß er jederzeit zu mir zurück könnte. Jeder wartet jetzt, daß der andere den ersten Schritt tut.

Krogstad tritt ein und schießt mit einer Wasserpistole herum.

KROGSTAD: Sehn Sie, Frau Helmer, genausogut könnte das jetzt eine echte Pistole sein.

NORA: Könnte es nicht. Das würde der Werkschutz verhindern.

KROGSTAD: Kein Werkschutz zu sehen. Wie ich feststellen kann, beschäftigen Sie sich gerade mit Liebesproblemen. Ich persönlich gebe mich mehr mit finanziellen Transaktionen ab. Ihr früherer Mann, Helmer, will, daß ich Sie umbringe, weil Sie seinen Aufstieg verhindern.

NORA: Was wollen Sie? Gehen Sie!

MINISTER: Sie sind aber etwas spät dran, wenn Sie erlauben. Wissen Sie denn nicht, daß der Helmer ruiniert ist?

KROGSTAD: Was? Krankheitshalber komme ich erst heute dazu, einen Mord zu begehen.

NORA: Ich zähle jetzt die Ehrenämter dieses Mannes auf, der

hoch über Ihnen rangiert: Honorarkonsul eines lateinamerikanischen Staates und aktiv im internationalen Waffenhandel, Präsident einer der größten Industrie- und Handelskammern, Präsident des Verbandes des Groß- und Außenhandels, Vorstandsmitglied der wirtschaftlichen Vereinigung der chemischen Industrie, der Vereinigung der Arbeitgeber im Landesverband.

KROGSTAD *unterbricht*: Sie sind offenkundig ein Opfer forcierter und systematisierter Personalabbauplanung. Was ich hier so sehe.

MINISTER: Lassen Sie Ihre Kunden nicht so indiskret einander betrachten, meine liebe Nora. Sonst lege ich nachher nichts drauf.

KROGSTAD: Sind Sie nicht ein Minister, den ich aus dem «Tagesboten» kenne? Der reichliche Verzehr macht nur neuen Hunger, was beweist, daß die emsige Ausweitung der staatlichen Sorge für den Bürger den Unmut über unzureichende Ausstattung des einzelnen mit Geld und Gütern erst hervorrief.

MINISTER *zu Nora*: Jetzt empfangen Sie also schon Vertreter. Das ist der Anfang vom Ende, zumindest was mich betrifft.

KROGSTAD: Ich bin keineswegs ein Vertreter, sondern ich bin vom Kapital geschickt worden. Bei dieser Gelegenheit darf ich um Ihre Protektion bitten, Herr Minister. Schließlich habe ich Sie hier des längeren in einer verfänglichen Stellung beobachtet.

MINISTER: Sie sind keineswegs das Kapital, was man gleich sieht. In der anderen Sache wenden Sie sich an meinen persönlichen Referenten.

KROGSTAD: Ich habe ja nicht gesagt, daß ich es persönlich bin. Das Kapital tritt übrigens nicht mehr persönlich auf, so wie früher, sondern es ist einfach vorhanden.

NORA *schreit*: Wenn ich mein neues Geschäft erst haben werde, muß ich keinen von euch Kötern mehr anblicken für den Rest meines Lebens! Jetzt gehen Sie beide hinaus und nehmen Sie auch Ihre Schwänze mit, sonst werfe ich sie Ihnen hinterdrein!

MINISTER: Ich käme ohnehin nie auf die Idee, so etwas einer Frau wie Ihnen hier zu lassen. Keine Sorge.

KROGSTAD: Die Zukunft wird eine Zukunft der gierig aufgehaltenen öffentlichen Hände sein. Sie werden dereinst 47,6 Prozent des Bruttoinlandprodukts fordern. Was ich im Augenblick jedoch aufhalte, sind meine privaten Hände. Darf ich mich auf Sie berufen, Herr Minister? Werden Sie es auch nicht vergessen?

MINISTER: Ich geh jetzt, hier ist es mir zu unruhig. Ich vermisse das weibliche Fluidum. Auch ist es unsauber.

NORA: In meinem Stoffgeschäft wird es vor Sauberkeit blitzen. Ich will keinen von Ihnen dort sehen, weil ich mit der Vergangenheit breche.

KROGSTAD: Herr Minister, darf ich versichern, daß ich, wenn Sie mir das Geld für einen neuen Start geben, von den Schaltstellen der Macht her die öffentlichen Hände entschieden bekämpfen werde!

MINISTER: So ist es brav. Bekämpfen Sie nur, bekämpfen Sie!

NORA *ruft den Abgehenden nach*: Warum glauben Sie, daß Ihnen der Minister, mein Gönner, Geld geben sollte?

Krogstad setzt zum Sprechen an, macht dann aber eine wegwerfende Handbewegung, weil Nora nichts kapiert, deutet ihr den Vogel und verschwindet.

Nora schreit: Lassen Sie sich doch Ihr Geld von der öffentlichen Hand geben!

KROGSTAD *halb draußen*: Die öffentliche Hand nimmt nur, sie gibt nie. Sie nimmt es vom schaffenden Unternehmer.

MINISTER: Aber befriedigen wird er sie nicht so wie ich!

Nora denkt kurz nach. Dann versucht sie, sich am Barren hochzuziehen, sie schafft es aber nur mühsam und fällt mit einem leisen Wehlaut wieder herunter.

18

Bei Helmers im Eßzimmer. Helmer sitzt beim Abendessen und liest Zeitung. Idyll. Er läßt sich von Nora bedienen.

HELMER *nimmt einen Schluck aus der Teetasse*: Da sind schon wieder nur drei Stück Zucker statt vier Stück Zucker drinnen! Kannst du nicht achtgeben?

Nora: Du kannst nichts als meckern. Gestern nacht erst ließest du mich erneut teilweise unbefriedigt.

Helmer: Ich las neulich, daß nur die Bürgerlichen Orgasmusschwierigkeiten haben und daß das Proletariat sie nicht kenne.

Nora: Zum Glück bin ich bürgerlich und nicht proletarisch.

Helmer: Dieser Liebhaber, der dich sitzenließ, war wohl besser als ich, wie?

Nora: Er ließ mich nicht sitzen, wie oft soll ich dir das noch sagen! Das ständige Leben im Schatten des Kapitals drückte mich zu stark nieder, und ich verlor meinen ganzen Frohsinn, den du doch so an mir liebst. Daher verließ ich das Kapital. Und was ist übrigens mit deinem Direktorenposten?

Helmer: Nora, du demütigst einen Mann.

Nora: Du bist ein Nichts im Vergleich zu dem, was ich hätte haben können!

Helmer: Für mich zählt nur, daß du es nicht hast.

Nora: Durch den Verzicht darauf bewies ich jene Charakterstärke, die ich mir erwerben wollte, als ich einst von dir fortging.

Helmer: Weißt du, was wir im vergangenen Monat gespart haben? So beginnt ein Kapital, Nora!

Nora: Hast du schon die neuen Muster fürs Frühjahr durchgesehen, Torvald? Die Dessins für die Damenstoffe sind sehr hübsch. Mandels am Hauptplatz haben längst nicht diese Auswahl...

Helmer: Diese Juden werden mir ohnehin langsam zu üppig! Ich muß nachher noch das Klofenster reparieren.

Nora: Ach, Torvald, dafür können wir doch wirklich einen Handwerker...

Helmer: Kommt nicht in Frage. In dieser Phase der Kapitalbildung darf nichts sie beeinträchtigen. *Pause, er blättert wichtig in der Zeitung.* Weißt du übrigens, daß ich schon die von meinem Vater ererbte Pistole in der eiskalten Hand fühlte, als ich die Nachricht erhielt, daß ich ruiniert sei...? Läßt dich das nicht nachträglich noch am ganzen Leibe fliegen und beben?

Nora: Ach, das erzählst du mir doch jeden Tag dreimal!

Helmer *wütend*: Keinen Nachtisch? Du bist lieblos, Nora. Wo ich mich so auf den Nachtisch gefreut habe! Jetzt muß ich nach dem Braten gleich die Wirtschaftsnachrichten hören, du weißt, das bekommt mir nicht!

Kinderstimmchen hinter der Tür. Nora stürzt hin, reißt die Tür auf und schreit.

NORA: Wollt ihr wohl eure Schnäbel halten, ihr elenden Bälger! Hört ihr nicht, daß euer Vater jetzt die Wirtschaftsnachrichten hören möchte?

Kinder still. Helmer dreht das Radio auf.

RADIOSPRECHER: ... wie wir soeben erfahren, fiel die bekannte Textilfabrik PAF (Payer-Fasern), benannt nach ihrem Gründer Alfred Payer, einem Pionier der Kunstfaser, in der Nacht von Samstag auf Sonntag einem Brand zum Opfer. Wie Sie anschließend auch unseren Wirtschaftsnachrichten entnehmen können, wechselte das Werk kürzlich seinen Besitzer...

NORA: Hast du das gehört? Sicher hat er sie angezündet, der kühne Mann! Jetzt kann er auch noch die Versicherungssumme kassieren... das nenne ich Weitblick!

HELMER: Auch ich blicke oft sehr weit, Nora! Was ich in der Weite erblicke, erschreckt mich jedoch so, daß ich lieber in der Nähe, in unserem hübschen Heim bleibe...

NORA: ... ich weiß, daß es ihn mit unsichtbaren Fäden zu mir zieht, war ich doch das wichtigste Erlebnis in seinem an Erlebnissen mit den schönsten Frauen nicht gerade armen Leben... aber er hat eine innerliche Scheu, dir, meinem Gatten, erneut gegenüberzutreten...

Helmer grinst dreckig.

Jetzt liegen wir jede Nacht mit fiebrigen Augen wach, der eine hier, der andre dort... und können zueinander nicht...

HELMER *brutal*: Halt's Maul. Ich will zuhören!

Nora beleidigt.

RADIOSPRECHER: Und nun Wirtschaftsnachrichten. Zunächst die Meldungen: Am 1. März verschmolz die Texo-Gruppe die Rheinchemie AG mit dem im Besitz der Conti-Bank AG befindlichen Unternehmen Payer-Faser (PAF)...

HELMER *aufgeregt*: Jetzt reden sie gleich von mir! Hörst du! Sie reden von mir!

Nora: Wer sich schon für dich interessiert, möchte ich wissen!

Radiosprecher: ... das in letzter Zeit mit Absatzschwierigkeiten zu kämpfen hatte. Am 1. Juni verschmolz der neue Konzern Texopa die sechsundsechzigprozentige Textiltochter Toraco mit dem Staatsunternehmen Internationale Chemiefaserforschung im Austausch gegen eine siebenundvierzigprozentige Beteiligung an der neuen Gesellschaft (Intertex) sowie 58 Millionen in bar. Die Regierung wird Intertex bis zu einem Zeitraum von zehn Jahren vertragsgemäß im Betrage von ca. 250 Mio. subventionieren. Zur Aufrechterhaltung eines Marktanteils von rund 12 Prozent in Westeuropa wurden der Gesellschaft zudem Kontrakte in der Größenordnung von 900 Mio. von seiten des Staates garantiert. *Pause.* Wie Sie soeben aus den Abendnachrichten erfahren haben, fiel das alte PAF-Werk in der Nacht von gestern auf heute einem Brand zum Opfer. Über die Ursache des Feuers ist zur Stunde nichts bekannt. Über das weitere Schicksal des Werks und der dazugehörenden Arbeitersiedlung konnten wir ebenfalls nichts in Erfahrung bringen. Konsul Fritz Weygang, zu dessen Firmengruppe der Betrieb gehörte, konnte vorerst nur die Versicherung abgeben, daß an einen möglichst raschen Wiederaufbau gedacht sei, um keine Arbeitsplätze zu gefährden. Die Payer-Faser (PAF) hat sich vor allem in der Zusammenarbeit mit französischen Kaufhauskonzernen und der Herstellung von kleinen, aber hochwertigen Serien einen guten internationalen Namen gemacht.

Helmer *aufgeregt*: Hast du gehört? Hast du gehört? Nora?! Sie haben soeben über mich gesprochen!

Nora gießt ihm Kaffee ein, aus dem Radio kommt ein Marsch – Anklänge an den frühen deutschen Faschismus!

Nora: Ich muß diesen großen Mann wieder einmal zum Kaffee einladen! Das gute Blümchenporzellan haben die Rangen zum Glück noch nicht kaputtgehauen.

Helmer: Er kommt ja doch nie, wenn du ihn auch noch hundertmal einlädst ...

Nora: Nur weil er eine innerliche Scheu hat, dir ...

Helmer: Ob das die Juden waren, die das mit dem Anzünden gemacht haben?

Nora geht beleidigt zum Radio und will den Marsch abschalten.
Laß doch, Nora! Ich höre diese Musik so gern!

Während sich die Bühne langsam verdunkelt, hört man die Marschmusik.

Vorhang.

CLARA S.
MUSIKALISCHE TRAGÖDIE

PERSONEN

Clara S.
Robert S.
Marie

Gabriele D'Annunzio, *genannt* Commandante
Luisa Baccara

Aélis Mazoyer
Donna Maria di Gallese, *Fürstin von Montenevoso*
Carlotta Barra
Zwei Irrenwärter *(Bullen)*

Dazu etliche Dienstmädchen, eine junge Prostituierte aus dem Ort.
Ort der Handlung: Der Vittoriale bei Gardone, die Villa D'Annunzios.
Zeit: 1929, Spätherbst.
Was die Stimmung und Kostüme betrifft, so halte man sich eventuell an die Ölgemälde der Tamara de Lempicka.

1. TEIL

Prunkzimmer, das jedoch irgendwie einer Tropfsteinhöhle ähnelt. Stalaktitenähnliche Gebilde hängen, wie mit moosigem Samt überzogen, von der Decke herab. Überall überladener Prunk. Geschmacklos. Im Hintergrund ein Konzertflügel. Darauf übt, in eine Art Trainingsgestell gespannt (das Logiersche Gestell aus dem 19. Jahrhundert, in dem sich schon Robert Schumann einen Finger ruiniert hat), das die richtige Körperhaltung beim Klavierspiel dem Schüler beibringen soll, die kleine Marie penetrant und durchdringend Finger- und Trillerübungen von Czerny. Metronom tickt. Clara läuft nach einer Weile gehetzt und die Hände ringend über die Bühne. Hinter ihr her hetzt, fröhlich kreischend, die dickliche, sinnliche Luisa Baccara, wird erst eine kleine Weile nach Clara sichtbar. Luisa ist etwas kitschig-italienisch, Clara das flüchtende deutsche Reh. Luisa holt Clara ein, umarmt sie. Clara gibt keuchend und ängstlich nach. Maniriert. Überzogene Gestik.

LUISA: Hab ich dich endlich, Cara!

CLARA: Clara, nicht Cara! *Keucht.* Mein Inneres kämpft so stark gegen mein Äußeres an. Das Äußere hält die vergeistigte Frau für unwichtig. Gleich wird mein Herz hervorquellen und auf den Boden fallen.

LUISA: Aber nein! Das wird es schon nicht machen!

CLARA: Im Ausland schöpft die Virtuosin Ruhm ab, den sie dann im Inland auf den Markt trägt. Wenn ich sage Inland, so meine ich natürlich Deutschland, wo ich zu Hause bin. Bald wird die ganze Welt Inland werden.

LUISA *küßt sie*: Mir scheint, Sie sind zu stark von dieser Körperfeindlichkeit infiziert. Gleich zerreißen Sie mir unter den Händen. Das spür ich. Der deutsche Geist kommt langsam auf den Geschmack und zerreißt sorgfältig alle Körper, die sich in seinem Umkreis blicken lassen. Aber egal! Was ich Ihnen über meine Erziehung zur Künstlerin sagen wollte, ist folgendes –

CLARA *unterbricht*: Schweigen Sie!

LUISA: Sie wollen mich nur nicht zu Ende sprechen lassen, weil

Sie glauben, nur Sie seien Künstlerin, ich aber nicht. Hören Sie! *Hält Clara fest, die sich loszureißen sucht, aber Luisa ist stärker.* Hören Sie mir doch zu. Ich habe stets darauf geachtet, ein enfant terrible zu sein, dessen Wert gerade darin besteht, aus der Masse herauszuragen, letztlich aber doch der Anpassung kein Hindernis in den Weg zu legen.

CLARA: Sie reden und reden... der Deutsche aber handelt oder denkt schweigsam!

LUISA: Hat etwas Ihre Sinnlichkeit abgetötet? Hoffentlich kein Unfall!

CLARA *zieht den Kleidausschnitt übertrieben schamhaft vor der Brust zusammen*: Mein Vater, jener geliebte große Lehrer, und später mein Gatte Robert, der Teufel.

Luisa kichert übertrieben und neckisch.

Clara heftig: Lachen Sie nicht!

LUISA *küßt die Widerstrebende wieder*: Wieso nennen Sie heute Teufel, was Sie gestern noch göttliches Genie nannten? Liebe! Nehmen Sie sich doch ein Beispiel an mir! Ich gebe froh und frei von mir, was der männliche Tonsetzer schöpfte. Nichts windet sich in mir vor Qual dabei. Liebste! *Kichert wieder.*

CLARA: Ihr Kichern ist exaltiert und krampfhaft.

Luisa kichert noch lauter, küßt Clara auf den Hals.

Fort! *Stößt Luisa weg.* Mein Vater hat die männliche Vorstellung vom Genie in mich hineingehämmert und mein Gatte hat sie mir gleich wieder weggenommen, weil er sie für sich selber gebraucht hat. Im Kopf sitzt die Macht des Zensors.

LUISA: Warum denn immer gleich selbst komponieren! So viele Tondichtungen sind bereits vorhanden, darin können Sie doch Ihr Leben lang wühlen wie ein Schwein nach Trüffeln!

Luisa zieht Clara die Hand, mit der diese krampfhaft ihren Kleidausschnitt zuhalten möchte, weg und nimmt sich Freiheiten heraus. Clara springt entsetzt auf und rast derangiert davon, fröhlich kichernd setzt Luisa ihr nach. Das Kind übt penetrant.

Die Frau ist weich und meist nachgiebig, der Mann ist hart und drängt vorwärts, egal, wo es endet. Dabei schöpft er auch manchmal eine Komposition. In den Mann geht mehr hinein als in die Frau, deshalb kann er auch mehr aus sich herausholen, wenn es drauf ankommt. Eine Frage des Volumens, mein Herz.

CLARA *sich atemlos in einen kitschigen Gobelin-Lehnstuhl werfend*: Robert, die Bestie, phantasiert die ganze Zeit, daß er seinen Kopf verliert. Auf dem Weg nach Endenich blieb er bis Köln ruhig, sodann versuchte er permanent, aus dem Wagen zu springen, das ganze Rheinland hindurch riß er immer wieder die Tür auf und schnellte seinen Körper ins Freie, starke Hände mußten ihn zurückhalten.

LUISA: Entsetzlich! Cara! Bella Tedesca!

CLARA *exaltiert, fast weinend*: In diesem Kopf, sagt er, drängt sich für ihn alles zusammen und wird von einer mysteriösen Maschine komprimiert. Diese ungeheuerliche Angst vor dem Verlust des Kopfes! Da er doch weiß, daß darin seine Genialität haust wie der Wurm im Apfel. Der Wurm schaut ab und zu heraus und zieht sich dann, erschreckt von der Welt, zurück ins Kopfgehäuse und weidet dort, das Gehirn zerfressend.
Der Commandante tritt mühsam auf, ein ältlicher Mann. Clara wirft sich ihm in die Arme. Freund und Kenner!

COMMANDANTE: Ganz ruhig. *Tätschelt sie.*

CLARA: Nein! Lassen Sie mich vor Ihnen knien! *Will knien, er läßt sie aber nicht.* Wenn Sie mich schon nicht knien lassen wollen, so lassen Sie mich wenigstens Ihre sehr edle Körperhaltung bewundern! Sie entsteht dadurch, daß Sie das Genie meines Gatten Robert zwar nicht verstehen können, andererseits sich jedoch vor ihm tief verbeugen und sein neuestes Werk, eine unglaublich moderne Tonschöpfung, großzügig finanzieren.

COMMANDANTE: Bevor Sie meine Körperhaltung bewundern, möchte ich lieber Ihren Körper haben, Liebste! *Er will sie betatschen, sie reißt sich los.*

CLARA: Für Kunstleistungen erhielten Sie Ihre Gelder, nun geben Sie sie auch widmungsgemäß wieder aus! Die Macht hat niemals Sinn für die Kunst gehabt. Sie weiß allerdings, daß man dafür bezahlen muß.

COMMANDANTE: Der Duce hat sich für meine Kunst erkenntlich gezeigt. Suchen Sie sich jemand anderen! Jetzt aber kommen Sie endlich her! *Zieht sie an sich.*

CLARA: Nein! *Reißt sich los.* Da will ich doch lieber knien! Lassen Sie mich aus, Sie... Sie... unverständiger Italiener!

COMMANDANTE: Italiener! Ich bin sogar mit einem Flugzeug über Wien geflogen. Dabei hatte ich die ganze Zeit eine Kapsel mit tödlichem Gift bei mir, für den Fall, daß mit dem Fliegen etwas schiefgeht. Der männliche Eroberungsdrang sagte mir damals: Fliege! Der männliche Todestrieb sagte zu mir: Stirb! Die Kunst sagte: Dichte! Der Eroberungsdrang hat gesiegt. Durch gallertige Walzerluft schoß ich unaufhaltsam vorwärts, Flugblätter versprühend. In der Sinnlosigkeit liegt die Größe.

CLARA: Wollen Sie nicht zum Beispiel heute dieses Gift nehmen? *Drängt ihn weg.* Lassen Sie mich! In mir sehen Sie die Künstlerschaft plus der Mutterschaft verkörpert. Eine Symbiose. Vor so etwas sollten Sie zurückschrecken, wie vor Ihrem eigenen Inneren, das Sie zum Glück nie zu sehen kriegen. Die Mutterschaft ernährt sich von der Künstlerschaft und umgekehrt.

COMMANDANTE: Soll ich jetzt Ihrem hirnverkästen Originalgenie eine Symphonie finanzieren oder soll ich mich vergiften?

CLARA: Erst fördern, dann ein schlichter, ruhiger Selbstmord. In meinem Robert werden Sie fortleben. Und Robert lebt in sich selbst fort: was für ein Glück!

Der Commandante umarmt Clara erneut, attackiert sie, beleidigt hat sich die unbeachtete Luisa zurückgezogen und liest halbherzig ein Buch.

Wenn Sie schon vor der Mutter den Respekt nicht haben, der ihr gebührt, dann sollten Sie ihn vor der Künstlerin haben. Zurück, sag ich!

COMMANDANTE: Mir ist es egal, ob Sie sich mir als Mutter oder als Künstlerin hingeben. Übrigens lebe ich, außer in meinem Œuvre beispielsweise auch in meinen kostbaren Fauteuils fort, die mit original Renaissance-Meßgewändern ausgepolstert sind. Außerdem besitze ich noch unzählige andere Antiquitäten, um unser großes Erbe zu erhalten. Ich besitze Oden, Plastiken, Sonette und Statuetten. Viele davon von berühmteren Meistern geschaffen, als Ihr Robert je einer sein wird.

CLARA: Unmensch! Banause!

COMMANDANTE: Ich kann jederzeit Dichtkunst sprechen, wenn

ich es nur möchte. Jetzt zum Beispiel spreche ich sogleich Dichtkunst. *Reißt Clara an sich, sie wehrt sich.* Hören Sie auf! Ich begehre in Ihnen, in dieser wissenden und verzweifelten Frau diejenige, die durch die ewige Unterdrückung ihrer weiblichen Natur gebrochen, die bestimmt war, in den plötzlichen Zuckungen ihres Geschlechts zu unterliegen, die das Fieber, das im Licht des Konzertpodiums sie brannte, in nächtlicher Wollust löschte, die brünstige Pianistin, die aus den Delirien der Menge in die Gewalt des Mannes übergeht, das dionysische Geschöpf, das wie in der Orgie den geheimnisvollen Gottesdienst in dem Akt des Lebens krönt!

CLARA: Wie ich höre, werden Sie niemals meinen Robert einholen, geschweige denn überholen!

COMMANDANTE: Es hat mir gar keine Mühe gemacht, von der normalen Sprache in die Sprache der Dichtung überzuwechseln, wie Sie gesehen haben.

CLARA: Mein echt deutscher Komponistengatte muß immer größte Kunstwiderstände überwinden, um den Dom aus Tönen zu errichten. Deshalb jedoch wird sein Werk auch fortbestehen, während Ihres einstürzen muß. Vor allem aber auch deshalb, weil Sie als Mann und Mensch permanent versagen.

COMMANDANTE: Als Mann habe ich seit Jahrzehnten nicht mehr versagt! Als Mensch bin ich allerdings ein Dämon. Ich sage jetzt, um das mit dem Dämon zu illustrieren, daß sich unter meinem gierigen Blick Ihr Fleisch zusammenzieht, in der gierigen Abwehr einer schmerzlichen Scham. Mein Wunsch trifft Sie wie eine tödliche Verwundung, weil Sie wissen, wieviel Herbes, Unreines in diesem plötzlichen Begehren liegt. Na?!

CLARA: Wildes Tier! Wie sehne ich mich nach der klaren und reinen Durchsichtigkeit der fis-moll-Sonate Roberts.

COMMANDANTE: Übrigens halte ich Sie für tief vergiftet und verdorben, von Liebe beschwert, in allen Lüsten erfahren, eine unersättliche Versucherin. Der deutsche Gebirgsbach ist nur eine Masche bei Ihnen. Forellen würden darin ersticken.

CLARA: Mein Künstlerinnenkörper, der früher sogar selbsttätig komponiert hat, als er noch Zeit dafür hatte, wird von Ihnen nicht geschändet werden.

COMMANDANTE: Wir haben hier noch mehr Künstlerinnenkörper außer Ihrem im Haus. Hier kommt zum Beispiel gleich ein Tänzerinnenkörper angewirbelt.

Carlotta Barra kommt im Trainingsdress herein und macht Exercice an der Stange im Hintergrund, ohne sich um die anderen zu kümmern.

Am meisten mißfällt mir der Körper Ihres Mannes, dieses deutschen Komponisten.

CLARA: Weil er einen Genius hat. Das Genie geht immer bis an seine Grenzen, oft schmerzhaft für andere. Manchmal tut es einen Schritt zuviel, und schon ist der Wahnsinn da. Robert ist maßlos. In seinen Wünschen wie in seinen Forderungen.

COMMANDANTE: Das kenne ich gut! Auch ich bin ein solches Genie, daher kenne ich es.

CLARA: Sind Sie nicht! Sind Sie nicht!

COMMANDANTE: Bin ich doch! Bin ich doch!

CLARA: Sie kennen immer nur den Körper der Frau, nicht aber das innerste Wesen der Kunst. Der Künstler ist Priester und widmet sich nur dem Kunstschaffen, für alles andere ist er taub. Das können Sie von sich nicht behaupten.

COMMANDANTE: Doch kann ich das. Vor allem kenne ich die Maßlosigkeit aus eigener Anschauung sehr gut. Zum Beispiel in meinen Begierden, die krankhaft und maßlos sind. Die eine Begierde enthält das Leben der besiegten Massen und den Rausch der unbekannten Liebhaber meiner diversen Geliebten. Die andere Begierde enthält die Vision orgiastischer Vermischungen. Na, was sagen Sie jetzt?

CLARA: Mein Robert ist der Prototyp des keuschen, von der Welt zurückgezogen lebenden Künstlers. Sie sind der Prototyp des Dilettanten, der überhaupt kein Künstler ist! Freilich gibt es bedeutende Kunstschöpfer, die zum ungesund Extremen neigen wie beispielsweise Liszt oder der berüchtigte Meyerbeer, doch Sie gehören da nicht dazu. Robert, der Bergsee oder Gebirgsbach. Sie, Gabriele, die Kloake! Ihr Geld stinkt!

COMMANDANTE: Gar nicht bin ich eine Kloake. Ich bin eine gelungene Mischung aus Grausamkeit, Groll, Eifersucht, Poesie und Stolz.

CLARA: Banause!

COMMANDANTE *beleidigt*: Dann möchte ich wissen, wieso Sie sich noch hier aufhalten, wenn ich solch eine Kloake bin. Kann sich eine Frau wie Sie nur hinlegen, wenn der Mann eine Kloake ist?

CLARA: Von hinlegen kann überhaupt nicht die Rede sein, Commandante. Ich appelliere eher an Ihr Mäzenatentum als an Ihre Sinne.

COMMANDANTE: Wofür soll ich bezahlen, meine Beste? Ihr Robert sitzt seit Wochen auf einem Ei, das noch gar nicht gelegt ist. Alles, was er kann, ist, dabei genialisch auszusehen. Ich bin Ariel, der Luftgeist, nebenbei bemerkt. Wollen Sie Aélis zum Packen? Charles fährt Sie dann. Soll ich Ihnen wie immer im Palace Zimmer reservieren lassen, Teure?

CLARA *entsetzt*: Nein!! Gehn Sie nicht fort von einer Frau, die sich sehnt!

COMMANDANTE *wissend*: Aha.

CLARA *geht sich überwindend auf ihn zu, gibt ihm kindliche Küsse auf die Wangen*: Lassen Sie mich hierbleiben, bitte, damit ich Ihnen zu Füßen sitzen kann, Gabriele!

COMMANDANTE *begrapscht sie*: Ich empfinde es schmerzlich, daß ich diese Pianistin niemals nach einem großen Triumph auf dem Podium besessen habe, noch warm von dem Hauch des Publikums, schweißbedeckt, keuchend und bleich. Beispielsweise nach der Hammerclavier-Sonate. Oder nach dem schweißtreibenden Tschaikowsky-Konzert. So sieht sie nach nichts aus.

CLARA *verzweifelt*: Ariel! *Springt ihm wie ein kleines Mädchen an den Hals, will ihn umarmen.* Sie Dichterfürst aus Italien! *Weint.* Sie... *Schluchzt.* Priester Ihrer Kunst...!

COMMANDANTE *routiniert, müde*: Wie in einem Blitz sehe ich Sie hingestreckt. In Ihnen die Kraft, die dem Ungeheuer Publikum das Geheul entrissen. Jetzt sind Sie müde und dürsten voll Begierde, genommen und durchrüttelt zu werden. Kommen Sie, das machen wir jetzt gleich! Anschließend werde ich Ihnen beschreiben, was den kühnen Eroberer von einem ebenfalls kühnen Künstler unterscheidet. Nichts im Prinzip.

Er will Clara wegführen. Die Barra, die das bemerkt, stürzt sich aus dem Hintergrund auf ihn zu, eifersüchtig, daß sie als Künstlerin nicht beachtet wird. Sie macht vor der Nase des Commandante übertrieben graziöse Handbewegungen, flatternd. Der Commandante will ihr an den Busen fassen, doch sie entweicht ihm graziös, wirbelt davon.

CARLOTTA *im Abwirbeln*: Wir Tänzerinnen sind mehr als alle anderen Menschen Flaumfedern. Unsere Körper sind durchsichtig von Licht und Luft. Am Boden hält uns nichts. Manchmal sind wir weniger Licht und Luft als ekstatische Priesterinnen unserer Kunst. *Wirbelt.* Wie jetzt soeben. Man sucht uns auf wie ein Pilger ein fernes Altarbild!

In der Tür stößt sie mit Luisa zusammen, die, Bäckereien knabbernd, wieder hereinkommt.

LUISA *leise zu Carlotta*: Auf die Dauer, wenn Sie weiter so obstinat zu ihm sind, wird Ihnen das kein Engagement an die Pariser Oper einbringen.

CARLOTTA *leise*: Die deutsche Kuh belegt ihn völlig mit Beschlag. Vorhin sagt sie, daß sie eine Priesterin ist. Dabei bin ich das schon. Sie hatten mir ausdrücklich erlaubt, die Nonnenmasche anzuwenden, und jetzt bedient die Deutsche sich ihrer, ohne sich mit uns vorher abgesprochen zu haben. Sie kann ja sagen, daß sie ein Vogel ist, meinetwegen ein Phönix, oder ein Rehlein von mir aus.

LUISA: Ärgern Sie sich nicht, Cara. Am besten ist es eben immer noch, wenn Sie sich ficken lassen.

CARLOTTA: Niemals! Ich werde ihn mit meiner Kunst fesseln.

LUISA *skeptisch*: Na ja. Sie waren schließlich zuerst da. Behaupten Sie sich mit der Priesterin. Ich werde mit der Deutschen reden, daß sie von nun an sagt, sie ist ein Reh, und dieser Robert könnte gut einen weißen Hirschen vorstellen.

Beide Frauen kichern. Clara und der Commandante, die sich beide um das Kind im Gestell gekümmert haben, werden aufmerksam.

CARLOTTA *rasch zu Luisa*: Reden Sie heute mit ihm, während Sie sich ihm hingeben. Sie kriegen Ihre dreißig Prozent.

LUISA: Vierzig!

CARLOTTA: Na gut. Ich hab ja die Kunst.

LUISA *beleidigt*: Auch ich habe die Kunst, es ist genau dieselbe Kunst, die auch Sie haben, nur natürlich mehr und eine andere Sparte: Pianistin. Also einverstanden: dreißig.

Carlotta wirbelt zur Tür hinaus.

Ha. Angeführt! Während ich mich ihm hingebe, rede ich nämlich ausschließlich von meinen geplanten Klavierabenden in den Vereinigten Staaten. Im Frühjahr reise ich, der Commandante hat schon für mich abgeschlossen und die Kaution hinterlegt. Bis dahin nur noch etwa 120 Hingaben! Allerhöchstens!

In diesem Augenblick bricht der Commandante röchelnd am Klavier zusammen. Luisa eilt ihm zu Hilfe, klingelt heftig. Clara korrigiert die Haltung ihrer Tochter am Klavier, spielt die Mutter.

COMMANDANTE *röchelnd*: Ich bin von Schönheit besessen: von Bäumen, Blumen, Hunden und natürlich von Frauen! Ich könnte es nicht ertragen, wenn die Frau, mit der ich gerade lebe, nicht schön wäre. Und noch weniger könnte ich es ertragen, daß eine andere noch schöner wäre, die ich gerade nicht besitze! *Halb erstickt.*

Aélis stürzt herbei, gemeinsam mit Luisa betten sie den alten Mann auf einen Haufen Seidenkissen, fühlen seinen Puls, reiben ihm die Schläfen etc. Währenddessen begrapscht der Mann die beiden Frauen, greift ihnen unter die Kleider etc. Das Kind Marie spielt falsche Dreiklänge. Clara korrigiert.

Commandante röchelnd: Ich habe Übung, was das Zusammenleben mit schönen Frauen betrifft. Irgend etwas geschieht, wenn man einem schönen Menschen ins Auge sieht: Man sieht ein offenes, ehrliches Gesicht. Was heißt übrigens schön? Die Ziege auf dem Berg ist schön, auch der berüchtigte Sonnenuntergang. Wichtiger als Schönheit ist – *er röchelt so sehr, daß er einen Schluck Wasser nehmen muß* – geliebt zu werden, im Auge eines Mannes schön zu sein! *Hustet würgend, ein Teil des Wassers rinnt ihm wieder heraus.*

Marie spielt schon wieder falsch.

Commandante mit Mühe: Nehmen Sie das Kind aus dem Gestell heraus!

Aélis reicht ihm ein Riechfläschchen, an dem er snifft.

CLARA *beim Klavier*: In diesem Zustand vermögen Sie die große Begabung meiner Tochter überhaupt nicht aufzufassen!

COMMANDANTE: Raus aus dem Gestell!

CLARA: Sind Sie denn noch immer nicht hinüber? Bestie! Ungeheuer! Sie starker männlicher Beherrscher, Sie.

COMMANDANTE: Ich werde es noch erleben, daß Ihr Mann endgültig bis zur Klärung der Sachlage ins Irrenhaus eingeliefert wird. Anschließend erlebe ich, wie seine nun schutzlose Frau sich in einem letzten Krampf zusammenzieht, in gewaltsamer Umarmung erliegt, um endlich in tiefem, traumlosem Schlaf Ruhe zu finden. *Erholt sich zusehends.*

CLARA: Unmenschlicher Bezwinger! Robert wird zuvor noch sein größtes Werk komponieren, nämlich eine Symphonie. Er wird sie hier schreiben. Ihr Haus geht damit in die Musikgeschichte ein.

COMMANDANTE: Das ist unnötig, weil es durch mich schon in der Literaturgeschichte ist. Ich bin ein Mitglied des Olymps der italienischen Dichter. Gabriele d'Annunzio.

CLARA: Mein Mann wird viel unsterblicher sein als Sie, Commandante!

COMMANDANTE: Nein. Ich werde unsterblicher sein. Bitten Sie mich, daß ich nicht grausam sein möge! *Röchelt furchtbar.*

CLARA: Bitte seien Sie nicht grausam.

COMMANDANTE: Bitten Sie mich jetzt, daß ich Ihnen nichts zuleide tue! Denn es gibt Augenblicke, da ich mich nicht mehr kenne und glaube, ich bin ein wildes Tier, etwa ein Löwe.

CLARA, *ihre Tochter an sich drückend*: Nie! Einmal warf er schon seinen teuren Ehering in den Rhein. Nun will ich mein Leben Robert weihn.

COMMANDANTE: Ich werde Ihnen nun doch nichts antun, glaube ich nach längerer Überlegung. *Bricht wieder ganz zusammen.*

CLARA, *ihr Kind an sich drückend, aus der Rolle fallend*: Zuerst soll mein Robert noch recht lang die Angst um den Kopfverlust erleiden. Natürlich ist das eine Verlagerung von unten nach oben. Was er wirklich fürchtet ist der Verlust seines Schwanzes. Wo nämlich der Zensor nachläßt, bricht die Verdrängung zusammen. Man hat schon seine Sorgen.

COMMANDANTE *sich aufraffend*: Wollen Madame einmal sehen, wie ich dagegen bestückt bin? *Will sich aufknöpfen.*

Clara prallt zurück. Aélis hindert ihn, streichelt ihn, reckt gleichzeitig den Kopf und schaut in den Korridor.

AÉLIS: Commandante, draußen steht noch immer Carlotta Barra und macht eine graziös sein sollende Handbewegung. Sie sollen ihr zuschauen und ihr ein Engagement an die Pariser Oper verschaffen, sonst bricht sie zusammen.

COMMANDANTE *hustend*: Ist das eine, die ich schon einmal gehabt habe?

AÉLIS: Nein. Eine von dem verschwindend kleinen Rest.

COMMANDANTE: Der Masse der Kunstinteressenten darf sie sich erst geben, nachdem sie sich mir gegeben hat. Viel wird dann allerdings nicht übrig sein.

Clara und Marie machen ein Mutterkindbild.

Die Erotik der deutschen Frau ist weltberühmt. Ich werde jetzt aufzählen warum, erstens...

Aélis hindert ihn an der Aufzählung und dreht ihm den Kopf, damit er auf Carlotta schaut, die, ihm nicht sichtbar, jenseits der Tür etwas aufführt.

Ich kann nicht um die Ecke schauen. Sind die Mädchen da?

AÉLIS: Ich glaube ja, Ariel, zwei Stück. Aus Gardone.

COMMANDANTE: Schicken Sie die, die Sie ausgesucht haben, hinauf. Zuerst waschen, bitte!

Marie spielt jetzt eine Clementi-Sonate, um seine Aufmerksamkeit zu erregen.

Weg das Kind, weg das Gestell, weg die Musik! *Hat endgültig die Geduld verloren.* Weg das Kind! *Brüllt.*

Erschrocken reißt Clara Marie aus dem Gestell und drückt sie heftig an sich.

CLARA: Heißt das, Sie schätzen die Kunst meines Kindes und meines Gatten nicht?

COMMANDANTE: Ich schätze die beginnenden weiblichen Körperformen Ihres Kindes sehr wohl, nicht jedoch dessen Kunstäußerungen.

CLARA *würdevoll, beleidigt, das Kind an sich drückend*: Das ist das Ende, Commandante, und Sie wissen es. Wir fahren jetzt ins

Carlton nach Cannes. Dort können Sie uns dann mehrmals täglich anrufen, damit wir zurückkehren. Drängen Sie aber nicht, weil ich zuerst mit dieser menschlichen wie künstlerischen Enttäuschung fertig werden muß. Meinen Mann Robert lasse ich einstweilen hier. Er garantiert Ihnen, daß ich wiederkomme, nachdem die Wunde verheilt ist. Je vous supplie, au nom de votre clairvoyant amour, ne brusquez pas, ne cassez plus cet admirable demi-poison, élément dans lequel vous m'avez plongéz! *Sie blickt ihn erwartungsvoll an. Er reagiert nicht, mustert sie nur durch sein Einglas. Clara beleidigt.* Das Kind nehme ich aber mit. Nicht, daß Sie jetzt glauben...

COMMANDANTE *unterbricht*: Wenn ich dem Chauffeur nicht Auftrag gebe, fahren Sie nirgendwohin! Soviel ich weiß, reicht es bei Ihnen momentan nicht einmal für den Personenzug dritter Klasse nach Verona.

Clara wendet sich ab und verbirgt ihr Gesicht in den Händen.

CLARA: Sie töten mich vollständig ab, wenn Sie so reden, Commandante!

COMMANDANTE: Mein berüchtigtes Leda-Zimmer wartet auf Sie. Noch wartet es. Außerdem wartet mon petit prince. Sie wissen, wer das ist. Wenn nicht, so lesen Sie die einschlägige Literatur! Soll ich Ihnen die Lage vorführen, in die Sie ihn durch Ihre Weigerung gebracht haben? *Er greift nach seinem Schwanz. Clara verbirgt erneut ihr Gesicht, hysterisch.*

CLARA: Nicht! Bitte, bitte nicht!

COMMANDANTE: Und nicht zuletzt ein Haufen deutscher Fraß, extra für Sie bestellt. Sauerkraut. Wenn Sie mich nicht umbringen, dann wird mich dieses Essen endgültig töten. Und dann kann ich Ihnen noch meine White Lady anbieten. *Klopft auf die Dose mit Schnee.*

CLARA: Nein! Niemals werde ich die für gewöhnlich wunderbare Klarheit meines deutschen Geistes durch eine Teufelsdroge vernebeln lassen.

COMMANDANTE: Darf ich daraus schließen, daß so die Intensität aussieht, die der Künstler im Leben angeblich so reichlich benötigt? Angeblich kann man doch die Kunst vom Leben nicht trennen, weil sich beide gemeinsam abspielen sollen.

CLARA: Meine Intensität als deutsche Pianistin kommt ausschließlich aus einer heftigen anfänglichen Kindheitsdissonanz!

COMMANDANTE: Auch das macht den Künstler aus, daß ein Leid ihn überschattet. Ich jedenfalls bin ein großer Schriftsteller, und aus meiner Tiefe kommt oft ein wilder Trieb hervorgebrochen, den ich gar nicht bezähmen kann. Aus derselben Tiefe dringt manchmal, ganz selten nur, menschliches Mitleid, das aber nicht so stark ist wie der wilde Trieb. Ich bin mehr Teufel als Ihr Robert.

CLARA: Nein, mein Robert ist es mehr. Zuerst hat mein Vater mein Leben überschattet, und jetzt überschattet es ein Partnerschaftsproblem. Der Mensch flieht solche Verwicklungen wie die Pest, der Künstler sucht sie zwanghaft auf, damit sie sich in seinem Werk niederschlagen können. Man nennt das die Tiefe eines Werks. Beim weiblichen Werk ist es abgeschwächt. Bei Kindesgeburten verschwindet die Tiefe.

Sie blickt versonnen in die Ferne, hat das Kind losgelassen, das sich losreißt, zum Commandante läuft und sich an ihn schmiegt. Der Mann röchelt und läßt sich von Aélis die Medizin eingeben. Aélis bedeutet dem Kind, sich an den Commandante zu pressen, zeigt ihm wie. Der Mann reibt sich schweratmend an Marie. Eifersüchtig beobachtet Luisa, die sich die ganze Zeit abseits gehalten und Kaviar gelöffelt hat, das Treiben und beißt in eine Hibiskusblüte.

AÉLIS: Luisa Baccara beißt in Blüten hinein vor Haß!

LUISA *versucht, zum Commandante zu gelangen, Aélis verwehrt es ihr*: Die ganze Leidenschaft der Nacht hetzt uns und wirft eins dem andern zu, Commandante!

AÉLIS: Es ist Mittag.

D'Annunzio stöhnt mit dem kleinen Mädchen. Clara, die Mutter, steht graziös am Fenster und blickt – typisch Mignon – in die Ferne, mit wehen Handbewegungen. Sie merkt nicht, was ihre Tochter so treibt.

CLARA: O Deutschland, Deutschland, von hier aus ist es so eine weite Entfernung bis zu dir, Vaterland. Gleich werde ich dafür etwas aus meinem reichen Leben erzählen.

LUISA *gehässig, eifersüchtig*: Noch haben verschiedene Personen

Zeit, den Raum sogleich zu verlassen, bevor ein deutsches Schicksal ausgebreitet wird. Deutsche Künstlerschicksale tropfen besonders zäh.

D'Annunzio bedeutet Aélis, Clara von ihrer Tochter, mit der er herumschmust, abzulenken. Aélis versteht sogleich und geht zum Fenster hinüber, legt in halb gespielter, halb in echter Solidarität die Hand auf Claras Schulter, drückt sie leicht an sich.

CLARA *unglücklich, fast weinend, übersteigert*: Dieses entsetzliche Ausland macht meiner Natur zu schaffen! Natur! Die Nacht scheint trächtig von Wundern. Die ewigen Kräfte walten in Harmonie zwischen Erde und Sternen.

Aélis klopf ihr tröstend, aber leichthin auf den Rücken, blickt jedoch hinter ihrem Rücken auf Luisa und verdreht theatralisch die Augen, um zu zeigen, daß Clara ihr auf die Nerven fällt. Luisa erwidert die Geste herzlich.

Ha, Natur! Die größte Angst des Mannes ist die Angst vor der Natur und die Angst vor der Frau. Noch größer aber ist die Angst vor dem eigenen Körper.

Schrilles Kichern vom Commandante, der sich an das Kind preßt, sich heftig an ihm reibt. Clara achtet seiner nicht.

Clara, während Aélis hinter ihrem Rücken die Achseln zuckt, mit Luisa «sprechend» grimassiert: Diese Landschaften des Schreckens in diesen abgestorbenen Männerköpfen! Die Finsternis in der Natur wie der Mann sie sieht und anschließend künstlerisch abbildet! Der alte bürgerliche Traum vom Kopf, als dem Sitz des Genies. *Sie spricht jetzt echt empfunden.* Leerer Größenwahn! Ein Haus mit dunklen Gängen. Die schwere Kopflast, er schleppt sie hindurch, fortwährend. Diese wahnhafte Sucht nach etwas, das noch nie geschrieben, komponiert, gesprochen. Die Ori-gi-na-li-tät! *Brechreiz. Sie würgt. Aélis streichelt zerstreut ihren Kopf.* Und dann müssen sie auch noch ständig zwanghaft darüber reden... reden... reden... diese Sehnsucht dauernd nach extremster Einmaligkeit... setzt Energie frei, und die Kunstmaschine rotiert, rotiert...

AÉLIS: Beruhigen Sie sich, Liebste! Einmal muß es doch sein, Sie kennen ihn ja. Und – *flüstert* – er kann sowieso kaum mehr. Wir erhalten ihm die Illusion seit Monaten... es gibt da... Tricks...

CLARA *schreit*: Tricks!

AÉLIS: Schrein Sie doch nicht so!

CLARA *bitter*: Tricks.

AÉLIS: Na ja. Oder wie Sie es nennen wollen. Wenn Sie nach dem Tee in mein Schlafzimmer kommen, zeige ich Ihnen gern, wie...

CLARA *hat gar nicht zugehört, unterbricht sie heftig*: Dieser Wahn der Selbstverwirklichung. Die Frau bezahlt es. *Erschöpft.* Es zahlt die Künstlerfrau. Ist sie ebenfalls Künstlerin, verfaulen ihr die Glieder einzeln bei lebendigem Leib unter der Kunstproduktion des Mannes.

AÉLIS: So hören Sie mir doch einen Augenblick zu! Ich will Ihnen helfen! Sie brauchen doch das Geld.

CLARA: Künstlergatte und Künstlergattin: Das Blut des einen kann man nicht mehr vom Blut des anderen trennen, einer haust im anderen, man kann sie nicht auseinanderreißen! Entweder sie gehen gemeinsam irgendeiner Morgenröte entgegen oder sie fallen ineinander verkrallt in einen Graben hinein. Meist aber ist die Frau dann schon eine verdorrte Wurzel, während der männliche Künstler noch voll im Saft steht.

MARIE *am Commandante, der sie streichelt und beruhigt, plärrend*: Einen Himbeersaft will ich! Und dann ein Eis mit so... Melonenscheiben drauf... wie gestern beim Abendessen!

Der Commandante spricht murmelnd auf sie ein. Clara beachtet beide nicht.

AÉLIS *zu Clara, nicht ohne Sympathie, aber doch belustigt*: Legen Sie sich doch hin, ma chère! Ruhen Sie sich aus!

CLARA: Nein! Ich muß Ihnen das erzählen, Mademoiselle Mazoyer! Ich muß mich von den seelenlosen Klaviermaschinen Liszt und Thalberg abgrenzen.

AÉLIS: Sie sind müde, Frau Schumann.

CLARA: Zuerst erzähle ich Ihnen jetzt noch von meinem Vater, der mich prägte...

Schreie aus diversen Zimmerecken: Nein! Nichts vom Papa! Nicht schon wieder! Nein! Bitte nicht! *etc. Clara achtet ihrer nicht.*

Clara hymnisch: Mein Vater war Klavierexporteur. Überall

diese toten Kunstwerkzeuge. Kaum konnte man sich hindurchwinden. Dazu diese Mannsklötze, die sie ständig bearbeiteten! Diese Größenwahnsinnigen! Provinzpianisten! Und dann, ab und zu mittendrin ein Frühvollendeter, wie es in unserer Fachsprache heißt. Selten. Ich sage Ihnen, Aélis, das Genie würgt jede Produktivität in ihrem eigenen Denken sofort ab! Ich war umgeben, zu jeder Tageszeit wohlgemerkt, von Chopin-Etüden, Liszt-Bravourstücken und dem chronisch überschätzten Mozart. Mit fünf erst sprechen gelernt. Doch mein Gehör war wie eine Rasierklinge. Mein Vater schrieb selbst mein Tagebuch, während die Klavierhacker aller Altersklassen mir unters Röckchen griffen. Ich konnte ja nichts sagen! Und ringsumher das Land, das die deutschen Künstler pausenlos ausspeit und selbst auch deutsch ist.

AÉLIS *tröstend*: So schlimm wird es schon nicht gewesen sein.

CLARA: Doch! Schlimmer! Ich bestehe auf meinem außergewöhnlichen Schicksal und meiner schweren Jugend wie jeder Künstler, der ein Recht auf so was hat.

AÉLIS: Quel horreur!

COMMANDANTE *von hinten, mühsam, das Kind streichelnd*: Dieses undurchdringliche, stumpfe Fleisch, der schwere Kerker des Menschen. Wie mühsam ist es, sich da hineinzubohren! Doch jetzt sehe ich ihre Seele, da ist sie schon! Sie offenbart sich mir ausdrucksvoll wie Musik. Ein über alle Grenzen zartes und mächtiges Empfindungsvermögen. Ich fühle, daß sie mich liebt, nicht nur meinen Körper.

CLARA: Nach außen drang stets nur meine spezielle feinmechanische Begabung für das Drücken von Klaviertasten, und zwar in der richtigen Reihenfolge. Jeder, der übt, kann es. Wer mehr übt, kann es besser.

In diesem Augenblick schleppt sich die Fürstin von Montenevoso, die Gattin des Commandante, herein, sieht die Gruppe verächtlich an.

FÜRSTIN: Ich habe erfahren, daß du wieder einmal meine Würde als deine Frau beleidigst, während ich unter deinem Dach bin.

Der Commandante springt auf und küßt ihr ehrfürchtig die Hand, schiebt Marie zur Seite.

Und zwar durch die dauernde Hinzuziehung weiblicher Künstler, was ich dir schon öfter... was ich dich schon öfter gebeten hatte, nicht... worum ich dich etliche Male schon angefleht...
Er blickt sie finster an, sie verliert den Faden und schweigt.

COMMANDANTE: Du weißt, Maria, daß ich diese Geschöpfe um mich herum benötige. Nur sie, jene Künstlerinnen, wie du sie verächtlich zu bezeichnen beliebst, bieten mir den Hintergrund, vor dem meine dichterische Ader auf das Herrlichste zu bluten beginnt, verstehst du? Sie schaffen in keuscher Hinfälligkeit die Blume, ich hingegen schaffe die Kraft des Marmors und die Wucht des Blitzes und jeden Schatten und jedes Licht. Verstehst du mich?

FÜRSTIN: Ja, mein Geliebter!

COMMANDANTE: Geh jetzt, Maria!

FÜRSTIN: Gabriel! Ariel!

COMMANDANTE: Geh!
Fürstin schleppt ab.

FÜRSTIN *im Gehen*: Ich könnte das selbstverständlich nie ertragen, wenn meine Kinder dabei wären. Aus Monte werde ich dir einen langen Brief schreiben und diese Gedanken noch weiter ausführen.
Clara wendet sich in dem Augenblick um, als der Commandante sich gerade wieder der kleinen Marie zuwendet. Sie merkt, was gespielt wird, reißt sich von Aélis los, die sie zurückzuhalten sucht, um das Vergnügen des Commandante nicht zu stören. Sie stürzt auf den Commandante zu, zerrt ihre Tochter weg, reißt die Kleine in romantischem Überschwang mit sich fort.

CLARA *in höchster Erregung*: Je vous supplie, si ce n'est pas de «l'aveugle rancune», expliquons-nous, parlons! Pourquoi ridiculiser les moments qui étaient beaux et spontanés? Je vous parle au nom du «clairvoyant amour»!
Die Kleine will ihrerseits aber weitermachen, sie strebt von der Hand der Mutter fort, der Commandante grapscht nach ihr.

MARIE *stockend und kindlich*: Fällt dir nicht auf... liebste Mutter... daß ich zwar schon... in diesem relativ frühen Alter... ausgezeichnet zu Fuß bin... des Sprechens jedoch... noch nicht ganz... äh... mächtig. Aber mein Gehör... hat sich schon... ähnlich wie bei dir als Kind ja auch... unheimlich stark... ausgebildet. Mehr aber für... musikalische Töne... als für die Sprache... Daß ich sprechen lerne... darum hast du dich... nie gekümmert... im Bestreben... eine geniale Pianistin aus mir... zu machen... jetzt bin ich nichts... als ein Paar Hände... an dem ein... Körper hängt.

Sie will zu D'Annunzio zurück. Clara zwingt sie jedoch in eine Umarmung mit sich, das Mädchen blickt, auf Zehenspitzen stehend, über die Schulter der Mutter hinweg auf den Commandante zurück, der von Aélis und Luisa Baccara umflattert wird.

CLARA *wispert Marie ins Ohr, hektisch*: Hier bleibst du! Eins der allzu seltenen Stücke, die ich geboren habe, und die kein reiner Ausschuß sind! Nichts als Schund! Acht Schwangerschaften, die meisten davon total umsonst. Schade um die Arbeit! Einer gleich hin, er hielt mir kaum ein Jahr: die Drüsen! Überhaupt die Söhne! Schlechtes Ausgangsmaterial. Ludwig geisteskrank wie der Papa, ohne die Freude von Verwandtenbesuchen in der Anstalt. Ferdinand: Rauschgiftsucht und relativ schnelles Ende. Felix: Tbc, Julie: Tbc. Du bist der kümmerliche Rest, Mariechen.

MARIE: Auslassen, Mama! Loslassen! *Will weg.*

CLARA: Und während meiner allzu häufigen Gebärphasen, in denen mein Körper kürbisartig aufquoll, konnte ich natürlich nirgends auftreten. Dieser finanzielle und ideelle Verlust! Diese Zumutung für das Auge des mitdenkenden Musikliebhabers. Und dazu fortwährend der Schatten des inspirierten Vaters über der Brut. Sein Gequengel auf Reisen, dieses dauernde Geseire, weil ihn keiner kannte, mich aber jeder. Dieses andauernde Beleidigtsein und mit dem entsprechenden Gesichtsausdruck in den Hotels und Gasthöfen herumsitzen!

MARIE: Sprich nicht so... über Papa... über meinen lieben Vati!

CLARA: Schließlich deines Vaters Imbezilität. Unaufhaltbar. Mein trächtiger Bauch... dieses Übermaß an Natur, das der Sensibilist nie erträgt... diese geballte Form der Weiblichkeit... jeder Fortschritt versinkt davor... der Künstler muß oft angesichts des aufgeplusterten Unterleibs erbrechen... Jetzt sagt er dauernd, es zieht ihn in den Gardasee hinein, damit er ertrinkt. Er will in der Natur verschwinden. Beim Rhein hat er das früher auch schon gehabt. Doch fürchtet er nichts als das Verschwinden in mir, aus der die Schwanzfrüchte jahrelang pausenlos gekrochen kamen. Widerliche weiße Engerlinge, dich inklusive, meine liebe Marie.

Sie gibt ihr kleine Kopfstücke, traktiert sie. Marie reißt sich endgültig los und rast quiekend und blöd grinsend zum Commandante zurück, wirft sich auf ihn, der streichelt sie geil.

Clara beleidigt ihr nachsehend: Des Kunstgesetzes erstes Kapitel heißt: Technik als Mittel. Technik als Zweck – fällt die ganze Kunst hinweg!

Der Commandante wieder intensiv mit Marie zugange.

MARIE *schmeichlerisch zum Commandante*: Darf ich später dann... das Flugzeug anschauen gehn... bitte, bitte... *Hüpft neckisch auf seinem Schoß herum.*

COMMANDANTE: Freilich, freilich, mein Kind. *Uninteressiert und nebenbei leichthin:* Dein Mund gewinnt, schwer werdend, in deinem bleichen Gesicht einen beinahe harten Umriß, als ob er von Durst gepeinigt würde, unersättlich und geschaffen, an sich zu ziehen, zu nehmen, zu behalten.

MARIE: Das... schöne... Flugzeug!

Inzwischen hat in einer Ecke die Baccara den Teetisch mit den Mädchen zusammen gedeckt. Gelbe Rosen, etc. Jetzt macht sie stumme Fingerübungen auf dem Tischtuch, eifersüchtige Pianistinnenblicke mit Clara wechselnd.

LUISA *zu Clara*: Ich bin das Urbild der venezianischen Pianistin, während Sie die ehrliche, aber phantasiearme Vertreterin der deutschen Klavierspielerzunft vorstellen. Ich bin schlampig, großzügig, in den Tempi undiszipliniert, doch körperbetont und liebenswert. Einfach und robust und mit dunklem Teint behaftet.

Clara starrt sie kurz und nichtbegreifend an, dann stürzt sie wieder auf den Commandante los, der sich gerade mit Marie küßt, und erklärt ihm in höchster Verzweiflung, die im Gegensatz zum Inhalt ihrer Rede steht – während die schwülstigen Worte des Commandante mehr nebenher gesagt werden.

Clara: Ihr Gehör! Ihr Gehör! Das Gehör meiner kleinen Marie weiß vieles zu unterscheiden, was andere überhaupt nicht merken! Ich entwickelte sie langsam zu einer Spezialistin wie mein Vater mich seinerseits damals prachtvoll entwickelte. Weiß sie doch von allen Tonarten die Unter- und Oberdominantakkorde rasch zu finden und moduliert auch wann, wohin und woher sie will!

Der Commandante, dem Clara auf die Nerven geht, bedeutet Aélis, der Treuen, hinter Claras Rücken, daß sie dieselbe fortschaffen möge.

Aélis nimmt Clara beim Arm und versucht, sie wegzuführen, aber liebevoll! Clara sträubt sich natürlich!

Clara überspannt: Die geschlechtliche Seite ist es, die uns alle umbringt. Auch Sie, Ariel! Diese Krankheit, die von Natur aus tötet. Sie ruiniert selbst die tiefste Innigkeit zwischen Mann und Frau. Das sagten mein Vater und Robert einstimmig. Die Abtötung meiner Person erfolgte rasch dadurch, daß man mich zur Heiligen machte, zur Idealfigur. Zur passiven Gegenwart, fern und ungefährlich. Ich habe folglich die ganze Zeit über nicht gelebt. Um aber meines völligen Ablebens sicher sein zu können, hat mich Robert mit seinem Genie vollends erschlagen.

Aélis: Beruhigen Sie sich doch! So können Sie sich hier nicht aufführen. Sie sind hier schließlich nicht zu Hause! Hier hört man nur Schreie der Lust, die nahe beim Tod liegt. So nahe wie das Genie beim Irrsinn.

Luisa: Und bei alldem spielt sie den schnellen Satz der Mondschein-Sonate eindeutig zu langsam. Wie alle Deutschen übrigens. *Beißt in einen Pfirsich, der Saft rinnt.* Sängerin müßte man sein. Die Leute staunen bei einer Frau noch viel mehr, wenn sie die jeweiligen Töne ausschließlich mit dem Körper ohne Zuhilfenahme von Geräten hervorbringt.

Aélis *liebevoll zu ihr*: Sie sollten nicht soviel fressen, chérie!

Luisa: Doch leider wohnt in diesem üppigen Körper nur eine bestenfalls mittelmäßige Stimmkraft. *Ißt weiter.*

Clara *exaltiert*: Komponieren durfte ich nie selber. Obwohl ich es doch so sehr wollte. Er hat mich dazu gebracht, zu glauben, daß ich es in seinem Schatten gar nicht wollen könne. Das Genie

will seine Reise in die Abstraktion ohne die Frau antreten. Die Frau ist nur etwas Knochenmehl.
Sie reißt sich von der sie tröstenden Aélis los und stürzt sich auf den Commandante und ihre Tochter. Aélis will sie halten. Clara wirft sich auf das schmusende Paar D'Annunzio–Marie. Die wehren sich.
Clara hymnisch: Sie wird aber leicht eigensinnig, meine kleine Marie! Und in ihren Wünschen unbändig. Was ein Künstler sein soll, ist demütig, sagt mein Robert immer. Weil er eine Gabe hat, die andere nicht haben, nämlich die Gabe der Begabung, sagt Robert. Sie spielt sogar schon – *beschwörend* – kleine Konzerte, und ich weiß von zahlreichen eigenen kleinen Kompositionsversuchen zu berichten! Ich, die Mutter!
Wieder röchelt der Commandante asthmatisch, dabei läßt er die kleine Marie unwillkürlich los, die ihm kindliche Küsse auf die Augen drückt, sich an ihn schmiegt. Aélis läßt Clara und stürzt auf den Mann los, prüft seine Pupillenreflexe, zieht eine bereitliegende Spritze auf und gibt sie ihm routiniert. Bald beruhigt sich der Commandante. Liegt still. Clara nutzt die Gelegenheit, sich ihrer Tochter zu bemächtigen. Sie hebt die Strampelnde hoch und trägt sie rasch hinaus.
Inzwischen stopft sich die Baccara die ganze Zeit über eifersüchtig und gierig mit Süßigkeiten voll, ab und zu bedenkt sie Aélis mit sprechenden Seitenblicken. Draußen eine quengelnde Kinderstimme (Marie): Ich will das Flugzeug endlich sehen, das Flugzeug! *Clara kommt wieder herein. Clara kniet beim Commandante, fühlt ihm den Puls, raunt beschwörend:*
Bevor Sie nun endgültig absterben, Commandante, bitte, bitte finanzieren Sie meinen Gatten, und wenn es nur für ein Jahr ist! Bitte! Und auch meine Tochter bedarf der Förderung, wie Sie sicher gesehen haben: ihre kleinen Kompositionen sind meist rhythmisch richtig, der Baß leidlich. Wenigstens verdoppelt sie nicht die große Terz als Leitton! Ist das nichts? *Als ob es etwas Lebenswichtiges wäre:* Ich trete jetzt einem Gerücht entgegen, daß meine kleine Marie ihre Kindheit zu früh durch Üben verlor. Im Gegenteil: sie zeigt Gefühl! Dazu bedarf es bedeutender finanzieller Aufwendungen!

COMMANDANTE: Wodurch wird ein Land berühmt? Zweifellos durch seine berühmten Söhne!

CLARA: Söhne! Söhne! Wenn ich Ihnen doch sage, Gabriele, meine Söhne waren in der Qualität noch miserabler als die Mädchen, mit Ausnahme Maries. Komponieren wollten sie natürlich auch, die Bürschchen, es ist ihnen jedoch nie gelungen. Noch weniger als mir sogar. Der Schatten ihres Vaters ist über ihnen gehangen wie lauter kleine Äxte. Mit den Metastasen seiner Genialität waren sie förmlich durchsiebt: Ansammlungen von schwersten Krankheiten, meine Söhne.

Aélis führt eine der Dorfnutten herein, hilft ihr beim Ausziehen, bedeutet Clara, sie solle ans Klavier gehen und etwas spielen, diese jedoch wehrt stolz ab. Während sich das Mädchen bei dem halb senilen Dichter niederläßt.

COMMANDANTE: Ich repräsentiere eine gigantische finanzielle und noch größere ideelle Macht. Auch mein Prestige bei den neuen Machthabern ist hoch, höher könnte es gar nicht sein.

Das Mädchen küßt ihn.

Jetzt stürzt Luisa, die endlich ihre Chance, sich zu profilieren, gekommen sieht, ihrerseits ans Klavier und spielt fröhlich eine Rossini-Ouvertüre, «La Gazza Ladra» vielleicht, schaut immer, ob sie auch gebührend beachtet wird.

CLARA *verächtlich*: Schlampige Fingerhaltung. Zu weiches Handgelenk. Laxe Technik und Auffassung. Von der Programmwahl ganz zu schweigen.

COMMANDANTE, *nach Luft ringend, zum verständnislosen Dorfmädchen*: Sprechen Sie! Antworten Sie! Sagen Sie es mir, daß Sie das Morgenrot nicht mehr erleben könnten, ohne mich, wie ich es nicht könnte ohne Sie! Antworten Sie mir!

Aélis bedeutet dem Mädchen, ja zu sagen, was dieses auch tut.

Vielleicht mache ich Ihnen gerade jetzt solch einen bedeutenden Sohn, von dem ich vorhin sprach. Vielleicht mache ich ihn jetzt!

CLARA: Sohn heißt, wie der Vater zu werden und damit den eigenen Tod zu besiegeln. Schauen Sie sich meine drei Söhne an! Eine Ansammlung von Todesleiden. Versteinerte Gliedmaßen, kleine, kieselige Gehirne, Augen aus Quarz, welke Köpfe, Unselbständigkeit übelster Sorte.

COMMANDANTE: Später könnte ich sogar noch einen zweiten Sohn zeugen! Und dann einen dritten! Einen vierten!

CLARA: Mein allerirrster Sohn hat von Anfang an nur komponieren wollen. Jedes Instrument wollte er gleich bespielen, von Harfen, Celli, Bässen, Tuben und Posaunen hat man ihn abpflücken müssen. Er saugte sich daran fest wie eine Schnecke. Sein Fehler war, daß er geglaubt hat, das Genie bestehe im Fortschreiten über das hinaus, was schon da ist. Das Genie soll aber nichts überwinden, es kann doch nur mehr Totgeburten ins Leintuch setzen. Alles gibt es schon längst. Nur die Frau gibt es nicht und darf es nicht geben.

COMMANDANTE *erfreut*: Es geht ja immer noch weiter! Was hast du mir denn diesmal gespritzt, Aélis? Phänomenal!

Luisa spielt die Wilhelm-Tell-Ouvertüre.

CLARA *hysterisch*: Mein Gott, alles ist ja schon da! Der Beweis der Einmaligkeit erübrigt sich. Und trotzdem spucken diese Tonkünstler endlose Wort- und Tonketten aus, je mehr sie schöpfen, desto mehr verlieren sie ihre Sinne. Blasen aus Wörtern und Tönen!

COMMANDANTE *jubelt*: Ja! Jawohl! Jetzt!

CLARA *wie aus einem Traum sich ihm zuwendend, der sie nicht beachtet*: Tout passe, tout casse… et cette fougue douloureuse, si aigre, des derniers jours, passera peut-être, comme tout passe…

Die Tür wird aufgerissen, die kleine Marie schreit, mit dem Fuß aufstampfend, trotzig.

MARIE: Wann darf ich das schöne Flugzeug endlich anschauen gehen? Ich will jetzt!

Aélis und ein Dienstmädchen führen die kleine Marie wieder hinaus, sie halblaut beruhigend und Versprechungen machend. Zwei andere Dienstmädchen stehen um D'Annunzio und das Dorfmädchen herum und applaudieren. Der Applaus ist ein magischer Klang, den die beiden Pianistinnen erkennen wie in einem Pavlovschen Reflex, sie werden aufmerksam. Luisa erhebt sich halb von ihrem Klavierschemel, neugierig, verbeugt sich, knickst. In dem Augenblick reißt ihr Clara von hinten gemeinerweise den Hocker weg und setzt sich selbst darauf. So-

gleich beginnt sie, Schumanns Carnaval zu spielen oder die Kreisleriana. Deutsche Schule. Der empörten Luisa, die sich wieder setzen will und unsanft auf den Boden plumpst, nicht achtend.

Beleidigt geht Luisa zum Tischchen und frißt weiter, gießt sich Champagner ein, etc.

CLARA *elegisch, spielend*: Immer umgibt uns die lästige Öffentlichkeit, wohin wir auch gehen, nie sind wir privat mit uns zusammen. Wir gehören der ganzen Welt und die Welt gehört dem, der sie sich nimmt. Nach dem männlichen Genie kommt gleich das kindliche, davon gibt es sogar noch weniger Exemplare. Ich war einmal eines davon. Mein Vater hat mich in die Klavierwüste geschickt. Überall diese tastenbewehrten Fallen! Angesichts dieses schrecklichen Alleingelassenseins blieb mir nur übrig, die Vielfalt und Schwierigkeit meines Klavierspiels von selbst immer weiter zu erhöhen. *Sie bricht mit einem Mißklang ab und verbirgt ihr Gesicht in den Händen.*

Luisa bietet ihr, rasch versöhnt, eine Melonenscheibe an.

Der Gedanke an Künstlerruhm als Lebenszweck begann rasch. Die Welt wurde mein Element. Die Frau verläßt sie ansonsten ohne Spur. Mich hat man einmal sogar mit einem Elfenkind verglichen!

Carlotta wirbelt wie aufs Stichwort herein. Macht Ballettübungen, wedelt mit den Armen.

CARLOTTA: Wie ich höre wird hier über das Wesen der Kunst gesprochen. Auch ich gehöre dieser Kunst an und möchte jetzt eine Aussage darüber machen!

LUISA: Tausende habe ich durch mein wunderbares Klavierspiel beglückt, und jene, die mich nicht persönlich hören konnten, haben mich im Radio hören dürfen.

CARLOTTA: Ich drücke Kunst ausschließlich mit Hilfe des Körpers aus, wobei ich imstande bin, jeden Millimeter von mir auf das Unwahrscheinlichste zu verbiegen, beziehungsweise zu verdrehen. Ich bin sozusagen die Kunst in Person. Lassen Sie mich das genauer präzisieren! *Tanzt.*

LUISA: Viele, die mich im Radio hören durften, sandten mir eine Zuschrift darüber.

Carlotta: Ich bekam noch viel mehr Leserbriefe als Sie! Es waren die Briefe Tausender Ballettfans. Manchmal wurde mir eine Rolle auf den Leib geschrieben.

Luisa: Tausendmal hat man mir Klavierstücke eigens gewidmet! Persönlich für mich kreiert. Oft hat einen Klavierfanatiker bei meinem Anblick die Raserei ergriffen und gewann die Oberhand. Sobald der Enthusiast der Klaviermusik mich sah, packte ihn das Verlangen wie Tigerkrallen an der Gurgel. Luisa, Luisa, Luisa schrie er dann.

Carlotta: Bei mir schrie der Ballett-Connaisseur Carlotta! Carlotta! Carlotta!

Clara *hat nicht zugehört*: Luisa... hören Sie... es ist eine dunkle, schwere Last, wenn den Künstlergatten die Debilität erfaßt. Verstehen Sie? Dem Commandante mit seinem irrwitzigen Vermögen diesen Wahnsinn als Genialität anzubieten, sind wir hergekommen. *Schweigt erschreckt.*

Commandante: Schon wieder schreit eine Frau nach mir. Es ist diese Frau hier, wie ich höre. *Kriecht auf Clara zu. Klammert sich an sie und reißt sie an den Beinen zu sich herunter, sie kann sich nicht halten und fällt über D'Annunzio drüber.*

Aélis *kommentierend*: Ja, ja. Keiner kann ihm widerstehen und keine hat ihm je widerstanden.

Luisa *kichernd*: Er ist vollkommen unersättlich in seinen Wünschen. In seiner körperlichen Gier ist er nur mit eurem Goethe zu vergleichen!

Carlotta, *Ballett übend und kichernd*: He once told me, in order to excite me! how Goethe when he had no woman handy, rather than waste time looking for one, would jerk himself off under his desk so as to be able to get back to work immediately.

Clara: Unser Dichterfürst! *Ringt mit dem Commandante.*

Commandante *keuchend*: Und ich bin ein ihm qualitativ vollständig gleicher Dichterfürst. Schauen Sie mich endlich an, Chiara, Carissima, mit den Augen einer liebenden Frau. Schauen Sie! Los! Schauen Sie jetzt möglichst verlangend und gebieterisch. Als ob Sie soeben sicher wären, den Liebestrank zu besitzen, der mich endgültig an Sie fesseln soll.

Clara *stößt ihn weg und krabbelt auf die Beine*: Aha. Sie wollen also auch so ein Dichterfürst sein. Ariel. Gabriele d'Annunzio! Dagegen wir Frauen in schalltoten, lustlosen Erdlöchern.

COMMANDANTE: Antworten Sie mir! Antworten Sie mir mit JA!

CLARA *höhnisch*: Auch die Rolle der passiven, fernen Heiligen wird uns oft zugewiesen. Ich bin, wie schon erwähnt, mehr der Typus Elfenkind. Manchmal auch kurz Engelskind genannt. Am Flügel sitzt und auf Lieder sinnt. Und wie es in die Tasten greift, im Zauberringe vorüberschweift, Gestalt an Gestalt und Bild nach Bild, Erlkönig alt und Mignon mild, und trotziger Ritter im Waffenflitter und kniende Nonne in Andachtswonne. Die Menschen, die's hörten, die haben getobt, als wär's eine Sängerin hochbelobt, das Engelskind aber bestürzt und leicht zurück in seine Heimat entweicht. Haben Sie auch das mit der Nonne mitgekriegt, Luisa, meine Liebe?

LUISA: Eher das mit der Sängerin. Ich persönlich habe stets mehr Applaus gekriegt als die Patti, die Melba und die Malibran zusammen.

COMMANDANTE *hustend*: Wahrscheinlich ist die Frau doch eher das Nichts. Das Nichts! Man kann sie im Grunde nicht berühren. Lieber die reine Flamme stundenlang anschauen als sich in die Frau hineinarbeiten. Die Frau hat nämlich eine unersättliche Gier, die der Mann nie befriedigen kann. Die Folge: Angst! Man muß das Weib deshalb zu etwas Ekelhaftem, womöglich gar Verwesendem machen, damit es einem graust. *Er kotzt laut in eine Schüssel, die ihm Aélis rasch hingehalten hat.* Und schon habe ich erbrochen. Aus Ekel. Manchmal ist die Frau auch ein Grab, viel öfter eine Art Fleischhauerin oder auch Köchin. *Würgt wieder.*

LUISA *auf ihn zueilend*: Mein geliebter Commandante! Gabriel! Ariel! Ariost!

CLARA *angewidert*: Mein Vater, der Klaviervertreter, von dem ich dauernd referiere, hat einmal in Gesellschaft gesagt, ihm sei eine fürwitzige Schneeflocke auf den Arm geflogen, und siehe da! Diese Flocke war ich! Aber einem Mann, der so etwas Ungustiöses wie das mit der Fleischhauerin sagt, kann ich das mit der Flocke nicht sagen. *Spielt wieder Carnaval.*

COMMANDANTE: Hehrer Augenblick ohne Wiederkehr! Ehe die

Seele sich dessen noch bewußt ist, machen die Hände schon die Greifbewegung. Sie genießen das Fleisch, das sie an sich gezogen haben.

CLARA: Gabriele, hören Sie zu. Ich sage das nur Ihnen wegen des Vertrauens! Seit seinem Irrsinnsausbruch redet mein Mann Robert nur mehr von seinen außerordentlichen Produkten, doch er produziert gar nicht mehr! Sein Irresein scheint mir und ihm die Begründung dafür, warum er keine zarten Gebilde aus Tönen mehr erzeugen kann.

Luisa füttert den Commandante zärtlich und neckisch, turtelt kindisch mit ihm wie mit einem kleinen Kind, so mit killekille und nawoisserdenn... etc. Clara spielt angeekelt Schumann.

COMMANDANTE *zur angenehm überraschten Baccara*: Louise, ma chère! Je reçois votre lettre qui me déchire trop doucement. Le malentendu se prolonge. Je vous attendais tandis que vous m'attendiez. Venez!

Ächzend krabbelt er, auf Luisa gestützt, hoch. Sie stützt ihn weiter und führt ihn unter Triumphblicken auf Clara und Aélis und die übende Carlotta hinaus.

Commandante von draußen: J'attends, j'espère! Je veux!

AÉLIS *zu Clara, trocken*: Die Amerika-Tournee scheint gesichert! *Zum Dienstmädchen:* Clean up the mess, please!

CLARA *mutlos*: Aélis, Sie müssen mir helfen!

AÉLIS: Ach ja?

CLARA: Ich kann für mich, für Robert, das Kind und die Pfleger nicht einmal eine einzige Nacht in einer billigen Pension bezahlen, wenn ich hier hinaus muß. Und das in der Nachsaison!

AÉLIS *mitleidig und solidarisch*: Haben Sie denn so lange keine Einkünfte mehr gehabt, Liebe?

CLARA: Was glauben Sie, was solch ein Irrenhaus kostet. Ich mußte ihn schließlich herausnehmen. Der Commandante ist unsere letzte Chance. *Eifrig:* Glauben Sie, hat er das mit der Schneeflocke vorhin gehört oder nicht? Soll ich ihm vielleicht sagen, daß ich auf dem Scheideweg vom Kind zum Mädchen bin?

AÉLIS: Übertreiben Sie nicht!

CLARA: Ehrlich übertreibe ich nicht. Das mit der Körperlosigkeit zieht bei ihm nicht so recht. Soll ich lieber sagen, die Frau ist ein schweigsames, aber faulendes Loch?

AÉLIS: Sagen Sie das nicht. Dabei hat er vorhin doch schon gekotzt. Sie sollten nicht so unappetitliche Vergleiche auswählen. Soll das vielleicht typisch deutsch sein?

CLARA: Der Deutsche liebt seine Exkremente mehr als jedes andere Volk, betrachten Sie nur die typische deutsche Toilette! Ich brauche das Geld!

AÉLIS *mit Sympathie*: I could advise you to find a way to please him in the nude, because he is especially curious about your physical characteristics. But I'm sure you will tell me now how timid you are in his presence and say that as soon as you stop your piano playing you become almost ugly, like a post.

Clara klopft sich verzweifelt mit der Faust gegen den Kopf.

Schauen Sie sich doch um! Glauben Sie, ein solcher Mann fällt auf die Kunstmasche herein?

Sie weist auf die architektonischen Scheußlichkeiten ringsumher.

CLARA: Ich glaube nach wie vor, je länger ich ihm widerstehe, was er nicht gewohnt ist, desto kostbarer werde ich ihm.

AÉLIS: Kann sein, kann auch nicht sein. Vorgestern machte er mir den Vorschlag, in einer dieser Nächte mit ihm vor Ihrer Zimmertür laut stöhnend und eventuell schreiend zu ficken, um Ihre Eifersucht wachzurufen, gleichzeitig jedoch Ihre Angst, Sie könnten für ihn ohne jeden Wert sein.

CLARA: Soll ich vorgeben abzureisen?

AÉLIS: Kann sein, daß wirkt, kann auch sein, daß nicht.

CLARA: Ich werde später beim Essen dann auf jeden Fall – *schluchzend* – von der ungeheuerlichen Qual des Produktionsaktes und der Sehnsucht nach dem Produkt sprechen. Ich werde weinend von den menschenfresserischen Geröllhalden meines Papas und meines Mannes referieren. Stets verbunden mit Geld, jener Scheiße der Toten.

AÉLIS *mit Sympathie*: ... deren Sie jedoch im Moment verzweifelt bedürfen, meine Teure.

Sie geht achselzuckend und ein paar welke Blüten von einem Stock abknipsend ab. Clara sinkt jetzt, da sie sich nicht mehr zusammennehmen muß, mit allen Anzeichen der Verzweiflung am Klavier zusammen, spielt ein paar Takte Schumann.

CLARA *ernst, nicht hysterisch*: Sie haben dem Robert so lange eingeredet, daß die klanghaften Ideen aus seinem Kopf herauskommen, bis ihm dieser auseinandergeborsten ist. Diese schreckliche Liebe zu den Abstraktheiten! Diese totale Abstraktion Musik. Alles, was aus dem Körper herauskommt, das Kind etwa, alles ist dem Mann ein Ekel. Gleichzeitig regt er die Frau aber dauernd zum Gebären an, um sie an ihrer Kunstausübung zu hindern. Er will keine Konkurrenz erwachsen sehen. *Sie spielt.* Aus dem Körper des Mannes kommt nur ein todbringendes Geschwür ab und zu oder eine eitrige Geschwulst, in die man stechen kann. Diese Hirnblütler! Sie arbeiten gegen ihre Körper an. Diese Verklemmungen, die zur endlich todbringenden Kopfkrankheit führen! Sie leugnen den Körper, schieben ihn der Frau zu, und der Schöpferkopf platzt. *Sie spielt Schumann.*
Der Vorhang fällt.

2. TEIL

Speisezimmer. Ebenso überladen wie der Salon. An der Decke hängt entweder das große Modell eines Flugzeugs, oder ein Flugzeugteil, dann aber in natürlicher Größe. Große, üppig gedeckte Tafel mit allerlei Luxus und Blumen. Die vorigen sitzen in großer Unordnung um die Tafel herum, wechseln dauernd die Plätze, essen sehr unappetitlich, werfen Knochen auf den Fußboden, etc.
Choreographie!
Der Commandante, der im 1. Teil einen Brokatschlafrock getragen hat, trägt jetzt eine Faschistenuniform mit glänzenden Reitstiefeln, dazu Reitgerte. An einem seitlichen Katzentisch sitzt der irre Komponist Robert S. mit zwei Irrenwärtern, die recht tumb wirken müssen und ihn rüde versorgen. Bullen. Rasierte Schädel. Weiße Kittel.

Clara springt wieder einmal auf und eilt zum Fenster, beugt sich grazil hinaus, beschattet ihre Augen mit den Händen.

CLARA *schwärmerisch*: Meine Arme sind bis zum Ansatz entblößt und vollendet in ihrer Form. An ihnen kann man unschwer ablesen, daß ich einmal eine Blüte gewesen bin, auf die später kalter Reif gefallen ist. Dieser Reif ist der Wahnsinn, den man beim Künstler auch Reife nennen kann.

ROBERT *genauso schwärmerisch, aber flackernd*: Wunderbare Leiden! Herrliche Wunden! *Er kichert.* Gehörsaffektionen. Engel! Nehmen mir das Symphonieschreiben bereits jetzt komplett ab. Mit allem Zubehör. Fein! Noch mehr Halluzinationen. Engel von Teufeln manchmal abgelöst. Diese wunderbare Schädelkrankheit. Sie nimmt meine ganze Existenz in Anspruch, so daß ich selbst in ihr keinen Platz mehr finde. Heute werde ich zum drittenmal unseren Ring in den Gardasee hineinwerfen. Diesmal bringt ihn hoffentlich keiner mehr zurück. Der Ring wurde überflüssig, denn die Frau überholte den Mann, glitt dabei aber aus. *Kichert.* Kopfschmerzen!

Pfleger zwingt ihm Essen ein.

COMMANDANTE *beißt Luisa in den Hals*: Die schönste Symphonie ist mir Motorenlärm. Es geschieht manchmal in einem weniger mammaverweichlichten Land als unserem Italien, daß einem Mann die Idee kommt, er muß hinaus und hinauf, Frau und Kind hängen sich an ihn und sagen, bleibe herinnen und herunten, aber er stößt sie fort, wartet sorgfältig sein Flugaggregat und steigt empor. So geschah es mit Charles Lindbergh, dem Atlantiküberquerer. Er wußte: Ich muß jetzt hinüber und immer nur queren!

ROBERT *kichert schrill auf. Ein Pfleger haut ihm mit dem Löffel auf die Hand, weil er den ganzen Salzstreuer über das Essen kippen möchte*: In meiner Exaltation bin ich geneigt, Ideal und Leben, Erfülltes und Erhofftes miteinander zu verwechseln! Bei jedem Vergleich jedoch muß mein Klärchen verlieren. Vor allem bei dem gemeinen Vergleich mit dem Ideal.

Clara stürzt sich auf ihn, vergräbt ihren Kopf in seinem Schoß, die Wärter schieben sie weg wie ein Stück Holz, weil sie beim Füttern stört.

CLARA *nichtsdestoweniger schwärmerisch*: Mein Herzjesu-Herz! Mein Zauberer mit Tönen! Denke positiv, um zu genesen! Diese schmerzlichen Zusammenkünfte mit deinem Hirngewächs erschlagen dir jede Gegenwartsfreude. Die Zeit könntest du beispielsweise mit Komponieren ausfüllen.

Robert kichert kindisch.

ROBERT: Engelschöre! Plötzlich Dämonenchöre! Dann sehr hübsche Melodien.

CLARA *zum Commandante*: Hören Sie, Gabriele, er komponiert unaufhaltsam! Er ist wieder der Alte, ist Ihr Künstlerkollege. Bald erscheint die Symphonie gedruckt.

COMMANDANTE: Der Mann drängt sich zur Eroberung, er erobert wahlweise ein fremdes Gebiet, möglichst weit weg, eine Frau oder einen Korridor im Luftraum. Die irregeführten Massen applaudieren ihm. Die Massen sind körperbetont wie die Frau. Man kann sie beliebig in Besitz nehmen. Gestern erst sah ich eine riesige Menge jugendlicher Körper in Sportdressen. Schwarze Turnhosen und weiße Leibchen. Sehr hübsch. Geschmackvoll. Sie schwangen Keulen. Wunderbar!

LUISA *zu Aélis, die den Tisch überwacht*: Haben Sie das Buch von ihm gelesen? Wo sie sich seitenweise aufbäumen, und irgendein Saft rinnt ihnen dabei hinunter, weil sie sich so jäh bewegen. Meist Granatapfelsaft. Er befleckt rauschende Kleider. Und dann vibriert ein Körper feurig, und irgendwer versinkt in einem Strom, der entweder kocht oder eisig ist. Und nachdem das zehn Seiten lang so gelaufen ist, sagt die Frau: Ich gehe jetzt mit den anderen fort. In einer Stunde treffe ich Sie dann am Gitter des Gradenigo-Gartens wieder oder bei dieser und dieser Zypresse, die wir uns noch ausmachen müssen. *Sie kichert.*

Aélis droht Luisa spielerisch und gibt ihr noch etwas auf den Teller. Carlotta macht immer, wenn der Commandante sie ansieht, graziöse Arm- und Handbewegungen, er beachtet sie jedoch nicht.

ROBERT: Das Genie legt sich wie ein schwerer Wahn auf die Kolben meines Kunstmotors. Jetzt kommt ein Ton vorbei! Horch! *Singt zitternd einen Ton.* Hörst du nichts?

CLARA *begeistert*: Ja. Liebster, jetzt hast du es! Der Anfang ist bereits gemacht. Weiter so!

COMMANDANTE: Ich höre nichts.

Die Frauen parodieren Clara, machen sich gegenseitig auf Töne aufmerksam, die man nicht hören kann, lachen lautlos, pressen sich die Hände auf den Mund, winden sich vor lautlosem Lachen.

ROBERT: Habe leider eine Produktionshemmung, tut mir leid. Es steckt augenblicklich im Kopftumor fest, der erst wachsen und platzen muß. Au, dieser Kopfschmerz! *Faßt sich an den Kopf.* Ich schreie laut. *Tut es.*

COMMANDANTE *verliert deutlich die Geduld. Nimmt eine Orange aus dem Obstkorb. Zur kleinen Marie*: Wenn du die Orange findest, und sie dort, wo du sie findest, ohne Zuhilfenahme der Hände aufißt, dann bekommst du eins jener Schmuckstücke, für die die römische Gesellschaft mit Recht auf der ganzen Welt so berühmt ist.

Mit einem Freudenschrei springt Marie auf, der Commandante versteckt die Orange irgendwo unter dem Tischtuch an sich selbst, Marie kriecht ohne Zögern unter den Tisch und arbeitet dort in der Folge heftig herum. Clara merkt davon nichts.

FÜRSTIN, *die immer schweigt und sich vornehm distanziert*: Du tust dies unter den Augen deiner Gattin, Gabriele, wenn auch in Abwesenheit deines seit kurzem rauschgiftsüchtigen Sohnes. Tue es nicht!

COMMANDANTE: Ich tu's aber, ich tu's! Jetzt erst recht!

Carlotta macht lächerliche graziöse Bewegungen.

ROBERT *munter werdend*: Purpurne Wunden, ins Violette spielend. Der Kopf kann sich seine eigene Stärke immer einreden. Große Ideen! Bei der Frau nur als Luftblasen vorkommend. Oft Föten. Nicht einmal Schatten von Großtaten. Körperkrankheiten gehäuft. Ekelhafte Natur! Hier wie in Deutschland ist die Frau höchst gefährlich. Ekel-hafte Naturdarstellungen.

CLARA: Eine musikalische Idee, keine dichterische, Robert! Musik! Geldbringendes Schöpfertum auf Klavier und Geige. Mach schon! Deine materiellen Verhältnisse müssen sich erst noch ganz anders gestalten.

ROBERT *vernünftig, dem Pfleger den Löffel entwindend und*

selbst verhältnismäßig ordentlich essend: Keine der Musikliebhaberinnen, die auf mich eindrängten mit ihren vom Enthusiasmus wurmstichigen Leibern, war im übrigen in der Lage, mich dauerhaft zu fesseln. Außerdem wimmelten ihre Briefe von stilistischen wie grammatikalischen Fehlern. Sie waren nie die, für die ich sie halten sollte.

CLARA *will ihn küssen, er wendet den Kopf ab*: Sag das mit dem Engelskind, Robert! Der Commandante will es noch einmal hören!

COMMANDANTE: Mitnichten. Keineswegs. Was ich hören will, ist das vertraute Gedröhn von Flugzeugmotoren. *Stöhnt auf. Marie macht was unter dem Tisch.*

ROBERT: Mein Scheitelbein! Meine Fontanelle! Die Natur ist infam! Sie tut mir dieses Kopfleiden an. Derweil sorgen Engel für den Fortgang der Kunst.

COMMANDANTE *zu Aélis. Kurz aufstöhnend placiert er den Kinderkopf irgendwie anders*: Wir haben früher die schönsten Frauen der Gesellschaft dazu aufgefordert, Früchte anzubeißen. Für viel Geld wurde die angebissene Frucht dann für ein Waisenhaus oder ein Mütterheim versteigert. Männermünder weiteten roh die winzige Bißwunde im Apfel. Man hat auch Geld dafür verlangt, aus hohlen Händen schöner Frauen trinken zu dürfen. Höchstsummen wurden geboten dafür, daß die Gräfin Scerni sich ihre Hände in einem blonden Bart abwischte. Einmal bekam ich von der Gräfin Lucoli, ich weiß nicht, um welchen Preis, eine Havannazigarre, die sie sich zuvor unter ihre Achselhöhle gehalten hatte.

CLARA *entsetzt*: O pfui! Pfui! Pfui!

Aélis lacht girrend, Luisa fällt ein, will sich ihre Hände am Commandante abwischen, doch der haut ihr eins drauf. Carlotta tanzt wieder einmal.

Wo haben Sie meine Tochter hingetan?

COMMANDANTE: Ja, wo hab ich Ihre Tochter Marie bloß hingetan? Ja, wo? Weißt du es, Aélis?

AÉLIS: Nein, keine Ahnung.

Die anderen Frauen durcheinander: Nein. Wo issidenn? Jawoissidenn? *etc.*

COMMANDANTE *zu Clara*: Wonder what your are doing alone in your bed, all alone with your legs spread! I'm waiting for you soulful kisses you told me about, the way you like to be kissed under the armpits and so on.

CLARA: Das Muttertier schreit jetzt laut: Marie, Marie! *Schreit. Marie unter dem Tisch, halb in Gewändern erstickt.*

MARIE: Da bin ich, meine Mutter.

Mit einem Wutschrei stürzt sich Clara unter den Tisch und zerrt ihre etwas ramponierte Tochter an den Beinen hervor, man sieht deren Höschen, der Commandante ist ganz begeistert.

CLARA *hymnisch*: Bezahlen Sie... die Symphonie! Erkennen Sie... die Melodie!

COMMANDANTE *zu Clara*: Ihr Robert schafft ja doch nichts mit seinen zerstückelten Sinnen! Und wenn er doch schaffte, das große Publikum müßte er fliehen wie jene Todeskrankheit, die ihn schließlich doch einholte. Mein Traum als Dichter Gabriele d'Annunzio ist überhaupt: ein einziges Exemplar, der einzigen Frau gewidmet, auf jeden Benefiz verzichtend, außer auf die Liebe. Der wahre Connaisseur meiner Kunst kann nicht der sein, der sich meine Bücher kauft, sondern der mich liebt. Der Lorbeer dient nur dazu, die Myrte anzulocken.

CLARA *verzweifelt, Robert kichert fröhlich*: Aber der Ruhm! Die Welt!

COMMANDANTE: Kommt erst nach dem Tode, wie jedes Schulkind weiß. Wird folglich zu Lebzeiten nicht genossen. Leider, leider.

CLARA: Aber unsere pekuniäre Situation!

COMMANDANTE: Durch Körperhingabe schnellstens entscheidend zu verbessern, Liebste.

CLARA *schluchzt auf*: Aber so ein Körper hält doch nur höchstens vierzehn Tage vor!

COMMANDANTE: Ja, ja. Länger hält die Kunst schon, das muß ich sagen.

MARIE: Ist das das Flugzeug? *Marie geht zu dem riesigen Flugzeugrumpf hin und befingert ihn neugierig.*

COMMANDANTE: Lasse sofort das Flugzeug los. Es soll vor Beschädigung geschützt werden! Es ist nichts für Kinderhände.

Auch Frauen, jene Bewußtlosen, ertragen das Element des Automatismus, des automatisch Bewegtwerdens niemals. Nur der Mann ist gemacht, Maschine in der Maschine zu sein und also in einem Motorboot über das Wasser zu rasen oder in die Luft hinaufzusteigen.

Erstaunte und begeisterte Ausrufe der Frauen ringsumher.

Robert plötzlich aus unerfindlichen Gründen äußerst lebhaft. Klarer Moment. Er ergreift die Köpfe seiner beiden Wärter und stößt sie krachend zusammen, daß die beiden ganz verstört und groggy in den Sitzen hängen. Carlotta flattert mit den Armen. Keiner beachtet sie. Luisa frißt still und schweinisch vor sich hin, schmiert dem Commandante in der Folge Schokolade ins Gesicht, daß es aussieht wie Scheiße, kichert betrunken. Der Commandante knetet zerstreut Luisas Körper, ohne das deutsche Künstlerpaar aus den Augen zu lassen.

ROBERT *vernünftig*: Wie Sie das von der Maschine erklärt haben, Herr Oberst, fiel mir plötzlich ein, wie unfähig meine Frau Clara für das selbständige Komponieren mit Tönen immer gewesen ist. Für das Magische der Kunst. Sie vermag ja nicht einmal die Grenze zwischen Vernunft und Irrsinn zu fassen. Ich gehe über diese Grenze jeden Tag, wie selbstverständlich, vor und zurück und vor. Das Geheimnis des Wahnsinns muß ihr fremd bleiben. Denn der Wahnsinn ist still. Doch nicht einmal gegen ihre künstlerische Impotenz vermochte sie entschieden vorzugehen. Keine Abreaktion. Kein Sport in Wäldern, kein sinnloses Laufen durch Parklandschaften. Sie begreift heute noch nicht, daß allein schon der Gedanke an ein geniales Produkt sich totlaufen muß in einem lächerlichen Setzkasten aus Einzeltönen. *Lacht gutmütig, aber vernünftig.* Der einzige Effekt ihrer Kompositionsversuche war das sukzessive Absterben ihres weiblichen Geschlechtsreizes für mich. *Er tätschelt gutmütig die beiden brummenden Köpfe neben sich.*

CLARA *kalt*: Wer an mich denkt, denkt an mich nicht wie ein Bruder an eine Schwester oder ein Freund an die Freundin, sondern wie ein Pilger an ein fernes Altarbild!

Robert schnappt sofort wieder über, er wirft sich unartig zu Boden und beißt in den Teppich, die Wärter kümmern sich noch etwas benommen um ihn. Robert kreischt schrill auf dem Boden. Die Esser am Tisch sind aufgesprungen, um das Schauspiel zu genießen. Der Commandante lockt die kleine Marie wieder an, indem er etwas in die Luft hält, sie springt hoch, um es zu kriegen, er hält es immer höher, schließlich greift Aélis der Kleinen unter die Achseln und hebt sie hoch, so daß das Mädchen den Gegenstand ergreifen kann. Sie blickt ihn mit Freudenschreien an und küßt den Commandante ab, der ihr etwas ins Ohr flüstert. Die Kleine lacht fröhlich auf. Sie wird geküßt und gestreichelt. Luisa springt wieder einmal eifersüchtig auf und will dazwischenfahren, Aélis jedoch schiebt ihr gekonnt eine große blaue Traube in den Mund, so daß Luisa röchelnd und fast erstickend wieder in den Sitz zurückfällt.

ROBERT *kreischend*: Ich bin ein enfant terrible. Ein Wort, das ich vorhin neu gehört habe! Jetzt weiß ich es ganz genau! *Singt etliche Takte einer Operettenmelodie.*

LUISA *hat endlich die Traube geschluckt, wütend*: Das bin ICH! Das bin schon ICH, dieses enfant! Ich habe ausführlich erklärt, warum.

ROBERT *kindisch*: Nein, ich, nein, ich!!! Das erste Mal, als ich fast sicher war, den Verstand verlieren zu müssen, befand sich Clara gerade auf dem Weg vom Kind zum Mädchen. Der Arzt sagte, suchen Sie sich eine Frau, die kuriert Sie gleich. Ich suchte Ernestine von F., die erste vernünftige Verlobte, verstieß sie aber später zugunsten von Clara, der Virtuosen-Hyäne. *Kichert schrill.* Ich plane und entwerfe seit ich sie kenne pausenlos vollständig neue Tonsätze, jetzt singe ich endgültig den Anfang meiner neuen Symphonie!

Er singt die ersten Takte eines bekannten Schmachtfetzens der internationalen Konzertszene, den jeder kennt, z. B. den Donauwalzer oder Beethovens Fünfte. Die Auswahl bleibt dem Regisseur überlassen. Aber nichts von Schumann natürlich.

LUISA *herausplatzend*: Das kommt mir aber ganz so vor, als ob es dieses kühne moderne Werk schon gibt, Meister!

Robert singt immer hymnischer, Gelächter am Tisch, die Anwesenden fallen kreischend übereinander. Clara ärgert sich zu Tode, stampft mit dem Fuß, zupft Robert, kein Erfolg.

ROBERT *im Singen, dieses kurz unterbrechend*: Der Mechanismus ist überdreht! Hier ist schon wieder ein herrenloser Ton, den ich im Flug auffange. Jetzt ist er noch mein alleiniger Besitz, bald ist er Besitz der Allgemeinheit: diese besteht aus ein paar tausend Konzertbesuchern, dafür aber in aller Welt. *Singt. Atemlos unterbrechend.* Krätze, Räude, Fäulnis, Eiter, Sekret... Scheißhaufen! *Singt hymnisch.* Der Tondichter wälzt sich davon, die Sängerin singt den hohen Ton. *Singt ihn.*

CARLOTTA: Sieht denn noch immer keiner meine Armbewegung, die ich jetzt gemacht habe?

CLARA *schreit*: Meinen herrlichen Robert... in eine Anstalt! Nein!

COMMANDANTE *abwesend, auf Robert hinunterschauend*: Es gibt natürlich Sportarten, die den Menschen auf dem Boden festhalten, wo er sich allenfalls in größter Schnelligkeit zu üben vermag. Doch die Luft ist das eigentliche Element, allerdings bloß so lange wie sich nur wenige in sie erheben können.

CLARA: Ich bin im sakralen Raum deiner Genialität geopfert worden, Robert!

In dem Maße wie Clara jetzt ruhiger und kälter wird, wendet sich der Commandante von ihr ab und den anderen Frauen zu, nimmt sich Freiheiten heraus, füttert sie.

Clara ruhig zu Robert, der im Speisesaal herumpanscht, den Wärtern Eis ins Gesicht patzt und dafür geklapst wird: Diese grausige Ehe mit dir! Immer wenn ich zum Klavier und an eine Komposition schritt, fand ich den Apparat bereits besetzt: von dir!

Robert singt provozierend den Reißer von vorhin.

Das Klavierspiel war mein Broterwerb, meist unser einziger! Jetzt bin ich auf mein Fleisch und mein Skelett zurückgeworfen!

COMMANDANTE *leichthin zu den anderen*: The cold weather and the ride in the Mas, have given me a terrible hunger but especially a great desire to chiavare. *Sich vor Aélis, dem Publikum den Rücken zuwendend, entblößend, das Kind sitzt noch immer auf seinem Rücken, versucht er, von dort aus das Flugzeug zu erreichen, es in Bewegung zu versetzen. Zu Aélis:* Can't you see what a state the little prince is in? I hope this horrible German woman will leave soon! All the people at the station have rushed up to me, some yelling «Prince»!, others «Excellency», and the German woman has been dumbfounded.

Aélis applaudiert, das ist das Stichwort für Luisa, die schwankend und ziemlich besoffen zum Klavier geht und in schwankendem Tempo ebenfalls den Gassenhauer spielt, den Robert gesummt hat.

ROBERT *heult*: Une tigresse! Löwin! Worauf ich mein Leben lang sehnsüchtig wartete! Eine mir ebenbürtige Gefährtin! Bravo, bravissimo! *Stürzt auf Luisa zu, die Wärter halten ihn mit Mühe.* Mein Gehör! Mein wunderbares Gehör! Wie absolut deutlich! Über mich kommt eine Verbundenheit mit einem fraulichen Geist! Juchhu! Wie deutlich ich es vernehmen kann! *Die Irrenwärter werden von ihm halb mitgeschleift.*

Niemand sonst hört es, versteht es! Meine Ohren überziehen meinen Körper wie Fühler. Tasthaare. Meine Sinnlichkeit wird von garantiert echter Kunst geweckt, da ist sie! Flimmerhärchen! Sie da! Juchu! Komponieren Sie freihändig? Mein Gehör verdrängt vollständig meine Gedanken, wie schön! Ich bin ein atmender Berg. Nämlich der Berg Olymp. Laut höre ich Bewegung von Luftzügen, daherstampfend wie riesige Maschinenherden! Sie dort! Hallo!

CLARA *verzweifelt*: Wenn sich die Fähigkeiten der Frau über die Norm der Zeit hinaus entwickeln, dann entsteht eine Monstrosität. Sie ist ein Verstoß gegen die Eigentumsrechte dessen, dem sich das Weibstier zur Verfügung zu halten hat. Der Geist der Frau gehört – *in höchster Erregung* – der Erfindung von Neuspeisen und der Abfallentfernung. *Sinkt erschöpft zusammen.*

ROBERT *jubelnd*: Jawohl. Spielen Sie diesen Übergang noch einmal, Sie wunderbare Frau, Sie!

CLARA: Nicht einmal das später angeschaffte zweite Klavier durfte ich übungshalber benutzen, um ihn nicht beim Schöpfen zu stören!

COMMANDANTE *lustvoll den sabbernden Robert beäugend*: Wie aber, wenn zum Beispiel ich selbst meiner geistigen Kräfte ebenfalls verlustig gegangen wäre? Der langsame Verfall des

Geistes kann auch unbewußt geschehen. Der Künstler, der in seinen Geisteskräften getroffen ist, braucht kein Bewußtsein seiner eigenen Schwachsinnigkeit zu haben, wie ja auch der Geisteskranke – *weist wie ein Zirkusdirektor auf Robert* – kein Bewußtsein seiner eigenen Verrücktheit hat. Panischer Schreck!

Lustvoller Aufschrei. Aélis läßt sich nach rückwärts sinken, lächelt, heftige Bewegung des Commandante. Marie fällt fast von ihm herunter, klammert sich verzweifelt fest, quietscht unmutig. Robert fällt einem Wärter um den Hals, küßt ihn ekstatisch ab, zärtlich, der Mann ist total verblüfft, wehrt sich, doch Robert entwickelt ungeheure Kräfte. D'Annunzio hat sich wieder in Ordnung gebracht, hüpft mit der kleinen Marie herum und verfolgt wie im Theater das Geschehen, das sich zwischen Robert und Clara zuspitzt.

ROBERT *zärtlich zum Wärter, der ihn abwehrt*: Liebster, ich komponiere jeden Tag so hart, sei nett! Meist arbeitet mein Gehör dagegen an und zerstört alles wieder. Heute aber nicht! Hör doch! Hier hörst du eine Frucht von meinem Wirken. *Er singt irrsinnig laut den Schmachtfetzen von vorhin, begleitet von Luisa am Flügel. Die Venezianerin lacht schallend beim Spielen, guter Witz.*

Das Gehör vernichtet Schritt für Schritt wieder – *singt* – das Komponierte, das bereits fertig ist. *Singt.* Was übrigbleibt – *singt* – ist wahnsinnig kompliziert und sehr modern! Ein Musikrumpf! *Singt. Schweigt nach einer Weile erschöpft.*

Pause. Vor den Fenstern ertönen Stiefelschritte. Aufmarsch. Pause. Dann ertönt von draußen die Giovinezza herein. Die Anwesenden schweigen, der Commandante steht stramm.

CLARA *wedelt hektisch mit Zeitungsseiten*: Lassen Sie mich meine Kritiken vorlesen und die Roberts.

COMMANDANTE: Ruhig!

CLARA *wird zur Ruhe gezischt, beschäftigt sich aufgeregt mit den Zeitungen*: Hier... hören Sie... lesen Sie selbst! *Liest vor.* «Ich sage dir und schreibe es auch jederzeit in meiner neuen Zeitschrift für Musik, daß in deinem... er meint in m e i n e m, das Schwein!... Klavierkonzert als allererstes ein junger Phönix nach oben flattert. Weiße sehnende Rosen und perlende Li-

lienkelche. Mittendrin ein strahlendes Mädchenantlitz. Kähne kühn über den Wellen... und NUR EIN MEISTERGRIFF AM STEUER FEHLT, DASS SIE SO SIEGEND UND SCHNELL...

In diesem Augenblick kreischender Lachanfall Roberts. Clara steht starr und exaltiert. Die kleine Marie bricht plärrend das Schweigen.

MARIE: Papa, ich hab Angst! Da sind so viele Geräusche! Papa! *Zum Commandante:* Tut das schöne Flugzeug auch fliegen, Onkel?

Man beschwichtigt sie gleich. Luisa spielt betrunken den Schmachtfetzen. Robert dirigiert mit. Hymnisch. Clara wütend und eifersüchtig.

ROBERT: Diese... Dame hier – *er meint Luisa* – ist wunderbar. Sie hat mich noch nie verprügelt. Sie ist eine gute Frau! Spielt meine Gedanken noch bevor sie fertiggedacht sind! Die Originaltöne kommen aus mir mit Überschall herausgeschossen, sie fängt sie im Fluge. Bravo!

Clara wogt heftig.

Mein Gehör! Diese Ohrenfolter! Eindringend in alle Leibeshöhlungen. Gehörbeherrschung will nicht gelingen. Ohr frißt Gedanken. Ich bin ganz Kopf. *Kichert, spuckt Spinat aus.*

CLARA *verzweifelt*: Deine große fis-moll-Sonate ist ein einziges Herzensgeschrei nach mir, das zu beantworten mir nicht erlaubt ist. Ich beantworte den Schrei künstlerisch!

Will zum Klavier, die fis-moll-Sonate spielen. Da sitzt aber schon Luisa, hämisch grinsend. Clara zerrt sie vom Sitz. Luisa fällt hin und heult. Clara setzt sich hin und spielt Schumann, was den Komponisten unheimlich böse macht. Er will sich auf sie stürzen, wird aber von den Wärtern festgehalten.

Clara spielt schluchzend. Durch gezielt placierte Kindesgeburten hast du meine bescheidenen Fortschritte immer wieder torpediert! Du hast mein Klavierkonzert op. 7 nicht in deiner Zeitschrift besprochen! Dafür hast du diesen Sterndale-Bennett hymnisch rezensiert! Dabei waren meine Töne immer nur ein Schafsgeblöke nach dir, meinem Geliebten! Und der gute Pianist ist stets auch selbstschöpferisch! Eigenschöpferisch.

Die kleine Marie wetzt sich am Hals des Commandante so lange hin und her, bis beide umfallen. Die Frauen eilen helfend herbei, Rufe dazwischen: Sind Sie verletzt, Commandante? Mein Commandante! Um Gottes willen! *etc. Nur Carlotta macht Armwedeln wie gehabt, Menschenhaufen am Boden. Clara: fis-moll-Sonate von Schumann ekstatisch, Robert wird weißglühend vor Wut.*

ROBERT: Aufhören! Fort! Weg mit dem fremdbestimmten, fremdkomponierten Mist! Dreck! Dilettantismus! Schlechte Qualität! Unoriginell! Schrecken ausspuckend! Angst vor Potenzverlust! Ergebnis puritanischer Getriebe im Kopf.
Übergibt sich laut mitten auf dem Tisch. Der Commandante kriecht angeekelt, schockiert und derangiert auf Clara zu, wimmert.

COMMANDANTE: Just look, darling, at my torment and my emotion... May I kiss you under the armpits! Please?

CLARA *spielt triumphierend Schumann*: In Treue fest! Hörst du sie? Hörst du, wie schön ich sie spiele: deine fis-moll-Sonate!

ROBERT *hat sich losgerissen, stürzt aufs neue auf Clara los*: Teufelsmusik! Das von vorhin! Bitte! Neues Werk spielen! Was andere Dame gespielt hat!

CLARA: Aber dieses angeblich neue Werk von vorhin gibt es schon, Robert!!! Dies hier ist deine fis-moll-Sonate!

ROBERT *schrill*: Du Bestie! Teufel! Ich vermisse die mir immer eigene Maßlosigkeit in dieser Drecksmusik! Der Frau den Myrtenkranz!

CLARA *spielt*: Aber Robert... dies ist von dir seinerzeit original ganz genauso komponiert worden... willst du die Noten sehen? Robert, die Noten! Breitkopf & Härtel, Leipzig. Schwarz auf weiß! Sonate in fis-moll von Schumann, Robert.

ROBERT *weißglühend*: Du Canaille! Frau! Fälscherin! Töterin des Komponistenprodukts! Geisttöterin! Potenzmörderin! *Weint.* Das musikalische Erbe eine schwere Last. Siehst du nicht – *plötzlich ruhig und verzweifelt* – Clara, wie meine Gedanken stetig fortschreiten? Die Mechanik dafür liegt in ihnen selbst! Ich kann nichts dagegen tun! Nichts! *Schüttelt Clara eindringlich, die spielt verzweifelt weiter.*

MARIE *von fern*: Laß Mama los, Papa! Auslassen!

CLARA *mühsam*: Hilfe!

ROBERT: Auf-hö-ren!! *Stürzt sich auf sie.* Schluß! Schluß, Kind!!

CLARA *ruhig*: Wenn du mich Kind nennst, klingt das lieb, aber wenn du mich Kind denkst, dann tret ich auf und sage: du irrst!

ROBERT *mühsam formulierend, reißt Clara vom Hocker*: Ich will meine Komposition wiederhören, welche die schöne Dame vorhin so formvollendet in Tempowahl und Dynamik gespielt hat! Nicht diesen Haufen Tonabfall! Wahrscheinlich ist dies eins von deinen eigenen mistigen Erzeugnissen! Pfui! Pfui Teufel!

CLARA: Robert! Nur was ich hier spiele, ist von dir komponiert worden. Deine fis-moll-Sonate!

ROBERT *ringt jetzt mit ihr. Die übrigen bilden einen stummen Kreis herum. Die Wärter greifen nicht ein, stehn jedoch bereit*: Ein hübsches Haus, nicht weit von der Stadt, selig und still mit dir leben! Deine Kunst würdest du natürlich pflegen. *Röchelt, weil Clara ihn zu würgen beginnt.* Doch weniger für alle und des Erwerbs wegen, als für einzelne Auserlesene, besonders für mich! Und unseres Glücks halber! *Röchelt stärker.*

CLARA *ächzend vor Anstrengung*: Sag, das eine: Warum vermeidest du jede Gelegenheit, meiner in deiner Zeitschrift zu erwähnen? *Würgt immer stärker.*

ROBERT *schon halb erstickt*: Das von vorhin... mein Kopf... au!... Au weh, das tut weh!... Kopfweh... Künstlerische Leistung liegt außerhalb der Frau... denn nur natürliche Körperleistung zählt für diese... deshalb weil... die Frau... reine Natur... ist. *Stirbt, von Clara erwürgt.*

CLARA *sich erschöpft aufrichtend*: Geschickte, kraftvoll und diszipliniert trainierte Finger sind auch etwas wert. Das ging früher sogar bis tief in die Strick-, Stick- und Nähkunst hinein.

Betrachtet ihre Finger, macht Fingerübungen, um sie wieder geschmeidig zu machen. Totenstill stehen alle um sie herum.

Clara mühsam: Die Welt des Männergenies ist die Todeslandschaft. Der Friedhof.

Vorhang fällt langsam.

EPILOG

Dasselbe Zimmer wie im 1. Teil. Nur ist diesmal an einem der hohen Fenster eine Art Alpinum (Imitation der Zugspitze) aufgebaut, aus Steinblöcken. Darauf, hoch oben, ein Gipfelkreuz. So hoch das Ganze wie möglich. Auf dem Berg wächst Enzian, Almrausch und Edelweiß. Am Fuße des Berges sitzt Clara und hat den Kopf des von ihr erwürgten Robert in ihrem Schoß. Aber keine katholische Pietà-Stimmung! Sie trägt ein Dirndlkleid. Die beiden Irrenwärter beobachten sie aus einiger Entfernung. Sie tragen: Knickerbokkerhosen, weiße Wadenstutzen und braune Hemden. Die übrigen Personen lagern in lockerer Formation drumherum. Sie tragen mondäne Skibekleidung, sehr schick und exklusiv, Pudelmützen und Pullover. Nur der Commandante hat seine Uniform anbehalten. Und auch Aélis hat sich nicht umgezogen. An den Wänden lehnen Skier. Auf dem Gipfel des Berges liegt übrigens ein wenig Schnee! Das Licht kommt so, daß es den Gipfel und das Kreuz darauf strahlend hell und ein wenig überirdisch beleuchtet. Leicht kitschig das Ganze natürlich!

CLARA *zu Roberts Kopf*: Erstaunt bin ich vor deinem Geist, vor all dem Neuen in den Kreisleriana zum Beispiel. Auch vor deiner großen fis-moll-Sonate, deren Urheberschaft du kürzlich so roh ableugnetest. Überhaupt, weißt du, ich erschrecke manchmal vor dir, ist es denn wahr, daß das dein Mann geworden ist?

COMMANDANTE *kopfschüttelnd*: Zum erstenmal befinde ich mich nun vor einem jener so seltenen weiblichen Gefühle, die wie ein schöner und schrecklicher Blitzstrahl den grauen und veränderlichen Himmel menschlicher Liebesschaften erhellen. *Ein Blitz zuckt über das Alpinum.* Mich kümmert es nicht.

CLARA: Mir kommt zuweilen die Idee, daß ich dir nicht genügen könnte, doch liebhaben könntest du mich deswegen immer! Nun, ich verstehe doch wenigstens alles und deine Musik, das ist schon beglückend. *Küßt den Kopf.*

Ein weiterer Blitzstrahl am Alpinum, leises Donnergrollen, noch sehr gedämpft.

Luisa *zu Aélis*: In einer halben Stunde geht mein Schlafwagen, und noch immer keine Spur von der Polizei.

Aélis: Geduld, Liebste! Wir sind etwas abgelegen, und heute ist wieder ein Aufmarsch.

Clara: Ein vollkommen neues Gefühl kommt über mich, das ich selbsttätig hervorrief. Was der Künstler erlebt, setzt er gleich in ein Werk um. Er erlebt alles tiefer als der Unkünstler.

Carlotta, *Skigymnastik betreibend*: Ich höre schon die ganze Zeit die kleinen schwachen Schnabelhiebe all derer draußen, die noch nie im Leben ein Konzert oder Theaterstück besuchten. Zuzeiten kreischen sie leise auf. Schwächliche Vögel!

Luisa *kauend*: Einsamkeit ist auch oft der Preis für einen Ruhm.

Carlotta: Die Vögel draußen, von denen ich gesprochen habe, wären gern einsam, wenn sie nur berühmt wären!

Beide kichern.

Fürstin: Haben Sie bitte Ehrfurcht angesichts eines Toten, meine Damen.

Es blitzt. Clara küßt den Kopf ab. Wetterleuchten am Himmel, leiser Donner.

Clara *schreit plötzlich auf*: Robert, ich hol dir das Edelweiß von droben! Von steiler Bergeshöh. *Sie schickt sich an, das Alpinum zu erklimmen, Steinchen kommen ins Rutschen.* Ich will nur das scheue Wild nicht erschrecken, nicht die Gemse und nicht den noch scheueren Steinbock!

Die Umstehenden sind befremdet. Clara klettert, ein leiser Wind hat sich erhoben und weht durch den Saal, zarte Naturgewalt spürt man.

Sag doch was, Robert! Zu Lebzeiten hast du nur Totgeburten in den Sand gehäufelt, vielleicht hat dein Tod deine Tonsprache vom Wahn befreit. Ich habe jetzt keine Angst vor weiblicher Radikalität mehr und erklimme soeben ein phallisches Symbol. Und du kannst gar nichts dagegen machen! *Sie klettert.*

Ab und zu ein Windstoß, Türen springen auf, noch zurückhaltend aber.

Clara mit dem Berg kämpfend: Der Mann bildet ab, die Frau wird nachgebildet. Ich habe nichts getan, als auf dem Klavier dein Meisterwerk abgebildet. *Keucht. Erreicht das Edelweiß,*

der Wind wird stärker. Der Mann schäumt über vor Potenz. Die Frau schäumt nur in sich hinein. Waschpulver, rettungslos in der Maschine eingeschlossen.
Sie hat das Edelweiß, kommt damit rutschend in einem Steinhagel herab, steckt die Blume Robert in den Mund wie einem geschossenen Hirsch einen Bruch.
Ich bin halb krank vor Entzücken, diesmal über deine wunderherrliche Fantasie! *Windbrausen stärker. Im Saal geraten Dinge in Bewegung.* Es wird mir immer warm und kalt dabei. Sag mir nur, was für einen Geist du hast, damit ich ihn nachzuahmen versuche. Bin ich erst einmal ganz mit dir vereinigt, dann denk ich nicht mehr ans Komponieren! Ich wäre ein Tor! *Windsheulen. Sie küßt Robert.* Deine Noveletten konntest du nur schreiben, weil du solche Lippen berührt hast wie die meinen! Ich hatte immer eine seltsame Furcht, dir meine Kompositionen zu zeigen, ich schämte mich immer. Auch über meine Idylle in As-Dur. *Sie stößt den Leichnam plötzlich von sich, keucht.*

COMMANDANTE *angeekelt zu seiner Frau, der Fürstin*: Ich lasse nur Beethoven, den fast übernatürlichen Meister gelten. Sie hat uns noch gestern, ich erinnere mich genau, die beiden Sonaten-Fantasien op. 27 vollendet vorgespielt. Was für eine Pianistin! Die eine Fantasie, Julia Guicciardi gewidmet, drückt hoffnungsloses Entsagen aus, sie erzählt von dem Erwachen nach einem allzu lang geträumten Traum. Die andere deutet gleich in den ersten Takten des Andante auf eine Ruhe nach dem Sturm, sodann, zögernd, ersprießt aus dem Allegro Vivace des Schlusses ein neuer Mut, fast Leidenschaft.

CARLOTTA, *Luisa küssend*: Hör zu, Louison! Hörst du, jetzt schlagen sie wieder von draußen gegen die Wände! Hörst du die Schnäbel? Tausende! Millionen! Klavierschüler beugen sich unausgesetzt über ihr Tongerät, Radios bellen, Kenner sprechen über vollkommen unhörbare, schwache Unterschiede. Der eine hört die Nuance, der andere hört dieselbe Nuance, aber total anders. Der dritte hört eine Differenzierung. Die Stirn reißt es ihnen auf.
Blitze zucken, Donner grollt, der Schnee am Berg leuchtet auf.

Einzelne welke Blätter wehen durch den Saal. Marie kriegt Angst und flüchtet zu Clara. Diese stößt sie grob weg, daß die Kleine hinfällt. Plärrend läßt sie sich von Aélis trösten.

CLARA, *Roberts Leiche schüttelnd*: Robert! Hör doch! Du hast gesagt, daß meine schöne Komposition nicht Idylle heißen darf. Du hast auf Notturno bestanden, auch Heimweh oder Mädchens Heimweh fandest du passend. Nicht einmal den selbstgewählten Namen ließest du meinem Werkchen! Dabei war es mehr Walzer als Notturno. *Kleinlaut:* Verzeih mir, Robert, ich meinte nur so... Dann hast du's ganz geändert. Geändert. Du verzeihst mir gewiß, wenn ich sage, daß es mir nach deinen Änderungen nicht mehr so ganz gefiel. Und verzeih auch, daß es dir nicht gefiel. *Schüttelt den Leichnam stark, die Wächter nähern sich.*

Robert, deine Liebe beglückt mich unendlich! *Schüttelt ihn.* Ein Gedanke beunruhigt mich zuweilen, ob ich es nämlich vermögen werde, dich zu fesseln. Ich trachte auch danach, so viel wie möglich mit der Künstlerin die Hausfrau zu vereinigen! Das ist schwierig.

Blätter wirbeln durch den Saal, Nebel wallt auf, aus der Ferne ein Jodler, der Wind heult lauter.

Ich würde auch gern Musikstücke selbst verfertigen, eine Pianistin vergißt man! Aber es geht nicht. Es konnte es noch keine, wieso also gerade ich? Nein! Das wäre Arroganz. Ich will dein Herzensbrautmädchen sein, sonst nichts!

Sie sinkt über ihm zusammen, offenbar knistert etwas in seiner Brusttasche, sie merkt es, holt ein Blatt Papier heraus, glättet es, liest es.

Oh, ein letzter Liebesgruß von dir! Dank! Deine gehorsame Kläre und Frau. *Läßt das Papier achtlos fallen.* Doch dies Lied in Töne setzen, das kann ich nicht, wenn du es auch von mir willst. Es ist nicht Faulheit! Nein, dazu gehört Geist, den ich nicht habe.

Sie geht ans Klavier und beginnt, das Salonstück zu spielen, das schon Robert zum Verhängnis wurde. Ihr Spiel steigert sich in der Folge, wird immer rascher und rascher, steigert sich. Parallel dazu wird die Gewitterstimmung im Saal stärker, romantisch-

wild, Sturm, Donnergrollen, Blitze. Nach einer Weile wird es ruhiger, und Schnee beginnt auf das Gipfelkreuz herniederzutaumeln. Wie in einer Glaskugel mit Madonna, die man umdrehen kann, damit es schneit.

AÉLIS *ein Tablett abstellend und den Lärm überschreiend*: He told me – *deutet auf Clara* – he had succeeded in getting her to take a little cocaine and that the effect had been excellent, because right away she had entered into a kind of unconscious state! He immediately took advantage of it to look at all her body. He kissed her all over and he also rubbed his you-know-what on her stout arm, like a village barber whetting his razor. *Lacht laut. Klavierspiel steigert sich. Clara beginnt zu keuchen.*

CLARA: Das Universum der Tonkunst ist eine Landschaft des Todes. Weiße Wüsten, Eis, gefrorene Flüsse, Bäche, Seen! Riesige Scheiben Arktis, durchsichtig bis zum Grund, keine Tatzenspur des Raubtiers Eisbär. Nur geometrisch angeordnete Kälte. Schnurgerade Frostlinien. Totenstille. Alle zehn Finger kann man stundenlang dagegen pressen, und das Eis zeigt keine Spur eines Abdrucks.

Sie bewegt noch lauter die Lippen, spielt jedoch so laut, daß man nichts mehr versteht. Alle beobachten sie aufmerksam. Was geht zuerst kaputt, das Klavier oder sie? Endlich, nach einer wahnwitzigen Steigerung der Musik, sinkt Clara vom Hocker. In diesem Augenblick Totenstille. Nur der Schnee rieselt dicht auf das schön beleuchtete Gipfelkreuz hernieder. Still.

Ein Irrenwärter kommt zögernd, gefolgt vom zweiten Wärter, näher, hebt das Blatt Papier vom Boden auf und liest stockend und analphabetisch vor. Man merkt, er hat einen Wolfsrachen. Während er zögernd liest, nutzt der zweite Wärter die Gelegenheit, um die beiden Toten tückisch und so, daß es die anderen nicht sehen, mit dem Bergschuh in die Rippen oder sonstwohin zu treten.

WÄRTER: Grün ist der ... Jasminstrauch ... abends eingeschlafen ... als ihn ... mit des Morgens Hauch ... Sonnenlichter ... trafen, ist er ... schneeweiß aufgewacht ... Was geschah mir in der Nacht? Seht, so ... geht es Bäumen ... die im ... Frühling träumen.

Schnee rieselt lautlos. Vorhang fällt.

Für die musikalische Tragödie *Clara S.* wurden u. a. Zitate aus folgenden Werken in den Text eingeflochten:

Clara Schumann: Tagebücher, Briefe
Robert Schumann: Briefe
Gabriele d'Annunzio: aus den Romanen
Tamara de Lempicka und Gabriele d'Annunzio: Briefwechsel
Aélis Mazoyer: Tagebücher
Ria Endres: Am Ende angekommen

Burgtheater

Posse mit Gesang

PERSONEN

Käthe	*Burgschauspielerin, Filmschauspielerin*
Istvan	*Burgschauspieler, Filmschauspieler, Käthes Mann*
Schorsch	*Burgschauspieler, Filmschauspieler, Istvans Bruder*
Mitzi	*Käthes und Istvans älteste Tocher*
Mausi	*Käthes und Istvans zweitälteste Tochter*
Putzi	*Käthes und Istvans jüngste Tochter, eventuell lebensgroße Stoffpuppe, Stimme vom Band*
Therese, genannt Resi	*mittellose Schwester Istvans, Dienstbote, Annie-Rosar-Typ*
Ein Burg-theaterzwerg	*(am besten Fritz Hackl)*
Der Alpenkönig	

Der erste Teil spielt 1941, der zweite knapp vor der Befreiung Wiens. Der Ort der Handlung ist Wien.

Sehr wichtig ist die Behandlung der Sprache, sie ist als eine Art Kunstsprache zu verstehen. Nur Anklänge an den echten Wiener Dialekt! Alles wird genauso gesprochen, wie es geschrieben ist. Es ist sogar wünschenswert, wenn ein deutscher Schauspieler den Text wie einen fremdsprachigen Text lernt und spricht.

1. TEIL

Käthe trägt ein stark stilisiertes Trachtenkostüm mit applizierten riesigen Eichenblättern. Durch die Blätter ist an der Brust je ein Dolch gebohrt. Die Familie, mit Ausnahme Istvans, des Vaters, und Mitzis, der Ältesten, sitzt um den großen Eßtisch herum. Die beiden kleineren Kinder sind unglaublich aufgemascherlt. Riesige Haarschleifen etc. Therese trägt eine Altwiener Dienstmädchentracht. Schorsch einen Frack oder Smoking wie aus einem typischen Wiener Filmerzeugnis der Zeit. Er sieht aus wie ein Ober. Käthe steht ständig auf, flattert von einer Tochter zur anderen, richtet ihnen die Haare, zupft an den Kleidern, den Schleifen, setzt sich hin, springt gleich wieder auf, eilt immer wieder um den Tisch herum. Istvan trägt zu seinem großen Auftritt, den er gleich haben wird, ungarische Reitkleidung. Zeit: 1941. Alles äußerst heiter!

ISTVAN *reißt die Tür auf, erscheint, posiert, lacht schallend zwischen den Sätzen, strahlt, fuchtelt herum etc., Reitgerte!!*: Grieß enk Gott alle miteinander, alle miteinander, alle miteinander! I hab zwa harbe Rappen, mei Zeugerl steht am Grabn! I seh da rare Happen! *Er greift wahllos mitten auf den gedeckten Tisch und holt sich etwas zu essen heraus. Käthe klopft ihm übertrieben auf die Finger, sieht ihn strafend an.* I hab a rare Pappn! Ui jegerl! Schampus! Juchu! Das ungarische Herrengut. Der Leutnantsmut. Das Wurmbuchtel. Das Umfuchtel.

KÄTHE: An dem Mann, der mir einst die Unschuld raubte, gehen die Jahrln nicht spurlos vorüber! Putzi, Mausi, aufgepaßt. *Sie hebt eine Terrine mit Schinkenfleckerl hoch und schüttet das Ganze mitten auf dem Tisch zu einem Haufen auf. Die Kinder kraxeln sofort halb den Tisch hinauf, versuchen, etwas davon aufzufangen, essen mit dem Kopf auf der Tischplatte, wie die Schweine. Furchtbare Patzerei!*

Käthe applaudierend: Sans net siaß meine Bauxerln? Gleich trägt die Resi die Nockerln auf. Schön schnabulieren, gelts ja! Und wenn es nur fürs Hoamatl is, das bald hungern und frieren wird. Ehebaldigst böckelts im Schützengraben und die Stukas stürzen vom Himmel. Doch halt, seht! Ein Fallschirm hat sich geöffnet, der kühne Flieger konnte sich retten. Unten wartet mit brünftelndem Rock die Bäuerin. Sie singt ein Auftrittslied. Gebieterischer Ruf! Mit Singsang und Klingklang. Es zog ein Bursch hinaus fallera.

SCHORSCH: Geh weiter, Katherl! Sowas sakt man nicht vor die Sprößlinge! Vor die Schößlinge! Bin nur ein Komödiant!

KÄTHE: Ui jegerl! Hörts zu, Kinder! Unter dem groben Kittel des Bauernweibes steckt nur der Bauer in seinem schmutziggrünen Ehrenkleide, der Tracht des alpinen Menschen, und sunsten ist durt absolut nix. Ein Herz muß schweigen!

RESI *tritt jammernd auf, lamentiert à la Annie Rosar*: Jessas gnä Frau! Gnä Frau! Was hams da wieder angstöllt? Schweinerei! Wer hotn do so umadumpatzt?

KÄTHE: Das is der Sumpf der Großstodt, vor dem man sich hüten muß. Theres! Mitten auf unsarem herrlichen Mittagmahltisch, den wos der Herrgott uns gespendet hot. Seine Tochter ist der Peter. Roxy! Roxy! Moderner Name! Dahinter ihre stolze Mutter. Die was lächelnd zuschaut, wie ihr Lausbub, der wos a Madl is, Fußball spielt.

SCHORSCH *gutmütig, brav*: Was i dir neilich scho sagen wollt, Kathi, mir missen unsane Rollen jetzn, vastehst, itzo a weng... ändern. Anpassn den veränderten Zeitläuften. Dem Verlangen vom Hoamatl... staatspolitisch besonders wertvoll!

KÄTHE *unterbricht*: Niemals! *Burgtheaterton:* Niemals gebe ich einem Verlangen nicht nach. Nicht einmal wenn es von der Heimat herkommt. Ich verlange den Ring, der mir Geborgenheit schenkt. Torheit! Ganz große Torheit! Ferienkind!

ISTVAN *hat inzwischen etliche Erfolgsnummern aus seinen beliebten Filmen stumm zum Besten gegeben: Ober, Strauß-Schani, komisch Faktotum, ungarischer Verführer, etc. Mozart, Beethoven*: Tua schön zuhörn, Käthe, tuast halt zuhörn und machst es dann nach, gö ja. Der Schorschi weiß schon, was gut is, fier uns und fier die ondaren. Der hot seine Beziehungen zu Berlin, die was er spielen laßt, damits eahm spün lossn. Schrammeln. *Eindringlich:* Schrammeln!!

KÄTHE: Spielen, spielen ist ja mein Leben! Saat und Ernte! Reife! Also: I spü a junge Schauspielschülerin aus der Provinz. Aus

Graz halt. In mein Pensionat hab i heimlich die Aufnahmsprie-fung für die Schauspielakademie bestonden. Mitm Gretchen na-tierlich. Des gibt ein Hallo und eine Aufregung bei die geist-lichen Schwestern durt! Und meine Freindinnen klettern olle zu mir aufs Betterl und wusch! Hastenetgsehn, da hab i auf amal a Klampfn in der Hond und gemmas an plum plum sing i a Liadl. Und die ondaren singan olle glei mit: Hoch vom Dach-stein an, wo der Aar noch haust...

Resi, die aufträgt, verschüttet in diesem Augenblick etwas Soße aufs Tischtuch. Wie eine Furie fährt Käthe herum und schmiert ihr eine.

Trampel bleeder! Sautrampel elendiger! Das dritte Mal in dera Wochn!

RESI: Gnä Frau... entschuldigen scho... gnä Frau... werd net wieda vurkummen!

KÄTHE *geht urplötzlich mit einem silbernen Kerzenleuchter auf Theres los, jagt die Quiekende rings um den Tisch*: Deutsche Wut wacht.

MAUSI, *der Mutter in den Arm fallend*: Naa! Net! Net! Mam-schii! Net unser liabs Reserl schlogn! Nie tat die Resi auch nur Schwarz unterm Nogel nemman! Mammaa! Bitte! Bittschen!

SCHORSCH: Also für mich ist die Mausi ein Bub.

ISTVAN: Gell ja, Resi. Bist ja mei Schwesterl, mei oides! Hast eh net gheirat, weilst dich für mei Famülie aufopfern tuast! Komm her do! Kimm her do, oits Maderl! Kriagst eh a Busserl von dein Bruadan! *Küßt Theres, hält sie aber dabei geschickt Käthe hin, die Resi weiter unsichtbar traktiert.* Und no a bissi durt, und no a bisserl durten, und jetzt is guat! Dienstbarer Geist, enteile und stille deine Wunden! Tschapperl!

Resi quiekend ab.

KÄTHE *unberührt*: Aufgerecht pack i meine Kofferl, konns jo gor net da woaten! No jo, und so fohr i holt mit unsarem liaben oiden Bahnderl übern Semmering, ein Londkind auf dem Weg ins Verderbnis! Ich bin eine elementare Erscheinung, ein Or-kan, der ieber die Erde rast. Ich bin im Donaubecken zustande gekommen!

SCHORSCH: Ich hob dir vorhin scho ernsthoft gesokt, Katherl, daß des net ollweil so weitergeht mitn Semmering und die Alpen und die Liadln. Man konn jo nicht immer lochen, net wahr. Der Ernst der Stunde verlangt gebieterisch noch einem in Groß-daitschlond ollgemein verständlichen Schriftdaitsch. Alpen- und Donaugaue fiegen sich. Ein neuer Erdenbürger! Willkommen!

KÄTHE *unterbricht*: Ewig stehen die Berge in eisiger Pracht! Vaterland, halt treu die Wacht! Das daitsche Publikum aller Stämme will auch juchzen! Nur aine ainmalige künstlerische Begebenheit wie ich verhilft dazua. Österreichertum!

ISTVAN *haut ihr eine Leichte runter*: So tua halt dem Schorschi zuahean! Künstlerin, meine geliebte, du! Die was du mir die Demut vor der Kunst erscht gelernt host. Goldene Fessel!

KÄTHE *tritt Istvan leicht gegen das Schienbein, springt auf und stürzt zur Tür, wo sie melodisch hinausruft*: Reserl! Treuer Hausgeist! Sekretärin, Buchhalterin, Kindermädchen, kumm her do! Kumm eine do. Erscheine!! *Resi erscheint schüchtern in der Tür und wird stürmisch umhalst.* Und da papp i dir ein Bussel drauf und da aa, und durten aa! *Küßt sie ab.* Faktotum oides! Schwägerin! Schwester! Naa, mehr als a Schwesterl: Dienstbot, treuer!

Endlich gelingt es Resi, sich loszureißen und davonzurennen. Immer zweihundertprozentig das treue Dienstmädchen spielen!

SCHORSCH: Mir missen jetzt ernsthaft dafier klampfen, daß ein jedes Blitzmädel und ein jeder Hitlerjunge sagen kann und das zurecht: Unser Burgtheater!

ISTVAN: Joo. Jawull! Und da missen mir auch etwas tan dafier. Des fliegt uns net einfoch zua. Anstrengen missen mir uns, damit mir die woamen, otmenden Laiber am Heldenplotz, die was unsarem Fiehrer ein so begeistertes Willkomm entboten hoben, auch urdentlich befriedigen kennen. Brüderlein fein, Brüderlein fein!

KÄTHE *gellend*: Nein! Nicht befriedigen! Nicht schon wieder dieses häßliche kleine Wort! Die wunderbare daitsche Sprache, die Sprache Goethes und Schillers, verfiegt ieber so viele andare Werta!

SCHORSCH: Kusch, Kathi! Bereits vollerbliehte Frau! Daneben die noch geschlossene Knospe Mausi.

Mausi kichert schrill auf.

KÄTHE: Heimatlaut! Heimatklang! Die Gemse brunzt im Morgenrot, der junge Krieger, der ist tot. Ich schenke nach meiner Ankunft in Wean die erste Nacht einem Manne. Heil! Sieg Heil!

SCHORSCH *zu Istvan*: Wie solln mir ihr das beibringen, Briaderl? Sie vastehts absolut net! Sie ist gonz ungebärdige Kroft, ein einziches Binkerl Kroft und Energie und Talent. Sie hot dieses Esterreichertum so unglaublich erfoßt und konn es wiedergeben. Sangesfreude! Wäre sie Malerin geworden, wäre sie eine große Malerin geworden. So ein Mädel vergißt man nicht!

ISTVAN: Mir miassen ieberhaupts jetzt die Energie ausnitzen, die was itzo im Londe ieberoll zum Aufspieren ist. Die heilige Energie des Vulkes. Daitschlond erwoche! Wen die Götter lieben.

KÄTHE *normal*: Oiso: Ich kumme in Wean an, in der olten Stodt der Ernaierung. Mit mein liaben Steirerhiatai und die großen Haferlschuach. Ui jegerl, is mei Kofferl schwaa... so schwaa – *sie steht auf, ergreift etwas Schweres und macht vor, wie sie mühsam einen Koffer schleppt* – ringsherum... in Bild und Ton! Da ist es schon!

KINDER: Oame Mamsch. Muaß sie so abrackern! Is schwaa, Mama? S'trenzt scho, s'Muatterl! *Die Kinder wollen Käthe helfen, sie stößt beide grob zurück.*

KÄTHE: Ich stoße euch grob zurick und trage mein Kreuz alleine. Er glaubt mich moralisch defekt, zieht sich zurick, der ernste Monn.

SCHORSCH: Nana, Katherl... derfst net immer so wüüd sein! Muaßt langsam gesetzter werden, mit deine drei Gschrappn! Wildfang! Bist jo ka Madl mehr... Oba vor ollem: das Weanerische muaß jetzt longsom aufheern, vastehst? Frauen sind keine Engel!

KÄTHE *hört nicht zu*: Ich komme nicht darieber hinweg, finde mich dann doch mit ihm. Doktor Alexander Thalheim! Am nächsten Tog steht er mir als mein Lehrer gegenieber. Nimmst no an Solot, Schorschi? Resi, no an Solot fier dei Briaderl! Geh weida! A bisserl geschwinda, wenn ich halt bitten derfte. Und es sitzts ma jetzt ruhig, Kinder! Tuats net so mit die Fussi umhaun, weil sunsten haut euch die Mutti auf die Fussi, gelts ja. Unruhige Mädchen! Finale! *Kinder johlen und strampeln stark. Käthe nimmt Istvans Reitgerte und haut ihnen unter dem Tisch auf die Waden, sofort heulen die Kinder laut im Chor.* Ruhig! I hau lieber glei! I hau lieber glei! Was man sufurt tut, das ist wohlgetan, wohlan, hört euch jetzt weiter die Mutti an! *Kinder heulen.* Schließlich lieben zwei den gleichen Mann. La Habanera!

SCHORSCH: Stillhalten fier Daitschlond! Patzer seids! Patzer!

KÄTHE: Sans net fesch meine Maderln! Schöne Stimmerln hams alle! Lachende, vergnügte Menschen entströmen dem Lichtspielhaus. Zwei Stunden haben sie ihre Sorgen vergessen. *Sie zieht Resi, die sich über sie neigt, um nachzuschenken, fest am Ohr. Resi heult auf. Käthe lacht.* Na, Reserl, mir missen noch fest ieben miteinand, gell?!

SCHORSCH: Wanns brav seids, dirfts in mein Mozart-Füm «Die Zaubergeige» mitspün. Hallawachl! Potschochterl!

ISTVAN: Aber erscht wann i mein Beethoven-Füm «Der Grantscherm von Heiligenstadt» abgedreht hobe, Schorschi, gell. Da derfts donn die Pamperetschn von der gutmietigen Vermieterin spieln, die was das Genie trotzdem sekkieren tut. Bißgurn elendiche.

SCHORSCH: Nix! Zuerscht der Mozart! Der gebirtige Inländer.

ISTVAN: Geh mir weida mit diesem Freimaurer! Wo erblieht daitscher Geist am schönsten? In der Eroica! Das Ferienkind!

SCHORSCH: Ich darf dich darauf aufmerksam machen, daß...

KINDER *unterbrechen und tanzen ohrenbetäubend johlend um den Tisch herum*: Oh fein! Oh wie fein! Welche Fraid! Mir derfen mitgestalten! Mir derfen eine Rolle verkerpern! Mir derfen umadumwacheln! Mir derfen Menschenbildner sein! Mir derfen das Erbe von der Hansi Niese und vom Werner Krauß weitergeben! Mir derfen einen beglickenden Beruf ergreifen! Frühlingsstimmen! Frühlingsstimmen!

KÄTHE *teilt Dachteln aus*: Still seids! Staad, Menscher! Fein sein, beinonder bleibn! Unser scheener Beruf wachst nur in der Stille.

SCHORSCH: Fies flitzelt ein pomadiger Jud pomale durchs Bild, wie der Mozart grad ieber sei neieste Simfonie dischkurieren tut. Wia a Elritzn! Hoit die Pappn!

ISTVAN: Jawoll. Zu Befehl! Wie a Weißfischerl! Gschwind is zertretn! Nur a glitschiges Fleckerl erinnert den Meister Beethoven no dran, daß da amal a Menschenwesen gestonden is und geotmet hot.

KÄTHE *ungerührt*: Also daß i aich dazöhl... wia i mi da so abplag mit mein schweren Kofferl, fremd auf dem schlipfrigen Pfloster der Großstodt, do fohrt wia a Blitzschlog der Blick von an fainen Menschen, der wos oba scho ölta is, in mich hinein. Wißtes eh, wer den spült.

SCHORSCH: Jawoll. I spü den! Ein Stern fällt vom Himmel.

ISTVAN: Nix! I spui den. I bin da Jingare und außerdem der Kathi ihr Mo.

KÄTHE: Es ist dies das ewiche Wiedererkennen zwischen Tier und Mensch.

SCHORSCH *unterbricht*: Wann i den net gspui, dann spüüst ma net das Bäsle aus Augschpurg vom Mozart!

ISTVAN: Wann i den net gspü, dann spuist ma net die Gräfin Gitschardi!

KÄTHE: Buben, ihr mochts mi ganz damisch. Ihr sprudelts ja ieber vor Soft und Kroft! Natierlich spült der Schenbeck das Wiedererkennen zwischen Kreatur und Kreatur.

SCHORSCH: Geh weida! Der ogschleckte Hoibjud! Die hohe Schule.

KÄTHE: Nein! Nicht dieses Wort. Die daitsche Sproche verfiegt ieber so vielene andane Werta! Schenare Werta!

ISTVAN: A Feschak is er!

KÄTHE: Ich benötige neue Partner, keine Znirchterln! Neue Anregungen, Inspirationen!

SCHORSCH: Na guat. Wenn des dei letztes Wort is, derfst net mitm Mozart busseln.

ISTVAN: Derfst net dem Beethoven sei unsterbliche Liebe sein!

SCHORSCH: Außerdem – in Wean derf des Gonze sowieso net spüln!

ISTVAN: Jawull. Scheen was, aber spün tanses net! War nur ein Komödiant.

KÄTHE: Volkswut stürzet sich auf mich, weil ich das Ehrenzeichen von unsarem Führer unsichtbar auf der Stirn geschrieben tragen tu, und die Zeit ist noch nicht reif dafier. Laßt mich Vorhut sein! I bin gonz Grazerisch und gschamig. Der Mann spricht zu mir: Derfte ich Ihnen behüfflich sein, mein schönes Frailein? Und dos wird der Onfong von ana Gspusi mit an Wein. A rosanes Kleidl hob i o bei unsara nächsten Begegnung. So mit Rieschen und vurn so Spitzerl, damit ma meine schrankförmige Figur net siecht. Oba der Zuschauer siecht nur meine Augen, nicht dos Gewond. Humoriges Streiflicht!

SCHORSCH: Und der schlechte Otem von Tausenden tut sich iebel vermischen, und auch der Fiehrer soll ja unheimlich aus dem Mund stinken, wiar ma so heert. Tritsch Tratsch! Plitsch Platsch!

ISTVAN: Sodann reit ich einher und setze machtvoll ieber eine Hecken. Das ist meine Schpezialität, die was i no aus Ungarn hob. Am liabsten tat i jo den Andrasy spün, und die Kathi is die Kaiserin Sisi. Den geliebten Manne, der wo betrogen werd.

KINDER *hüpfen in ihren Sesseln und patzen herum*: Mir hoben die hohe Kunst von unsara Mutti geerbt! Ihren Ernst und ihre Demut! Ihre Bescheidenheit und ihr zähes Arbeiten an sich. Ihr Ringen um Ausdruck!

KÄTHE: Wer ißt wie ein Schweindi und tut mit Nahrung urassen, derweil unsare topferen Burschen an der Front verrecken tan? Wer? Es is wieder amal die Mausi! Natierlich! *Tunkt Mausis Gesicht in den Teller. Mausi gurgelt.*

ISTVAN: Schattengleich, eine nie endende Kette schlanker Laiber, setzt die Menschenmauer aus dem Schützengraben in das Sperrfeuer hinein. Ein lebendiger Springbrunnen aus Beton. Blutzeugen für unsaren Führer. Wie gern, oh wie gern wär ich dabei! Doch bin ich hier unabkömmlich. Sowas müßtmer einmal mochen. War des a Gspaß! Spiegel des Lebens. Trotzkopf!

KÄTHE *trällert*: Wien, Wien, nur du allein sollst nur die Stadt meiner Träume sein... *etc.* Wie oft sang ich dies!

SCHORSCH: Genau! Schi Heil, der Feind! Hollaro! Wos i sog, des sog i aa!! Wos i waaß, des sog i aa! Und wos i soog, des güüt! Aber no net heit, no net morgn! Reserl, geh weida, tuast uns dei

Iebung vormachen, die was mir dich unter greßten Miehen gelernt haben?! Dafier derf des Reserl dann auch zum Basar vom Winterhilfswerk marschieren und die Kinstla zuaschaun, darunter auch wir drei, wie wir hier hocken. Oisdaun, Reserl, aans, zwaa, aans, zwaa, umtata, umtata... *etc. Singen!*

RESI, *die still im Zimmer herumgearbeitet hat, legt Beserl und Schauferl beiseite und faßt ihre Schürze zwischen Daumen und Zeigefinger. Ungeschickt graziös! So walzt sie unbeholfen herum und singt mit brüchiger mißtönender Stimme*: Ein Walzer muß es sein... Wien und der Wein... Wien und der Wein... Da liegt ein Stück vom Himmel drein... *etc.* Habedehre, Herr Geheimrat! Kiß die Hond, gnä Frau! Aber Herr Baron, die scheene Suppn! *Lamentiert immer.* Net einispuckn! Gehns wieda, Herr Brofessa, Sie kennen do des Kinderl net auf die kolte Stroßn ausseschicken! Wos do regnet! Sie hot doch nur geliebt, und Liebe is do kaa Verbrechen! Bittschen, Frau Gräfin, derfs a bissel mehr sein? Gengans weida, Frau Wiberal! *Legt die Hand hinters Ohr, lauscht übertrieben kammerkätzenhaft.* Hurchens zua, Frau Oberpostoffizial! Hurchens! Die Musi spüt. Der Ziehrer! Der Lanner! Der Millöcker! Der Girardi! Die Fiaker Milli! *Lauscht plump. Perfekte Annie-Rosar-Kopie. Lamentieren!* Jessasmarandjosef! Jeschuschmaria! Ach du liebe Zeit! Marantana! *etc. ähnliche Ausrufe ad libitum.*

SCHORSCH: Das Herz tuat an bluatn. Und des missen mir jetzt olles aufgeben. Unsterblicher Walzer!

ISTVAN: Glaubst wirkli, Schorschi?

SCHORSCH: Freilich. Gestern wor i beim Gauleita. Er hot uns zum wiederholten Mole beonstondet. Und diesmol güts, hot er gsokt.

ISTVAN: Aber geh! Des is do net das erschte Mal.

SCHORSCH: Oba des letzte, sokt er. Hernoch sieht er uns nur mehr als Wühler und Unterminierer. Ein Leben lang.

KÄTHE: Es trenzt das Reh, es geilt der Bock. Es trägt der Jager den grienen Rock. Ich lernte ihn lieben!

ISTVAN *und* SCHORSCH *umfassen einander und tanzen singend einen feurigen Csárdás. Durcheinander*: Oioioi, jui, Mamma Bruderherz, was kostet Wölt? Mein ideoler Lebenszweck is Borstenvieh und Schweinespeck! Is Borstenvieh – *Pfiff* – weil i a

Fiaker bin! A Kutscher konn a jeder wean, aber fohrn, des kennens nuuur in Wean! Mei Stoiz is, i bin hoit a echts Weanerkind, a Fiaker wiarman net olle Tog find...

KÄTHE *setzt mit hellem Sopran fort*: Mei Herz is so lifti so leicht wiarda Wind. I bin hoit – *Pfiff* –

SCHORSCH *und* ISTVAN: ...is Borstenvieh und Schweinespeck!

KÄTHE *zu Resi, die schweratmend auf einem Fauteuil zusammengesunken ist*: Herst, Reserl, wannst nimma oabeitn konnst, muaßt hoit weitergehn! Faulenzer! Unnützer Esser! Alsdann: geschwindig, springe, Hausgeist oita! Rasch, hin zur Putzi! Mir scheint die hot si vorhin vur lauter Lochen über unsare Gspassettln angwiescherlt. Tue das Kind säubern! Wirds boid? *Resi hebt die Jüngste auf und will mit ihr zur Tür hinaus. Käthe eilt flink hinterher und gibt ihr noch einen Arschtritt, daß sie buchstäblich hinausfliegt.* Und jetzt no an Stesser, und jetzt no an Stesser, damit gehts glei besser! I brauch kan Fiebermesser!

SCHORSCH *singt, während man Resi von draußen lamentieren hört etwa*: «Aber gnä Frau... Sowas! Sowas derfen gnä Frau do net!» *etc.* Im Frühtau zu Berge wir ziehn fallera!

ISTVAN: Wos san denn des fier scheißliche Liadeln? Sowas hamma ja no nia net gsungen!

SCHORSCH: Des werma jetzt lernan, Bub! Und daitsch wird gredt! Sufurt! Urdentlich daitsch!

KÄTHE: Am liabsten spü i a Grafentöchterl aus der Provinz! Des paßt am besten zu mein großflächigen Gsichterl, wos oba schwer zum belaichten is.

SCHORSCH: A daitsches Madl in Polen wirst jetzt spün. In der Wojwodschaft Luzk. Und aus. Konnst scho onfongen, den Akzent lernen, gö!

KÄTHE: Ogrosel! Hirnschüssling! *Zu Mausi:* Geh, Mauserl, tua net so umadumpantschn mitm Essen. Das tut man necht, Kind! *Sie haut Mausi fest auf die Finger. Mit dem Löffel. Mausi heult ein Solo.*

PUTZI *schadenfroh*: Jetzt hotsas kriagt. Jetzt hotsas kriagt! Oba ordentlich Kletzenfetzen! Weinheber! Schweinkleber!

KÄTHE *reißt Putzi die Haarschleife auf*: Net die Dichter schänden, Kind! *Putzi zuckt zurück und bekommt eine Ohrfeige.*

SCHORSCH *forsch*: Blut und Dreck mutig und keck. Neck neck, guter Speck!

KÄTHE *elegisch*: ... Rollen ... Rollen ... stets muß ich aus Aigenem gestalten! Menschen formen! In naiche Menschenkinder einischliaffen! Nie ist die Mimin sie selbst.

SCHORSCH: Heast, schau, wie die Katherl die naichene Sproch vom Reich ko!

ISTVAN: In die Weite schreiten. Laß dich stets vom Meister leiten! Mein Fiehrer befiehl, mir folgen dir!

SCHORSCH: Die Frau Geheimrat, der Herr Kanzleirat. Die Dreierreihe. Sakristei. Schreibtruachn.

KÄTHE: Ich nehme mein Herz fest in beide Hände.

ISTVAN: Geh weida! Des is gewiß nur Träumerei!

KÄTHE: Ich habe viele Neider. Anton von Wildgans!

Resi steckt vorsichtig den Kopf zur Tür herein, Käthe bemerkt es aber sofort und wirft Essen nach Resi. Rasch verschwindet die Dienstbotin.

Ich werfe mit Gottesgabe.

ISTVAN: Dies sehen mir.

SCHORSCH: Des sengen mir.

KÄTHE *begeistert*: Liab is, mei Mausi! Wern boid die Buam kommen. Aber nicht, wenn die Mausi mitm Sessel hutschen tut ... *Sie zieht ihrer Tochter Mausi den Sessel hinterrücks weg, Mausi fällt heulend zu Boden. Unordnung allseits.* Da liegts Mauserl. Gfalln wie a junger Krieger aufm Föld, der was nicht das Glück hat, das unaussprechliche Glück, ein woames Betterl zu haben, und der was nicht Klavier lernen tut und nächstes Jahr mit der Geige anfangen derf, weil er doch so gepenzt hat darum. Und der was nicht praktisch lauter Einser hat in der Schul.

Resi kommt wieder einmal vorsichtig zur Tür herein.

ISTVAN: Kimm nur einer da! Geh weida! Reserl, sei gscheit!

SCHORSCH: Derfst eh net heiratn, Faktotum, oides! Derfst eh net!

ISTVAN: Bist eh nurs oide Schwesterl, was net pimpern derf!

SCHORSCH: Brauchst gor net frogn! Muaßt di hoit reinlich hoitn, da kennt die Kathi nix.

KÄTHE *streichelt Resi*: Bist jo unser oites Reserl, wos treulich zur

Famülie holtet, weil die Kinder so an ihr hängen. Oite Vawondte, liabs Reserl! Bussibussibussibussi! Handibussi! Scho vawölkts, s'Reserl!

ISTVAN: Scho vabliahts, s'Reserl! Mathias Wiemann! Mathias Wiemann!

KÄTHE *elegisch singend*: Rosenstock, Holderbliah, wann i mein Reserl sieh! Klopftmer vor lauter Froid s'Herzerl im Leib. Trallallallalla! Hollarediüh! Hollero! Hollero! Holarüdirüdiho!

SCHORSCH: S'Dirnderl muaß fest oabeitn, gö ja?! Brav so. Es hat mich sehr gefreit.

KÄTHE: Erfühltes Sehnen! Triebes Regen! Banges Ahnen! *Zupft an der Resi herum.* Dabei leistet auch sie ihren kleinen Beitrag, damit mir bewahrt bleiben vor die hunnischen Horden! Burgtheater! Du Stätte der Weihe am Ring! Du Ort der Verwandlungen! Zauberland der Kindheit! Erstes glühendes Regen am vierten Rang! Das rotbackige Anstellen um Stehplätze! Erstes Erspüren, was Kunst sein kann, sein soll! *Währenddessen macht Käthe der Resi heimlich Schürze und Spitzenhäubchen auf, beides fällt zu Boden, erschreckt befestigt Resi alles wieder. Käthe hüpft um sie herum:* An Gspaß hob ich jetzt gmocht! Und wie das Publikum locht! Es jauchzt und tjachzt! Es juchazt und lefzt! Es seimt und schleimt! Es gigazt und Werner Krauß! Werner Krauß! Heros! Titan! Atlas!

SCHORSCH: Soweit so gut. Des missen mir uns merken fier unsaren nächsten Füm, diesen fröhlichen Streich. Und wos sokt die Resi drauf?

RESI *auf Befehl lamentierend, immer schön Annie Rosar*: Draußen is ein Herr, der mechte die gnä Frau sprechen bittaschen!

ALLE *winden sich vor Lachen. Durcheinander*: Falsches Stichwurt! Falsches Stichwurt! *Resi lacht furchtsam mit, von einem zum anderen blickend:* Gnä Frau, es ist angerichtet. Der Herr Baron warten schon.

KÄTHE *wirft Resi etwas von der Tafel an den Kopf*: Mein Eigen! Mein Innling! Nesthocker! Brütling!

Resi wankt.

SCHORSCH: Die Resi is an wengerl zurickgeblieben, net wohr. Jedoch mir zeigen sich ieberall mit ihr. Mir schitzen sie wacker und ohne viel Federlesen vor dem Eithanasieprogramm. Unverdrossen! Marie Geistinger, Mutter der Wiener Operette. Milli Strubel!

KÄTHE: Zum Herrgott tan mir bettn.

SCHORSCH: Aber do net glei…! Woat a bissi!

Die Bühne verdunkelt sich langsam. Es ertönen märchenhafte Harfenklänge, es folgt ein Allegorisches Zwischenspiel.

ALLEGORISCHES ZWISCHENSPIEL

Musik (Harfen und ähnliches) erklingt. Bühne dunkel, helles Licht nach oben. Die handelnden Personen erstarren kurz in ihren Posen, wie behext. In der Art eines Altwiener Zauberspiels (Raimund, schau oba) erscheint eine Art Märchenkahn, Gondel o. ä. paradiesisches Gefährt, hübsch bemalt und so. Das Gefährt wird an Schnüren langsam von der Decke herabgelassen, während die Harfen schön spielen. Im Märchenkahn eine Gestalt in einer merkwürdigen Mischung aus Alpenkönig, Menschenfeind und Invalide. Er trägt ein Zauberstäbchen. Er ist, was man aber nicht sofort bemerken darf!, ganz mit weißen Binden (Verbandszeug) umwickelt wie eine ägyptische Mumie. Tritt aber unbekümmert und fesch auf. Vorerst. Einige Blutflecke, diskret angebracht, können zu sehen sein.

RESI *steht wie die anderen einen Augenblick lang baff, dann faßt sie sich ein Herz. Langsam bewegen die anderen sich ebenfalls, aber wie in Zeitlupe, verlangsamt, träumerisch, bis zu dem Punkt wie angegeben*: Es est ein urtsfremder Herr angekommen. Mechte woll hier einischliaffen, wenn mir ihn losserten. Er mechte ein Labsal, ein Wagnis und eventuell einen Wein.

SCHORSCH: Es wird ein Wein sein, und mir wern nimmer sein.

ISTVAN: Kennen wir ihn?

Der Fremde verbeugt sich elegant.

KÄTHE: Est es ein fescher Monn?

ISTVAN *betrachtet den Mann näher*: Pfui. Ein Unorganisierter!

SCHORSCH: Ich schmeiß ihm gleich aussi.

ISTVAN: Weil mir dürfen uns auf nix einlassen. Die Wölt schaut auf unsereins und mir schauen auch auf uns.

KÄTHE *hymnisch*: Sehet: ein innerlich zunehmender Mensch. Woge des Lebens. Gefährte der Größe. Irrklang der Seele! Harmonie der Dichtung. Mitte des Daseins. Abbild des Geistes.

ISTVAN *untersucht den Mann, spricht in Käthe hinein, beide kurz zugleich*: Ist ein wenig bekannter Kollege. Kein Judenkrispindl. Ein Haxenschmeißer. Kein Zuwizahrer!

SCHORSCH: Kurzum, mir lossen eahm net eini in unsr naiches Haus Daitschlond.

Harfenklang. Der Mann, genannt Alpenkönig, steigt majestätisch aus seinem Gefährt. Er singt à la Raimund.

ALPENKÖNIG: Und suchest du Ruhe, das ist ja bekannt, am sichersten ruht sichs im Östreicherland!

ISTVAN: Wer hot Ihnen einiglossen, Sie Bursch Sie! Mir hoben itzo kaine Zait. Mir missen zur Grillparzerfeier, mir missen zur Medea, der großen Rassentragedie!

KÄTHE: Die gspui ii! In der Josefstodt! I gspui jene tragische Schuld, der eigenen Art untreu geworden zu sain!

SCHORSCH: Sprache und Volkheit!

ISTVAN: Dieser Wiener, zu dem sich das endlich geeinte deutsche Volk bekennt!

KÄTHE: A scheene Rollen! Und gonz Daitschlond erlebt mit! Es nimmt den großen Sohn und Dolmetsch der Ostmark glaichsam gonz ons Herz.

SCHORSCH: Libussa! Königottokarsglückundende!

ISTVAN: Vielleicht die mächtigste geschichtliche Tragödie, die je ein Daitscher geschoffen.

KÄTHE: Daitsche Gerodlinigkeit gegen tschechische Vermessenheit, die im letzten seelisch nicht stondhält.

ISTVAN: Brav, Kathi! Guat host des gsokt.

SCHORSCH: Nur nördlichen Völkern sind so zarte Märchengebilde eigen!

KÄTHE: Bravo! Bravissimo!

ISTVAN *zum Alpenkönig, der sich still beschäftigt hat*: Und nun gehen Sie, Freund! Verlassen Sie unsere stille Kammer und nehmen Sie die Sorgen mit hinaus!

SCHORSCH: Seind Sie vielleichts ein Autogrammsommler? Hier hoben Sie meine Unterschrift, und wie gern! *Er unterschreibt eine Postkarte, reicht sie dem Alpenkönig, der sie fallen läßt.*

ISTVAN: Und nun gengan Sie! Beflecken Sie dieses Stickl Erde nicht!

KÄTHE: Jawull! Es ist eine Zuflucht fier eine winziche Minderheit: die Idealisten! Die Enthusiasten des Teattas!

ALPENKÖNIG *nach einer Pause, in der die Anwesenden versucht haben, ihn hinauszuzerren, was ihnen nicht gelingt*: Gellns, Sie höffen mir, liebwerte Kollegenschar, Freunde und Gönner! Könner!

KÄTHE: Wos wollns? Wos wü der Lackl? Gengans weida!

SCHORSCH: Gehns seins gscheit! Sinds doch kein junger Tutter mehr, sinds doch schon ein alter Krauter!

ALPENKÖNIG: Selbst es Blümerl lebt gern!

KÄTHE *eifrig*: Recht hams! Selbst der Wurm, die Eidechse, das Oadachsl, selbst der bunte Falter lebet gern in unsarem Daitschlond.

SCHORSCH: Wo man frank und frei otmen konn. Gengan Sie sufurt! Ohne Widerrede! Weil sunst holen mir die Polizei.

KÄTHE: Kenne persenlich einen Schutzwochta, der wos mich immer um Autogramme onbetteln tut.

ISTVAN: Und unsere herrliche Jugend! Speziell sie zählt zu unsren leidenschoftlichsten Verehrern! Mir haben die Jugend necht vergessen. Die Jugend besteht aus Idealismus!

SCHORSCH: Auch mir waren einmal jung.

ALPENKÖNIG: Sie kennen gewiß mehrere Anekdoten, Herr Burgschauspieler, in denen ich der Trottel bin, nicht wahr?

SCHORSCH: Seind Sie vielleicht die rote Pest? Ui jegerl!

ISTVAN: Seind Sie vielleichts die Fratze des Bolschewismus? Ui jegerl, hob i an Spundus!

SCHORSCH: Seind Sie der Vertreter des Weltjudentums? Mir kaufen nix!

ALPENKÖNIG: Hier bin ich nur Österreicher, hier darf ichs sein.

KÄTHE: Wos sokt der notiche Mensch?

SCHORSCH: Er sokt, er ist oin Ausländer.

ISTVAN: A Behm? A Krowot? Schaißlich!

KÄTHE *sehr akzentuiert*: Es stimmt nicht einmal, daß Grillparzer das tschechische Volk nach dem tschechischen Schneider etwa beurteilt hätte, bei dem er vielleicht arbeiten ließ, obwohl das gar kein schlechtes Paradigma für die Deklination des tschechischen Volkes wäre.

Alle schweigen einen Augenblick.

ISTVAN *zum Alpenkönig, der sich an den Sekretär gesetzt hat und etwas schreibt*: Gengan Sie! Mir wollen hier keine Juden und Ausländer!

ALPENKÖNIG *schreibend*: Ich sammle Geld für eine unserer örtlichen Widerstandszellen bitteschön. Sie können uns einen Scheck überreichen oder die Summe mit der Post überweisen. Sie erhalten für Ihnare Spende ein schönes Abzeichen.

Alle prallen vor ihm zurück.

KÄTHE: Schweigen Sie! Seinds fesch!

RESI *kommt mit Nahrung*: Der orme Mo! Gonz verhungert is er schier! Kommens mit, i geb Ihna a Jausn!

KÄTHE *haut Resi Ohrfeigen runter*: Aussi! Aussi! Bosnigl!

ALPENKÖNIG: Ihnare Entgleisungen schaden Ihnen mehr als sie nutzen. Tun Sie nun endlich eppes fürs Österreicherlandl!

KÄTHE: Pfui! Fort mit dem flennenden Hudriwusch! *Sie geht auf ihn los, versucht ihn hinauszudrängen!* Pfui über dich, du Tor!

ALPENKÖNIG *wehrt sich*: So seinds doch gscheit! Ich arbeite an Ihrer Biographie! Passens auf! Wie leicht is wos gschehn!

KÄTHE: Aussi! Aussi! Aussi! Lumpenkerl!

ALPENKÖNIG: So wortens doch, wos in Ihnara Biographie olles drinnenstengan wird, wos man hernoch freilich sogleich wieder vergessen wird! Bagasch!

ISTVAN: Lumpenhund! Vaterlandsverräter!

KÄTHE *singt*: Brüderlein fein, Brüderlein fein, einmal muß geschieden sein! *Sie wirft sich gegen den Alpenkönig, der fällt gegen seinen Kahn, beides taumelt, wankt, kracht.*

ALPENKÖNIG *in Not*: Holten Sie ein, gnä Frau, holldero. Ich bin Ihnare Biographie! Mich wird man genauso vergessen, nebstbei bemerkt. Au!

KÄTHE *schlägt auf ihn ein, einiges gerät ins Wanken*: Wos sein Se! Wos sein Se!?

ALPENKÖNIG: Au! Mir sein mir! I bin i! Au!

RESI *hält Käthe von hinten fest. Gerangel*: Gnä Frau! Gnä Frau! Jeschuschmaria! Tuan Se sich nicht versündigen! Der Herrgott siecht Ihnen zu!

SCHORSCH *raucht eine lange Pfeife*: Wo die Not am größten ist, dir Gott am nächsten ist, wie der Doitsche sogt.

ALPENKÖNIG *ächzend*: Ich bin die Nachgeborenen! Ich bin die Jugend! Ich bin das hohe Alter! Ich bin Österreich! Ich bin die Zukunft!

Istvan und Käthe schlagen ernsthaft und immer heftiger auf den Alpenkönig ein, der beginnt jetzt, Körperteile zu verstreuen um sich her. Kleidungsstücke lösen sich von ihm. Ein Arm löst sich jetzt. Teile seines Gesichts ebenfalls. (Maske!) Das Zeug fällt zu Boden. Während Istvan und Käthe den Alpenkönig demontieren, tanzt Schorsch mit der sehr widerstrebenden Resi eine Art Ländler, Schorsch singt dazu.

ISTVAN *hält kurz inne, schwer atmend*: Ui jegerl, is des a Hetz!

SCHORSCH *keucht*: A Hetz muaß sein! So glocht hamma nimma seit dem Anschluß!

ISTVAN *keucht*: I ko scho neamma! Ui, is des a Gspaß!

SCHORSCH: So gschrian homma nimma seit dem Heldenplotz.

ALPENKÖNIG *ohne Arm, mit glatt bandagiertem Gesicht ohne Nase und Mund*: Der bessere Teil Österreichs braucht Ihnen jetzt, Kollegen!

KÄTHE: Der redt jo immer no! Aussi sog i! Heerns schlecht, Sie Schlawiner? *Sie stößt den Alpenkönig heftig in Richtung Tür. Der König torkelt, es löst sich aus seinem Armstumpf – oder sonstwo vom Körper – eine endlose weiße Binde Verbandszeug, die stark blutbefleckt ist. Im folgenden wird der Alpenkönig von den Brüdern und Käthe so heftig herumgestoßen, daß sich die blutige Binde immer mehr abwickelt und auf der Bühne überall herumliegt.*

ISTVAN *und* SCHORSCH *gemeinsam singend*: Mariandl anndl anndl... aus dem Wachauerlandl andl!... ein nettes Wort von dir ist wie ein Kuß von dir.

ALPENKÖNIG *undeutlich, torkelnd, sich auflösend*: ...Scheint die Sonne noch so schön... einmal muß sie untergehn!

KÄTHE: Falott! Krambambuli! *Sie ergreift einen Schürhaken, schlägt auf den König ein, der fährt sich mit dem Arm über die Gesichtsbandagen und verschmiert das Blut im Gesicht.*

ALPENKÖNIG *undeutlich*: Hier ist gut ruhn! Eine klare Quelle, ein Trunk kühlen Wassers, und schon geht es mit frischen Kräften vorwärts. Grüß Gott. *Er wird niedergeschlagen.*

KÄTHE: Gigerl! Krispindl! Schlawiner! Wiener!

ALPENKÖNIG *undeutlich stammelnd*: Hier bin ich Mensch, hier darf ichs sein. *Er wird von Käthe geschlagen und schreit auf.*

ISTVAN: Es wird nichts so heiß gegessen wie gekocht.

SCHORSCH: Es ist noch nicht aller Tage Abend.

ISTVAN: Frisch gewagt ist halb gewonnen.

Alpenkönig schreit laut.

KÄTHE: Weißt du wies am besten schmeckt? Frisch gekocht und rein gedeckt!

SCHORSCH: Der Ausländer wird anlassig!

KÄTHE: So gebietets ihm doch Einhalt, Burschen!

ALPENKÖNIG *klangvoll, wenn auch etwas atemlos*: Geben Sie Gedankenfreiheit!

Lachkrampf von Käthe und den beiden Brüdern. Sie fallen einander atemlos vor Lachen in die Arme, Käthe lacht sie liebevoll aus.

KÄTHE: Burschen seids gscheit, seids staad! Seids Idealisten!

Der Alpenkönig will flüchten, aber die beiden Männer versperren ihm den Weg, der König tropft Blut um sich herum. Als der König noch einmal hochkommt, wirft sich Istvan auf ihn und ringt mit ihm auf dem Boden. Dabei beschmiert auch Istvan sich kräftig mit Blut.

Käthe betrachtet den Alpenkönig: Rotzfrech, der Lümmel! Aber aufgeweckt.

SCHORSCH *betrachtet die Kämpfer*: Mecht mer gor net glauben, daß der a Jud is.

KÄTHE: Mecht mer ihm net ansehen, wenn mas net wissert.

Das Bündel Alpenkönig liegt still da.

SCHORSCH: Brav sein, gscheit sein, Steigbügelhalter sein!

ALPENKÖNIGS STIMME *vom Tonband*: Ade, ade! Scheiden tut weh.

SCHORSCH: Er stemmt sich immer noch gegen die Mehrheit. *Er reißt Stücke aus dem Alpenkönig heraus und wirft sie wie abgenagte Knochen hinter sich, demontiert das Menschenbündel.*

ALPENKÖNIG *vom Band*: Hast für mich wohl keinen Sinn, wenn ich nicht mehr bei dir bin. *Singt.*

SCHORSCH *tritt ihn*: Jetzt tuans mir zuhurchen. Weils mir gor so derbormen. *Singt:* Geb zehntausend Taler dir, alle Tage bleibst du bei mir!

KÄTHE *gellend*: Nein! Tue es nicht! Mann, Bruder, Freund!

SCHORSCH: Aus is und guat ist!

ALPENKÖNIG *singt vom Band*: Zeigt sich der Tod einst mit Verlaub und zupft mi: Briaderl kumm! Da stell ich mich am Anfang taub und schau mich gar nicht um.

SCHORSCH: Kusch! Packen Sie Ihnare sieben Zwetschken und dann hinaus! *Er schlägt noch einmal mit der Faust in den Alpenkönig hinein, der reglos liegenbleibt. Schorsch rappelt sich blutbespritzt hoch.*

ISTVAN: Heast, wüüst wirkli für die Lumpn zahln, die wos gegen den Fiahrer stiarln tun?

SCHORSCH: No, wer waaß... in a paar Jahrln... werma sehn, was unser Kriegerl dann so machen tut!

ISTVAN: Geh tua net so schiach!

KÄTHE: Garstiger Bub!

SCHORSCH: Werma sehn, für wos guat ist...

KÄTHE: Resi, begleite den Herrn hinaus!

Resi eilt herbei, steht den Menschenresten aber hilflos gegenüber. Sie kommt in der Folge mit ein paar Bogen Packpapier zurück, in die sie den kaputten Alpenkönig verpackt. Sie kehrt mit dem Besen das Verbandszeug zusammen. Die Brüder zerlegen inzwischen die Gondel, falten sie klein zusammen, beseitigen sie gründlich.

ISTVAN *arbeitend*: In ein paar Jahrln is entweder Sieg Heil oder Mathäi am Letzten!

SCHORSCH: Werma nochat scho sehn!

KÄTHE: Die Zeit heilt alle Wunden.

SCHORSCH: Auch wenn man keinen Kreuzer im Sack und einen Mordsdurscht hat!

Die Brüder entfernen das Gefährt. Resi kämpft mit den Resten des Alpenkönigs. Käthe, die kurz draußen war, kommt mit einem netten Stubenmädchen-Handfeger wieder herein und säubert spielerisch etliche Überreste, wie im Film.

KÄTHE: Is er weg, der Falott, der dreckate?

SCHORSCH: Der Kollege ist bereits abgetreten, Schwägerin.

KÄTHE: Der Strizzi, der! Loßts mi endlich mein naichen Füm weita dazöhln: Oiso: I steh do, net wohr. Und der blasierte Mo schaut mich on, als ob er mi zum erschten Mal siagt. Er is oiso ein beriehmter Moler und sokt, du mei, er möchte mich einmal oiso nackt sehn net wohr und malen. Der odrahte Lump, du mei!

Resi zerrt das Paket Alpenkönig an den Schnüren hinaus, eine Blutspur zurücklassend.

SCHORSCH: Das gschamige Madl. Die Nudel. Die Budel. Kainz!

KÄTHE: Der Feschak loßt mich sitzen. Er tarockiert und raucht Virdschinia. Das Reserl bringt jetzt das Kompott. Kompost! Kompost! Dies zum Trost! *Sie tritt Resi, als diese hinausgehen will, wieder kräftig in den Hintern, so daß diese förmlich hinausfliegt.*

Käthe ohrfeigt grundlos Mausi. Eine Mutter hat man nur einmal! Wien, wie es singt und lacht. Wien, wie es klingt und kracht. Und wer kriagt keinen Vanillipudding? Na, wer? Richtig: die Putzi!

PUTZI *lamentiert*: Mamsch! Papsch! I hob do gor nix gmocht! Gnade!

KÄTHE: Einer Mutter tut man nicht widersprechen als Kind.

SCHORSCH: Siegeskleid! Wiechert! Weinheber! Rökk! Rökk!

ISTVAN: Juppi! Joppe! Nocke! Jucheissassa!

KÄTHE: Es kneift die Geiß, es seift die Dirn, es gneißt der Hans Moser a Kaiserbirn.

ISTVAN *unterbricht eifrig*: Kinderarzt Doktor Gschmeidig! Ech singe ein frisches Lied. Und die Kinder, die was um den Tisch umadumhockn, haun mit eahnare Löfferl auf eahnare umdrahten Blechtatzerln.

SCHORSCH: Genau! Aber zerscht muß das Kind aufgegessen haben, bevur es sein Tatzerl umdrahn derf.

ISTVAN: Hui! Ui Jegerl! Spritzerl ins Venerl! Benzin! Gasi! Gassigassi mitm Hundi!

SCHORSCH: Mir treten in ainer Sondervurstellung vor die zurickgebliebenen Kinder in Glanzing auf. Damits a letzte Fraid haben! Bevurs abgspritzt wern.

ISTVAN: Oder am Spiegelgrund! Da wird man nimmermehr gesund! Jawull! Singen derfens noch a Liaderl! Jene Patschachter, die oamen gaistigen Kripperl! Jede Muatter tat rearn.

KÄTHE *klangvoll*: Schweig! Stille, stille, kain Geraisch gemacht.

ISTVAN: Zeit der Reife.

SCHORSCH: Losts zua! Aber vurher derfens noch mit dem Kinderarzt Doktor Engerlmacher ain scheenes Gstanzl singen, de Gstermln! Wie geschwind sie es aufgegessen haben, jenes letzte Grieskoch vor der großen Ewigkeit! So schnö konn ma got net schaun! Des Grieskoch vor dem letzten Obschied. Och jo...

ISTVAN: Is eh traurig... I hob amal an Vattern gspüt, der wos net weiß, wofür man leben tut. A schöne Rolln! Er erfohrt es bold: fier Daitschlond! Kotzseidank, es war nur der Nazl. Der Schneider Nazl. Köck! Köck! Greisengestalter von Knechten und Vorbild für viele! Schnitter! Kollege sein! Mitbauen derfen!

KÄTHE: Wie gerne verkleidet das Kind sich schon! Wir haben den schönsten Beruf der Welt erwählt.

SCHORSCH: Oba Schluß itzo mitm monarchistischen Gschlader! Schluß mit die scheenen Uniformen! Mir missen itzo ein daitsches Filmerl mochen. Einmal verbrannte eine sehr begabte Soubrette unter einem herabfallenden brennenden Scheinwerfer. Ui jegerl!

ISTVAN: Aus is aus und Schnaps is Schnaps.

Käthe springt jäh auf, setzt sich Istvan auf den Schoß, wippt dort.

KÄTHE: Klang aus Menschenhand! *Ergibt sich Istvan.*

SCHORSCH: Gehts hörts auf! Nackerpatzerl! Blunzen!

ISTVAN: Erst wanns aus wird sein mit ana Musi und an...

SCHORSCH *unterbricht*: Gspusi! Dos miassen mir jetzt a weng aufgeben, sunst steigen die uns in Berlin aufs Doch und mir hom den Scherm auf. Juppeidi juppeida.

Resi kommt mit einer Platte Gebäck und Likör herein. Käthe stürzt auf sie zu, reißt Resi die Platte aus der Hand, daß alles herunterfällt. Die Kinder balgen sich am Boden kreischend darum.

KINDER *durcheinander am Boden*: Jööö! Die scheenen Kipferl! Fein! Mmmmhm! Guat! Ganz dreckert sans. Kannma aba no essn!

KÄTHE *stürzt hin und trampelt auf dem Gebäck herum, es pulverisierend, sie macht mit den Kindern ätsch zu den Kindern*: Schleckerpatzi! Schleckerpatzi Ätsch Ätschipetsch! *Trampelt.* Und wenn die schlimme Theres jetzt die Kipferl net sufurt zusammenräumen tut, darf sie den Girtel von der Mutti einmal auf ihrem verlängerten Rücken probieren. *Sie sucht nach einem Gürtel, trägt aber keinen. Seufzend zieht Istvan seinen eigenen heraus aus der Hose und reicht ihn ihr mit einer galanten kleinen Verbeugung.*

ISTVAN: Gnädige Frau, Eheweib, ich bin so frei.

KÄTHE *kleinmädchenhaft*: Ui jegerl. Handibussi! Handibussi! *Schwingt ihren Gürtel nach Resi. Resi flüchtet quiekend.*

Käthe gellend: Mein Salzburg! Mein Gretchen! Mein Reinhardt! Jud ölendiga! Pfui Deufi! Neige du Schmerzensreiche.

SCHORSCH: Pfui! Drückeberger! Vaterlandsverräter! Judenbengel.

KÄTHE: Ich treibe Schabernack und trag die Putzi huckepack. *Tut es. Singt.* Im weißen Rössel am Wolfgangsee! *Sie zwickt Putzi auf ihrem Rücken und tritt gleichzeitig Resi am Boden, die kniend dort sauber macht.*

Käthe, während sie ihre Tochter und Resi malträtiert: Ein Quälgeist bin ich doch immer gewesen, wenn ich ehrlich bin. Erfreute und ärgerte gleichermaßen Eltern wie Erzieher in der elterlichen Fleisch- und Selchwarenhandlung. Irrwisch, der ich war. Alraune! Hopsassa dirallalla!

ISTVAN: Kapellmeister, einen Walzer, wenn ich bitten derfte!

KÄTHE: Wildfang! Wildgans! *Sie beginnt, wild mit Istvan herumzuschmusen.*

KINDER *durcheinander*: Neet! Aufhörn, Papsch! Mamsch! Durten is das Loch, das was der Zimmermann gelassen hat!

Schorsch *gütig*: Das Kaffeetscherl, das Marietscherl, das Flitscherl, das Kipferl, das Zipferl, das Zumpferlund das Vogi.

Istvan *halb erstickt unter Käthe*: Wohlan! Das Spiel kann beginnen!

Käthe: Horch was kommt von draußen rein? Hollahü hollaho! *Tritt Istvan jäh und unerwartet zwischen die Beine. Der krümmt sich, stöhnt.*

Schorsch *kopfschüttelnd, gütig*: Fei net zum Glaubn, fei net zum Sogn. Drei Kinder und no imma net trocken hinter die Uhrwaschln.

Käthe: Freund und Mann! *Kümmert sich um den sich krümmenden Istvan.*

Kinder *tanzen um die beiden herum*: Mutter ist die Beste! Mutter ist die Beste!

Käthe *tritt jetzt auch nach den Kindern*: Kniestark futtelt die Natter ihr Gewölle. Der Berg! Der Berg! Sehet hin! So seht doch! Der Berggeist ruft die Seinen! Dorten, am steilen Grat. *Blickt, die Augen beschattend, empor, à la Leni Riefenstahl, hymnisch.* Herr Doktor Mutesius aus Berlin in Bergnot! Rasch! Holt Hilfe!

Istvan *mühsam, sich immer noch krümmend*: Jenes junge Weib ward nach langem Werben meine Gattin. Noch immer ist sie mehr Kind als ihre munteren Drei.

Käthe *spricht leicht gestört*: Das Joch trifft auf den Kacken hauf. Stutzi anziehn! *Sie ergreift eine Kanne mit heißem Teewasser vom Tisch und schüttet wahllos das Wasser auf die Köpfe der Kinder. Lautes Wehgeschrei antwortet darauf.*

Käthe jubilierend: Heißes Kopfi starkfried! Und hastunichtgesehn.

Istvan: Es war sehr schön, es hat mich sehr gefreut.

Käthe *hüpft auf Istvan drauf, der sich wieder aufgerichtet hat*: Rot Zopf! Kotfront! Die Klamm. Die Lawine. Schlawiner! Rasch!

Schorsch: In unsarem nächsten Film derf der tepperte Praiß net scho wieder der Teppate sein!

Istvan: Oba sowas bei uns doch nia net on! Bei unsare Wiener! Nia! Wo doch der Wiener Füm schlußendlich seine scheenste

Bliete erleben tut. Wia nemman mir ihn denn? *Er patscht Käthe schallend aufs Hinterteil. Sie juchzt auf.*

KÄTHE *aufspringend und übertrieben betulich Sachen auf dem bereits chaotischen Tisch ordnend*: Aber geh, Schatzi, sei gscheit! Wäschermaschel waasen die Leichen in die neichen Bl... *Beginnt zu stammeln:* – Zzzu... zu... zu... suu – *angestrengt* – Bettgehn! *Plötzlich klar:* Nein! Dies für die Holzschuher oder die Mayerhofer! Alter Hallodri! Schweinz. Schweinz. I bin a Gustomensch. Gustomensch. *Sabbert. Zerstreut klopft ihr Istvan auf den Rücken.*

ISTVAN: Jawoll, sowas brauch ma. Es zipft mich an, daß der Preuße heutzutage jene Rollen spielt, die was früher die Juden gespielt haben, nämlich das komische Faktotum, den gierigen Theaterdirektor oder den Handlee, wenn er raffert wird.

SCHORSCH: Eben. Trottel. Das darf nicht so bleiben.

ISTVAN *geht in Kampfstellung*: Wie tuast denn mit dein Bruadan redn, ha?

SCHORSCH: Ohne Fleiß kein Preis. Sich regen bringt Segen. Reden ist Silber, Schweigen...

ISTVAN: Was? Weg sans? Wo sans denn? Die Jidn...

SCHORSCH: Ich weißes necht, wo se hingekommen seind. Doch sehe ich sie schon seit längerem nicht mehr.

KÄTHE *vernünftig*: Woos? Weg sans? Geh weida! Wirkli? Ei freilich, ich sah sie lang nicht mehr. Lang lang ists her. Waldgrün der Heimat so duftig und traut. Itzig belästigt das daitsche Weib mit seiner abnormen Ungeschschsch – *stammelt* – itzlichkeit! *Istvan zwickt sie in den Arsch, sie juchzt.* Schleichen sie nicht mehr über die Wiesen und Auen unseres lieben Alpenvorlands? Jene spitznasigen, plattfüßigen kleinen Gesellen? Kraxeln sie nicht mehr, ähnlich den Kasermanndln, jenen flinken Kobolden der Vollmondnächte, die sich nur guten Menschen zeigen, in den Bergen herum? *Mühsam, den Faden verlierend:* Absteifen sie nicht ihre Lieder im Kassenkas? Im Massenkaas? Dann isses ja guat.

ISTVAN: Gleich gibts peitschi peitschi, wann die Käthe nicht anständig schnabulieren tut. Heidschibumbeidschi. *Er will ihr eine schmieren, wirft sie zu Boden, sie wehrt sich kreischend.*

KINDER *durcheinander*: Der Jude und das Christenmädel!

KÄTHE: Goschihalten! Mucksmäuserstaad! Net kalzen! Die Kolatschen net zerstessen zer... kliften!

SCHORSCH: I hob do gonz zufällig a neichtes Bichel einstecken! *Hebt ein Drehbuch in die Höhe.*

KÄTHE *streckt sich hüpfend danach*: A Bichel! Mutterlaut! Ischl! Mechthild! Den fremden Kleib plattern!

ISTVAN: I spü an Magnaten ausm Ungarlond. Oder Trenck, den Panduren! Oder den Strauß Schani vur seine greßten Erfolge. Man ahnt den Erfulg bereits.

SCHORSCH: Ihr spüts daitsche Siedler im Polnischen. Echte polenvernichtungswillige Recken!

Istvan und Käthe geben pantomimisch und akustisch sämtliche Repertoiregesten des Erstaunens von sich.

KÄTHE: Der Fiehrer saß mit zu mehreren von uns scheene junge Schauspülarinnen zusommen! Gesungen und gelacht wurde, der Wein perlte in den Glaserln. Lauwarm wor die Nocht, Limmer und Stieder flogen hin und her, ein Tort gab das ondare. Quoolen, Quellen! No jo und wier es so geht, kimmt der Fiehra auf den Gedonken, er mechte mit den kungeln Schaubrunz... Schauprinz... Schschschaupisserinnen eine Rundfohrt mitm Horch mochen. Geklagt es an. Wir taten dies. Die Haare zogen vom Kopf, Wagen offen. Haut von Schläfe und Schädel. Lampengewimmer. Schirmi. Bravo! Ferne Stiefelbitte. Der Fiehra sagt zum Schofför, bleiben Sie hier, ich eßgier selber. Mondeswürgen. Die Nocht schwieg Heil. Herrlich das Krickel vom Schschsch... würer! Also, wie ich schon sage, mir fuhren, weil der Hörrder zeigt unser... Gewienn! Karlskirche! Dom! Krollkopf! Wieschelmaterial! Menschenmatsch! Über Schleim gings daheim! Kurzum?

SCHORSCH: Bist bold fertich?

ISTVAN: An Bauer spü i net!

SCHORSCH: Mußt aber Bursch, es geht um die Wurscht.

ISTVAN: Hohe Pflicht. Doktor Karl Engel, Arzt und Helfer.

KÄTHE *mühsam*: Dürnkr... ut. Verbliahn tuuut... Blut! Bluuut! *Will deutlich etwas anderes sagen, kann aber nicht.* Blüh... Bliahrot vergerbte sich der Pfosten... pforzen! Osten! Das

Supperl. Frenetisches Gestüt mit Tritt und Tat. Bäuschel... nett! Bay... ern isshier nicht, sagte der Fiehra, Bajo... nett! Wien ist hier. Weana Kompost. Kompo-nist! Komponistenhaube. Eine Rosenlaube in der Vor... platt. Bleiben Sie, ich fahre selber. Ich zzoige diesen Schaukillerinnen... den Karlschweller... den Stefanskogel... Naja. Kannmanixmachn.

ISTVAN: Auf einem weißen Hengst tu ich reiten. Die einsame Birke.

SCHORSCH: Die Kinder miassen in dem Füm a weng gresser sein, miassen holt sagen kenne, was der slawische Mensch ihnen antut.

ISTVAN: Das Katherl reißt das Kind aus dem Bette und schreit: Mein Nesthäkchen, was haben sie dir ongeton!

KÄTHE: Mausi, komm her do! Weinen, gell! Oiso los!

ISTVAN: Brav. Sehr brav. Kind.

SCHORSCH: Die Mutter fahrt zu anara schweren Operation ins Spital.

Mausi lacht meckernd auf und kriegt eine Ohrfeige.

ISTVAN: Mir werden dem Kind schon zeigen, daß man die eigene Mutter, die im Sterben liegt, nicht auslachen tut.

SCHORSCH: Wann i denk, was die Röckling und der Schnuppi vadient hoben nailich bei ihnarem Auftritt im Kazett. Stacheldraht und Suchscheinwerfer gaben eine reizvolle Kulisse ab für ein menschliches wie kinstlerisches Ereignis. Knackwurscht!

KÄTHE, *Burgtheaterton*: Die herrlichen Wiener Menscheln! Limonad. Drüsenausscheidung. Auf der Flucht valier ich olle meine Kinda am Bahnhof, weilse sich a Limonad kaufen wolln. Krowoten heats! *Sie schreit.* Krowoten herhörn! Kißdihond geschwier! *Jodelt.* Hollodero! Kinder! Geschwindig! Der Wind der neuen Hiasl unter die Hiesigen... Ausse! Ausse! Nicht Platz hier. Brav einschlafen. Fischer von Erlach hinrichtete diese schiache... Kkkolik... diese Kkkkkerippe!

SCHORSCH: Es gibt eben sulchene und sulche.

ISTVAN: Bagasch! *Zu den Kindern:* Brav einschlafen, und der Teddy geht mit. Und der liebe Gott bewacht: s'Kracherl, s'Handibussi. Nicht juchazen! *Ruft:* Jugendbewegung! Jugendbewegung! Hausmannskost!

SCHORSCH: Der Schnitter messert. Helfen Sie einer daitschen Mutter bitte!

ISTVAN: Der Pole vernichtet mindestens vier junge Leben.

KÄTHE *schreit getragen*: Der Nachen! Der Nachen rollt ieber den Fleck Erde hinweg! Der Fleck muß weg! Fährmann, holüber! Fährmann, holüber! Willfrieds Willkür. So ein neidiges Getreide. Die Sonne gehet auf! Die Haare der Sssssauschädlerinnen flatzern. Ssauschlitzerinnen!!

SCHORSCH: Volkswut rächt flugs das Morderl. Hastunichgesehn.

ISTVAN: Das geniegt vollauf. Das Salzkammergut. Die Wallfahrt. Die heilige Muttergottes. Mariazell!

SCHORSCH: Der Behm... pfui Deiwi, is der schiach! Jetzt zeigt er sein Antlitz. Zuckzuruck! Ruckzuck! Der Glück im Winkel. Das Marterl.

KÄTHE: Kurzundgut. Wir zerreiten dem Führer einen unverhäßlichten Atem. Der Abend der Geblutigkeit... Willi! Die Kirche wirft Knie an Knie einen Natternschatten... ein Kkkk... ompostgesundheits... Menschenhetz!!

SCHORSCH: A Hetz muaß sein! Sonst gengan die Leit net ins Kino.

KÄTHE *ekstatisch, Burgtheaterton*: Dung! Dung! Dung! Karls Dung. Franzens Dung. Adolfs Dung. Gedüngte Hhherde. Lllleicheln unterm Baam. Marod... Krowot... Ttttorsch... Schschschood daß Ttttttortn! Tuatn. Henriette. Lavendel. Buxbaam. Morrrrdenrot! Junger Tutter! Hinreise. Au! Au! Auschschwww... Schwester! Geh Pepperl, plausch net!

SCHORSCH: Geh gib a Ruah, heast! *Er schlägt Käthe kurz und rasch zu Boden. Sie fällt um und bleibt liegen.* Feme! A so a Festivität! Des dumme Dingerl. Fein sein, beinonder bleibn. Patscherl! Krischpindl! Tschapperl! *Burgtheaterton:* Heimat! In Tau und Gunst! Hollero. Die Gemse. Der Steinbock. Der Adler auf der Klippe Horst. Der Hecht in der Tiefe. Das Huflattichblatt. Der Kogel und der Mugel. Das Tier der Heimat. Kümmert sich der Bauer net ums Reh, geht der Wildstand net in die Höh. Der Hirsch im Tann. Der Himbeerschlag. Der flinke Schas. Das Tier der Speimahd. Die unermeßliche Freue. Die

Heerschau unter all den Besenheiten. Das Dreckerl Erde. Meister Rotrock, der schlaue Fuchs. Meister Petz in den dunklen Fruchten Kärntens. Eichelhäher du, mein alter Freund! Lerche hoch im Katheter schwebst. Satte Wiesen, Pinzgau! Vergessene Wildplätschen in den Schwuchten Pirols. Bekenntnis zum Erbe. Jager mit dem treuen Gefährten. Aufatmend auf den Flitze stützen. Wilderer! Gipfel! Pulverschnee, stiegend und quallt. Kühner Schifahrer! Der Bursch und das Bägel. Das Dorfgasthaus. Das fröhliche Beisammensein. Schnurren und Sprüche. Schnaderhüpfl und Sprenzel. Das erste Du. Ringstraße! Wien Wien nur du allein. Frohes, arbeitserfülltes Blasten und Fratzen. Fleißige Menschen. Fabriken. Büros. DIE FRONT. Wo der Blick sich erst weitet. Frühtau auf dem Kacker. Das Feld. Die Ähre. Das Brüchserl, das knallt. Das Rebhuhn, das fallt. Die EHRENSCHNEIDE. Der Nahrungspreis. Fleißige Rägde und Flechte. Das Volkslied. Die Großmutterl am GASUNGSOFEN. Schnurren und Märchen. Fliegen und Lapperln. Die Petroleumlampe. Hände die viel geschafft haben. Schwielen auf zarter Hand, die einst Zeige spielte. Das Erntehelfen. Das schalkhaft blitzende Auge. Das Kleinste im GESCHOSS der Mutter. Minka, die Hauskotze auf dem Fensternett. Das Gnadenbrot. Die majestätische Kracht. Der Rehrock. Der Ländler. Wo habt ihr dessengleichen schon gesehn? Schaut ringsumher, wohin die Kricke sich wendet, lachts wie dem Bräutigam die Ungeschaut entgegen! Mit hellem Wiesengrün und STAATENGOLD, von Lein und Wammern gelb und blau gefickt, von Blumen süß durchwürzt und schnellem Gehaut...

Immer mehr auf «Burgtheater». Käthe liegt groggy am Boden. Schorsch und Istvan setzen sich jetzt kleine papierene Steirerhütchen mit Federn auf und tanzen zusammen eine Art Ländler, sie wechseln sich jetzt ab und wechseln auch jeweils die Arme, in die sie sich einhaken.

Schleift es in breitgestrecktem Wanderfraste hin.

ISTVAN: Ein voller Blumenstrauß, so weit es schweicht.

Musik, etwa 3. Satz aus Mahlers Erster. Falsche Rustikalität!

SCHORSCH: Vom SILBERBRAND der Donau rings umkunden!

ISTVAN: Hebt sichs empor zu Hügeln voller Seim.
SCHORSCH: Wo auf und auf die goldne Traube sengt.
ISTVAN: Und schwellend reift in Gottes Sonnenbranze...
SCHORSCH: Der dunkle Spalt voll Jagdlust krönt die ALPENSCHANZE.
ISTVAN: Und Gottes KAUERSCHLAUCH schwebt drüber hin...
SCHORSCH: ...und wärmt und seift, und macht die Hülsen schlagen.
ISTVAN: Wie nie ein Huls auf kalte Klippen krägt.
SCHORSCH: Drum ist der Österreicher sang und klank...
ISTVAN: ...trägt seinen Fehl, trägt offen seine Greubeln.
SCHORSCH: Bekleidet nicht, läßt lieber sich besteigen.
ISTVAN: Und was er tut, ist froher Wuts getan.
SCHORSCH: 's ist möglich, daß in Sachsen und beim Latarakt es Leute gibt...
ISTVAN: ...die mehr aus Büchern AASEN.
SCHORSCH: Allein was nottut und was Klotz gefällt.
ISTVAN: Der klare Blick, der offne richtge Zugewinn.
SCHORSCH: Da seicht der Österreicher hin vor Samojeden.
ISTVAN: Denkt sich sein Teil und läßt den Großsulz reden!
SCHORSCH: O gutes Gland, o Vaterland!
ISTVAN: Verrottend zwischenem Kind Italien und dem Spengler NACKTBRAND...
SCHORSCH: ...liegst du, der wangenrote KLÜNGLING da...
ISTVAN: Erhalte Gott dir deinen LUDERSINN.
SCHORSCH. Und eingriffe gut, was andere versargen!
Sie tanzen weiter. Langsam Vorhang.

2. TEIL

Vier Jahre später, 1945. Knapp vor der Befreiung Wiens durch die Rote Armee. Istvan und Käthe sind zunächst mit Handschellen aneinandergefesselt. Käthe ist aufgelöst, ungepflegt und desolat, wie betrunken. Sie trägt ein heruntergekommenes, aber sehr auf-g'mascherltes Abendkleid im Wiener Wäschermadl-Stil. Große

Tupfen. Dazu Schleife auf dem Kopf und Spitzenschürzerl. Unordentlich.

Eine Zeitlang bleibt die Bühne leer, dann tritt, verstohlen und gehetzt, verängstigte Blicke um sich werfend, Therese auf. Sie schleift das Burgtheaterzwergerl hinter sich her. Der Zwerg bibbert, fürchtet sich.

RESI: Kimm eine do! Kimme eine! Geh her do! Se seind nicht do. Se seind ausgegongen. Vielleicht geradewegs zur Himmelstür. Fier den Schauspüla ist das Biehnenportal der Schauspülahimmel.

ZWERG: Net faseln! Net spintisiern! Verstecke mich, bevor sie zurückkehren, die Kollegen, die Rotzegeln! Die Kunstschnalzer!

Resi schleift den Zwerg hinter sich her. Ziellos, hierhin und dorthin.

RESI: Wo ist ein Verstecker, welches mir noch nicht gehabt haben?

ZWERG: Schnöö! Tummel dich! Ungustel!

RESI: Im Kosten worst schon, und unter mein Bett aa. Ungebärdig tu ich mich herumschleudern und an die Ecken anhaun. Au! *Stößt sich den Ellbogen.* Auweh! A ledernes Wamserl tat mir jetzt gut.

ZWERG: Unter dein Bett aa... ein schreckliches Erlebnis, fürwahr. So ein grauslicher Blick. Ein Fleischerl, das durch die Bretter quillt. I bin a wilder Bua, aber manchmal brauch sogar ich meine Ruah.

RESI: Ob ich es vielleicht mit diesem Büffet versuche? Es sieht recht vertrauenerweckend aus. Sei net so schiach zu mir! *Untersucht das Büffet.* Birnderl! Wann i di so anschau... verhacktes Gewächs! Schmeißling! Kohlweißling!

ZWERG: Alles ist entschieden besser. Nur nicht die körperliche Vernichtung durch den braunen Spuk. I bitt! I bitt schön! Ich wandle auf Freiersfüßen. Seind schon ganz verwandelt, meine oamen Fieße.

RESI: Oams Zwergerl, oiter Mime, der wos so begobt wor, bis er rein nicht mehr zum Verwenden wor. Jojo. Ausgedinge! Aushäusel! Zuchtrute in der Hand von Erdmute. Der Wiener ist halt manchmal koben, und dann ist er wieder ganz blunzen.

ZWERG: Ich bin freilich mehr kleinwüchsig als Wiener.

RESI: Oder vielleicht durten in dera oiden Standuhr, die wos dumpf die Stunden schlogt? *Rüttelt zweifelnd an einer riesigen Standuhr, öffnet probeweise das Türchen, begutachtet sie ausführlich.*

ZWERG: Nehme keine unnetigen Risiken auf dich, Theresia, liabs Kaiserwaberl! Weiberl! Nicht solchene Kicherheiten, die winsche ich nicht. Deine braune Herrschaft, was einmal meine Kollegenschaft woren, teetet dich und mich ohne viel Federlesens. Singsang, klingklang. Bimbam schlägts Uhrl dem Ahndl.

RESI: Höre ich da gar nichts? *Legt pantomimisch die Hand hinters Ohr und lauscht heftig.* Noin. Ich woge und webe, doch kein Laut regt sich im Walde. Handiklatschen konn jedoch nix schaden. *Tut es.* Auch herumwuseln kann nix schaden. *Huscht herum.* Lauschen ist angebracht. *Lauscht pantomimisch.*

ZWERG: Tua endlich weida, Resi! Du bist doch Marienkind.

RESI: Die Menschen stoßen dich leicht aus ihnara Mitte! *Klagend:* Aber sie holen dich nicht so leicht wieder zuruck. Kimmt gonz drauf on, wo du bist. Je weida je gscheida. Das Getreide steht herrlich. Es erstrecket sich in Augenreiche soweit das Blickerl zuckt.

ZWERG: Spiel mir auf deiner Zaubergeige! Oder kunstpfeife etwas!

Sie hören beide zugleich ein Geräusch draußen und rasen hektisch herum, auf der Suche nach einem Versteck. Resi schleift den Zwerg hinter sich her.

RESI: Hier hinein! Rasch! Beeile dich, Zwerg!

ZWERG: Zwerg, verschwinde! Bist ein hübsches Mädel, Resi, und gesund hoffentlich! Ich wollte, ich könnte dasselbe auch von mir behaupten!

Sie schiebt ihn schließlich ins Büffet, er klettert ächzend hinein, sie kann das Büffet gerade noch im letzten Augenblick hinter dem Zwerg schließen, da tritt auch schon Istvan mit Käthe auf, beide mit Handschellen aneinander gefesselt.

ISTVAN: Nanu, Theres, verbargst du uns was? Etwas Tand? Etwas

Gwand? Ein Zeugerl? Oder gar einen Krauter? Oder vielleicht einen jungen Tutter? Einen Springinsfeld? Es wird doch nicht etwa ein Hollodri sein, nein nein!

RESI: Ich verbarg nichts. Nicht Schwarz unterm Nagel!

ISTVAN: Ich bin der beste Tänzer, der beste Reiter, der erste Kavalier! Nichts Besseres findst du net aushäusig. Drum sage flugs die Ergebenheit auf!

RESI: Ich bin gonz ergeben und sehr ergiebig, deswegen follt mir ein: Winschen Sie wos, gnä Frau? Ein frisches Kaffeetscherl eventuell?

KÄTHE *gellend*: Nichts! Jetzt gehörn die fünf Joch uns! Gellja! Sag an, Bub! Windbolzen!

ISTVAN: Kusch!

KÄTHE *gellend*: Hörst dus klingen, hörst dus singen? Das ist mein Lied. *Singt.* Hörst dus klingen, hörst dus singen? Das ist mein Lied!

ISTVAN *hält den Handschellenschlüssel hoch, Käthe hüpft danach, sie kann ihn aber mit der anderen Hand nicht erreichen*: Schlekkerpatz! Schlepperkatz! Ongeführt, mein Weibi. Hier ist der Schlissel zu deiner Kammer. Schließ ab, sage ich schroff, sonst schliaff i glei eini! Schlongen auf der Schwölle.

KÄTHE *gellend*: Spiel mir auf der Geige!

RESI *beiseite*: Dos sokte nailich erscht der Zwerg zu mir, ollerdings beherrsche ich das Geigenspiel nicht zum Vorzeigen, sondern bestenfalls zum Hausgebrauch. Schenieren tat ich mich vurm wählerischen Zwerg, der wos ein Kenner des Wienerlieds ist. *Laut:* Konn ich jetzt gehn, gnä Herr? Weil ich hab was zum erledigen.

KÄTHE *gellend*: Ein Mädel muß mindestens Schamgefüge haben! *Sie schlägt Istvan mühsam, weil sie ja gefesselt ist.*

ISTVAN *schlägt viel heftiger zurück, wirft sie fast um*: Geh wos mochst denn? Haut mi um des Mensch. Pirsch! Mohnnudln! Ungefestigter Sautanz eventuell!

RESI: Oiso ich entferne mich jetzt, gnä Herr, wenn Sie keine Winsche nicht mehr hoben, nicht wohr. Dos Obgehen mocht mir ka Schand net. *Sie geht unter furchtsamen Blicken auf das Büffet ab.*

ISTVAN *tritt Käthe leicht*: Ich warte mit der Ernte auf dich! Und wenn sie verschimpeln muaß. Der rechte Zeitpunkt verstrich elendiglich. Nix wochset mehr nachher.

KÄTHE *weinend*: Dos oame Getreide! Dos hinige Korn! Ja, das können die Herren! Reiten und Schießen! Reiten und Schießen! Ein einfaches Madl kommt unter die Räder. Die Magd wird es bießen missen.

ISTVAN: Bin ich nicht immer gut zu dir gewesen?

KÄTHE *gellend*: Das flichtige Abenteier einer Nocht! Hot mir kein Glück gebrocht! Der Pfarrer spricht es auf der Kanzel, die neidischen Madeln sammeln sich drunter und tuscheln über die Magd. Kirbisch! Unehelich! Unehelich! Schande!

ISTVAN: Tu dich innerlich sammeln, Braut.

KÄTHE: Der Russe besudelt das Burgtheater, fallt mir jetzt ein. Ein Tropfen Wermut durchzuckt mich. Ist es Eifersucht! Neinnein, es ist nicht Eifersucht. Verzicht ist es!

ISTVAN: Aber geh! Zugspirrt is eh scho long!

Käthe rennt plötzlich mit aller Kraft dröhnend gegen die Wand, zerrt dabei natürlich Istvan ein Stück mit, der sich gegen sie wehrt.

Bist teppat wuan? Mensch bleedes! Komm, binden wir lieber die Garben! Bringen wir ein das Korn! *Er will das Büffet aufsperren, es klemmt offensichtlich.*

Resi, die die ganze Zeit über durch einen Türspalt gelugt hat, stürzt herein, reißt Istvan vom Büffet weg.

RESI: Weg do! Weg do! Net Tieren aufsteßen wollen, welche der Herrgott verschlossen halten mechtet, weil mit Menschen dafier noch nicht... schweif... rrreif...

ISTVAN: Ist sie teppat gewurden?

KÄTHE *im Rennen*: Aufmerksamkeit beansprucht der weibliche Schauspüla! Volle Aufmerksamkeit bittaschen! *Sie rennt los, wird gebremst.*

ISTVAN: Haltaus! Zurick! Nix Iebertriebenes, Gewolltes paßt zu deiner großen Kunst, Kathi! Sei nur du söba! Sei nur du söba!

KÄTHE *ringt mit ihm, rennt wieder los*: Fliegen! Uralter Menschheitstraum! Bravo! Bravissimo! Und hoppauf! Holladrio! Soeben erfillt er sich. In der Wiener Vorstodt.

ISTVAN *schlägt sie mit der Faust brutal nieder, sie fällt um und reißt ihn natürlich mit. Sie brabbelt sabbernd Unverständliches auf dem Boden*: Wohltun trägt Zinsen. Ich mechte wissen, warum das Weib so erregt ist. Ihr Atem fliegt, die scheinbare Ruhe triegt. Aufwochen, Weibi, aufwochen fier Daitschlond!

KÄTHE *gellend*: Angst! Angst! Angst!

ISTVAN: Brauchst do ka Ongst net hoben. Der Schorschi hot si's eh gricht. Wieda amol. Dos ist der einmolige Instinkt von oinem oinmaligen Schauspüla. Dieser unentbehrliche Liebling der Wiener sitzt schlußendlich doch noch im Häfen! Das Kind will einen Hänfling retten. Doch der Pole loßt eahm nicht. Dieses primitive Vulk kennt doitsche Tierliebe nur vom Hörensagen. Die Fulge: das Tier verbrennt elendiglich. Pfui Deifel!

KÄTHE *schlägt mit dem Kopf gegen den Boden*: Grausam! Grausam! Was sind die Menschen doch grausam!

ISTVAN *reißt sie brutal zurück*: Wir werden heimkehren! Wozu jammern und fragen. Es wird doch alles gut!

Käthe sabbert.

In unsarem Bette wird unser Herz pletzlich wissen: Ringsum schlagen Millionen daitsche Herzen! Daheim bist du, endlich daheim!

KÄTHE *sabbernd, mühsam*: Bist du endlich heimgekehrt, Reinhardt! Max Reinhardt! Nach Salzburg! Neige du Schmerzensreiche! Zeige die Krätzenleiche! Die Sprachschiebung des Schauspülas.

ISTVAN: Kusch! Speibn! Die Furze Ackers! Der Lehm. Das Mickergras. Gewachsen aus Millionen Herzen. Und ringsum ist struppig ein Dach. Eine Trine davor. Brüte, alte, schwarme Erde Deutschlands!

KÄTHE *klarer, rappelt sich auf*: Das höhere Gesetz in dir, das schwerere. Eben weil es das Schwerere ist. Fritz Maltesius, der Verlobte, stirbt und werdet angehäufelt. Auf Wiedersehen bis zum nächsten Mal! *Sie reißt sich mit der einen Hand ein Seidentuch vom Hals und versucht, sich damit zu erwürgen. Istvan entwindet es ihr leicht.* Das Tuch riß! In der Mitten durch! Wos fong ich jetzt on?

ISTVAN: Auslossen, Weibi! Holte flugs ein! Wann scho der

Schorsch zum Tode verurteilt ist, so will ich doch mein junges Weib beholten. Mir missen uns eigens aufsporen fier kinftige Generationen! Die wollen auch noch ens Burgteatta gengan. Kriegst bald ein Butzerl.

KÄTHE: Jedermann! Der Domplatz. Der Hosenlatz. Der Häuselratz.

ISTVAN: Net Bledsinn reden, Weibi, gell. Mir missen uns vorbereiten. Ihm ein Denkmohl setzen, dem Volksmimen einen Kronz flechten. Mir san doch erschten Grodes mit ihm verwondt. Gfreie dich doch! Mir san mir! Und wia ma sa so samma!

KÄTHE *wimmernd*: Istvan. Laß mich dein guter Engel sein! Brumme nicht, Liebster, Bester! Sei kein alter Brummbär! Sei ein Zeiserl!

RESI: Tan die Herrschoften jetzt bitte in den Salon iebersiedeln, damit ich allhier in aller Ruhe die Kredenz aufraimen konn! Bittaschen!

KÄTHE: Wie tut die Resi schen bitten?

RESI *hüpft mit gefalteten Händen*: I bitt! I bitt! I bitt! I bitt!

ISTVAN: Was schleicht sie dauernd um diese Kredenz herum, fallt mir auf. Dienstbot! Will sie stehlen, Trampel?

RESI: Aber gnä Herr! Gnä Herr! Wos denken Sie von mir? Noch oll den Johren!

KÄTHE *gellend*: Ich habe als Frau die undankbare Aufgabe, deinen Tatenblust zu bremsen. Nämmlich: Die Unsrigen in Daitschlond lossen necht zu, daß mir hier verschlicken und verritten werden! Worte nur, sie kommen! Liebesleute sind wir! Brautleute gar.

ISTVAN: Ieberhaupts erscheint es mir neetich, net wohr, drauf hinzuweisen, Theres, doß in letzter Zeit auffallend viel Nahrung in diesem Hausholt verschwinden tut. Wohin ging sie?

RESI: Wer, gnä Herr? Wen meinen?

ISTVAN *schlägt sie leicht*: Maid! Gfrast! Die Nahrung: Wohin ging sie?

RESI: Ich weiß von nichts, gnä Herr.

KÄTHE *gellend*: Uns Daitschen will man die Zähne ausspercheln!!

ISTVAN *tippt sie mit dem Schuh grob an*: Nix is mit dem Pappenklavier! San eh noch olle drin. Wann i dir doch sog. Der Schorschi werd uns als der ollernaicheste Patriot bei die Russen scho aussihaun!

KÄTHE: Der Schorsch werd die Waagschale nach unten dricken!

ISTVAN: Genau. Analphabeten sind sie.

KÄTHE: Ongst! *Schreit:* Ongst! Ongst! Schwieriges Gespinst!

ISTVAN: Jetzt hob i dirs scho hundertmal erklärt. Gurken. Quargel!

KÄTHE *versucht plötzlich, sich die Pulsadern durchzubeißen*: Naa. Ich vertraue nur auf mich söba. *Beißt.* Au! Auweh! Tuat weh! Is oba neetich. Wo ist die Stimme, welche die gonze Wölt herausschreit aus ihrem Todesschlof?

ISTVAN: Kaasgraben! Kredenz!

Resi erschrickt.

Kolatsche! Krispindl!

KÄTHE *gurgelnd*: Diese Stimme ist Daitschlond!

ISTVAN: Heast, spinnst, nix Aderl aufbeißn, gö! Der Russ wird jo glauben, wird jo glauben miassen, mir hom Lüster am Hecken, net wohr. *Schlägt sie.*

KÄTHE: Tuat weh! Tuat weh! Auweh!

ISTVAN: Nur den Mut net sinken lossen! In daitscher Herde hofgastein, aber nur, wann der Russe wirklich kimmt. Donn zeigen wir ihm, wos mir in der Zwischenzeit gemocht hoben. Nämmlich wurde ich unter Max Reinhardt der beste Jedermann! Jawull!

KÄTHE: Aus unsarem Herzen wachset ein Rebstock hinaus in die daitsche Klust. Herb und siaß. Teire Heimat, sei gegrießet! *Singt:* Teire Heimat, sei gegrießet!

ISTVAN: Auch ich grieße die taire Heimat von Herzen.

KÄTHE: Doch itzo tut sie ihr Antlitz verstecken, der Russe möge gefälligst verrecken! Hunnische Horden tun der Welt scheenstes Teatta ermorden! Ins Kaffeehaus mecht i wieda gehn! Geben Sie mir bitte ein Schalerl Gold, Herr Ober. Zahlen bitte!

ISTVAN: Wacker. Wacker! Wozu leben meine Jungs?

KÄTHE *kurz vernünftig*: Du host Techta, Manndi. Schmutzian! Falott!

ISTVAN: Nix wor umasunst, wos mir geton hoben. Bliah! Wenn jeder itzo klagen würde. Reißts eich zusammen!

KÄTHE: Herb und siaß. Istvan, schweigst einfach, wenn die Heimat nach dir ruft! Mei Burgteatta, du liabs Häusel du, laßt dich slawischer Ungeist nicht in Ruh? Gleich kimm ich und sag energisch: Ausse! Ausse! Ausse!

ISTVAN: Gratuliere! Alles Jungs!

KÄTHE *schleift Istvan mit zur Kredenz, ist dabei, sie zu öffnen:* Diese Stimme ist mächtig geworden in der Wölt. Auszurotten die Ungeschmächtigkeit! Leider gehts nur mit Stukas und Kanonen. Konnmonnixmochen. Auf wos ondares heern sie necht. Einszweidrei-Zauberei! Wie töricht! Hinein ins Röhricht! *Sie öffnet die Kredenz, bemerkt jedoch in ihrer geistigen Abwesenheit den Zwerg nicht.*

RESI *schreit:* Jessasmaria! Jeschuschmaria! *Kniet vor Käthe nieder:* Gnade! Gnade! Fichtenschonung! Lärche! Lärche!

Käthe achtet ihrer nicht, sondern holt ein Medizinfläschchen hervor. Hält es gegen das Licht wie ein Doktor Mabuse in einem Hollywoodfilm.

Resi sehr leise zum Publikum: Sie achtete des Zwerges nicht. Dieser atmet erleichtert auf: gerettet!

KÄTHE *gellend:* Deutsche Panzer! Sie kommen!

Sie entkorkt entschlossen das Fläschchen und nimmt einen tüchtigen Schluck. Istvan läßt sie zuerst geistesabwesend gewähren, nimmt ihr plötzlich aber doch das Fläschchen weg, schaut, was auf dem Schild steht, erschrickt.

ISTVAN: Bledes Mensch! Ungeziefer! Trampel! Ungetreue Volksgenossin! Drückebergerin! Tachiniererin! Feiglingin! *Steckt ihr den Finger in den Hals, sie erbricht auf den Boden.*

RESI: Wenn der Himmelvatta droben doch nur ein Einsehn hätt! Dann tat er glei obikommen, und ein flottes Gebet tat höffen. *Der Zwerg in der Kredenz gibt jetzt ein ersticktes Husten von sich. Resi erschrickt übertrieben, pantomimisch:* Aus is. Aus is. Ich huste ebenfalls, werfe ängstliche Blicke. *Tut es.*

ISTVAN: Hustete hier wer?

RESI: Ich tat es, gnä Herr. Stecke mir notfalls den Finger in den Hals. *Tut es.*

ISTVAN: Eine mir führwahr wohlvertraute Bühnensituation des a parte-Hustens.

Plötzlicher Erstickungsanfall aus der Kredenz, den niemand übertönen kann, dazu erstickt vom Zwerg: Entschuldigens scho! Entschuldigung bitte...

Istvan stürzt hin und öffnet die Kredenztür: Wos geht durten in dera Kredenz vur? Erstickte Geraische, das is bestimmt a schiacher Bua. Will naschen. Was sehe ich? Ein Griff und scho habe ich ihn, der sich mit List hier versteckte, in dem Glauben, mir erspähen ihm nicht. *Holt den Zwerg hervor.* Jetzt hole ich ihm hervor, und was siach ich? Es ist ein Kretin. Ans Tageslicht mit eahm! Damit er in Gottes schöne Natur speanzeln kann.

ZWERG *höflich*: Grüß Gott!

Alle erschrecken nachträglich. Resi kniet.

RESI: Gnade! Gnade! Töte mich, nicht ihn! Just schob ich ihn in die Kredenz, und nun ist er gar schon wieder hier. Verschone ihn mit deiner Wut! Is ein flottes Zwergerl, is zum Oabeiten zum gebrauchen. Is eh fleißig und geschickt, des Zwergerl.

KÄTHE *uninteressiert*: Meine Kunst gilt vielmehr dem ewigen und einfachst Menschlichen. Dem großen Gemeinschaftserlebnis. Ich verabscheue alles Künstliche und Gemachte wie dies zu klein geratene Wesen hier.

RESI: Herr! Haben wenigstens Sie ein Einsehen! Richten Sie mich hin, doch schonen Sie seiner! Zerdrucken Sie mich, doch nicht eahm. Er singt auch verschiedene Lieder völlig akzentfrei. *Zum Zwerg:* Bitte auch du! Appelliere ans goldene Wiener Herz, damit es dich nicht vernadern oder zermerschern tut!

ZWERG: Net tötn! I bitt!

KÄTHE: Ich betrachte dies Wesen itzo genauer und sehe: Es gibt Gesichter, die sind Heimat. Heimat, sogar im Unbehausten, spiegelt dies Antlitz. Maurus! Komm zu mir, Maurus! Und auch Sie, lieber Mutius, kommen Sie her zu mir!

ZWERG: Liefern Sie mich endlich bei der Sammelstelle ab, doch spotten Sie nicht einer derortig verwochsenen Kreatur! Zeigen Sie dem Russen ein freundliches Gesichterl, Frau Kollegin! So wia es Ihr Publikum von Ihnen gewohnt is, wenn Sie net grad plaazen oder reahrn.

Istvan: Ich sehe weit das gonze Lond, von der Ostsee bis zu die Karawanken, von der Etsch bis on den Belt. Doch nirgends nicht sah ich eine derartig unausgewogene Kreatur in freier Wildbahn jagen. Freilich: a Jaga werd ihm schon efter gesehen haben. Bin jo nur ain Komödiant!

Zwerg *faßt Mut*: Das Krüpperl im Verstecke schlief, die Resi nicht nach der Gestapo rief. Bittersüße Romanze! Zwei Lippen fanden sich. Zwei Herzen schlugen gebieterisch. Sakt der Herr Gauleiter zum Hans Moser: Se kennen mech emmer anrufen, jeden Tog! Ontwortet der Hans Moser: Und was mach ich in der Nocht?

Istvan: Wer nicht nach der Gestapo rief? Ist dies nur ein Traum? Ein Schaum?

Zwerg: Es est metnechten ein Traum! Natierlich der Istvan nicht nach der Gestapo rief. Habe mich geirrt, habedehre! *Freut sich:* Das werd ihm bold nitzen! Worte nur, bolde! Werstes do no derwoaten kennen!

Istvan: Ich muß schon sagen... diese Theorie leuchtet mir ein. Der Resi leuchtet sie allerdings heim.

Käthe, *Situation mißverstehend*: Ich gehörte eahm niemals an, Liebster. Des muaßt du mir glauben. Immer verschloß ich mich scheu. Des Roserl bleibet zua, es is a Ruah! – Geh – *kleinmädchenhaft aus dem Stand hüpfend* – tua mir aufspirrn, geliebter Mann, ich schau auch keine andaren Mannsbülder nicht an! Vor allem nicht dieses... Unnatürl! Diesen Opernläutnant! *Ekel.* Bäh!

Istvan: Kaas. Nix! Wannst dich itzo entschweibst, fallt es schlußendlich auf mich zuruck. Net töttn! Nix abkrageln! Rufen Sie mir auf der Stelle Max Reinhardt zum Telefon, damit ich unter eahm spülen kann.

Resi: Ich konn jetzat nicht zum Telefon eilen, gnä Herr, weil ich muß losen, wos do geschiacht mit mein Zwergerl. 's Zwergerl steht unter meinem Schutz und Schirm.

Käthe: Sie mißversteht, Theres. Sie bedenkt necht, daß sie aufgrund ihrer erblichen Schwachsinnigkeit ebenfalls aufs Äußerste gefährdet ist. Sie verdankt es unserer natierlichen Gutmietigkeit, daß sie noch hienieden weilt.

Zwerg: Net tötn bitte! Net stessen den Knichtelmann!

KÄTHE: Net aufpudeln, Theres, des tuat ma net!

ZWERG: Gestotten... Sie sollen jetzat erfohren, wen Sie retteten. Einen Vaterländer! Und damit retteten die Menschen gleichzeitig einen Wipfel und einen Kipfel.

ISTVAN: Uninteressant... Regimegegner! Sie hoben oiso nicht mit den Wölfen geheult? Damit hoben Sie sich eine Sachertuatn mit Schlag und ein resches Weinderl verdient. Gratuliere! Schamsterdiener!

ZWERG: Das Motiv für mein Verstecken war folgendes...

KÄTHE: Feigheit! Drückebergertum! Pfui! Dem Ruf nicht Folge leisten!

ISTVAN: Maulhalten!

ZWERG: Nicht Feigheit wars, nicht Angst vorm Benzinspritzerl, nain! Ober schon a wengerl Spundus vor die Gasduschen, gellts jo! Is jo ka Schand! I sog wias is.

ISTVAN *unterbricht*: Halten Sie Ihnare Goschen! Nicht vorlaut wern! Des konn ich necht leiden.

KÄTHE: Aufspirren! Tu mir auf, Mann! Humoreske!

ISTVAN: Wirst just auch brav sein? Nun gut, dann tu ich dir sodann aufschließen.

KÄTHE: Vertierte Horden!

ZWERG: Eine begabte Bande! Respekt!

Istvan sucht die ganze Zeit über verzweifelt den Handschellenschlüssel.

KÄTHE: Nimma zuspirrn! Nimma! Wir Wiener Wäschermadl wollen weiße Wäsche waschen wenn mir nur wüßten wo...

ISTVAN *unterbricht sie*: Wirst di itzo nimma wengan Russ umbringen? Jo oder naa?

KÄTHE: Legt der Russe auch alles in Schutt und Trümmer, unser Burgteatta vernichtet er nimma! *Spitzt das Mündchen und gibt Bussi.* Mir werden donn wieder auf die Bretter stehn, die die Welt bedaiten!

ISTVAN: Versprichst es halt, Weibi? Versprichst es? Und es ist ein heiliger Blutschwur! Blutspur! Blutspur!

ZWERG: Oiner Kreatur, die was den Verstond verloren hot, derf man niemols nicht trauen, Kollege. Dos rote ich Ihnen als Kenner der Materie.

Resi: Gib mir ein Zwickerbusserl, Zwerg, jetzt endlich geheeren mir vor aller Welt zusammen. Als Mann und Frau! Jetzt derfen mir es zugeben, daß unsare Hände ineinandergefiegt werden.

Zwerg: Glaubst, mir graust vor gor nix?

Resi: Gatte und Weib. Legaler Zeitvertreib!

Istvan *suchend*: Wo hab i denn die Schlissel hinton? Wo vasteckte ich sie diesmal nur? Weilst auch gor so unvaninftig bist, Katherl! Jetzt find i's Schlisserl neama. Wo is? Wo is?

Käthe *neckisch herumhüpfend, Istvan dabei mitziehend*: Gleich hat er sie! Gleich holt er sie herfür, die Schlüsselchen zu meiner Herzenstür! Und hernach ist es nur ein kleiner Schritt, die Gemieter der Wiener wieder zu gewinnen! Jo, ich hobe sie niemals nicht verloren gehobt!

Istvan: Endlich bist gscheit! Endlich tuast aufmerken! Dein Publikum woatet! Wird dich jo schier zerdricken vur Freid! Wird dich busseln! Wird dich zerquetschen! Wird dich matschen! Just patschhandizsamm machen! *Hat die Schlüssel an einem unmöglichen Ort endlich gefunden, hält sie triumphierend hoch. Käthe hüpft ihnen spielerisch nach.* Do hammas jo! Verstecker homs spüln wolln! Und was kriegt das Manndi jetzt! No?

Käthe *neckisch*: Dem Istvan papp i ein Bussel drauf, denn das is stets der Welten Lauf. Schlingel! Schlingel! Fesches Mannsbüd! *Küßt ihn ab.*

Resi *andächtig*: Jöö! Scheen! Scheen! Gonz aso mochen mirs jetzt aa. Zwercherl! Fix! Gemmas on! Entschädige mich flugs fier die valurenen Jahrln!

Zwerg: Jo Schneckn. Host glaubt, gö! I steh jetz gonz onders do, wo der Russ kimmt. Hob jo net gwußt, doß er faktisch scho do is. Nur a poor Taagln. Bin ich zwar klein, will ich doch nicht überall hinein. Konn oba auch in sehr kleine Öffnungen einischliafn.

Istvan befreit Käthe endlich.

Käthe *befreit im Zimmer neckisch herumhopsend*: Wie eine Lerch im Ätherblau sing ich jetzt, du hast mein Herz und Hirn verhext! Bin ein Zuckergoscherl! *Gellend:* Dank! Dank! Es soll dir flugs vergolten sein, hol nur die Kinder rasch herein! Schlawiner! Kotzknödel! Furznudel!

Istvan will hinaus, da stürzt sich Käthe zum Schreibtisch, holt einen Brieföffner und stößt ihn sich jählings ins Herz, jedoch so schwach, daß sie nur leicht verletzt wird. Das meiste ist nur Theater.

Käthe gespielt ersterbend: Menschenbildner sein! Greeßte Aufgabe!

ISTVAN *herbeistürzend*: Jessas!

ZWERG *und* RESI *zugleich*: Jessas!

ISTVAN *untersucht Kathi*: Is eh nua a Fleischwundn, sunst nix. So a narrisches Weiberl. Des kummt von sulch ana tiefen Aufwühlung durch das Erlebnis «Kunst». Geist und Gemiet effnen sich ganz der Verzauberung des Teattas. Und der große Reinhardt schaut von Amerika aus zua und gfreit si. Floh er doch zu Unrecht, dies Schenie der Biehne. Hätt eh dobleibn kennen, hättmers eahm scho gricht, dem Zauberer der Verwondlung! No jo, so is und so woas, kemma nix ändern... *Zu sich selbst sprechend verarztet er Käthe, assistiert von Resi.*

ZWERG *schlendert inzwischen zwanglos umher*: Ich schlendere umher, ergreife dies und jenes, freue mich meiner neugewonnenen Freiheit. Gibts in Wien a Hetz a Drahrerei, joo, do bin i dabei. *Singt, schlendert.*

KÄTHE *mühsam Besinnung gewinnend*: Ausgerechnet ein schiacher Zwerg bringt mich in meiner geliebten Muttersprache zu mir zurück.

ZWERG: Sie fühlt eben die eigenen Schwingen wachsen. Aus der einstigen Amateurin wird zusehends eine Berufene.

ISTVAN: Genau, Zwerg. A Hetz muaß sein. Kein schlechtes Gstankerl derf sie stören.

RESI: Is eh wohr. Wenn Sie sagen, ich stinke, donn konn ich dazu nur sagen, daß Sie zuerscht bei ihr selbst riechen sollten. Des is erscht a Griecherl!

ZWERG: Still, Resi!

RESI: Na kumm her do! Mei liabs Zwergerl bist eh! *Versucht den Zwerg zu umarmen, der allerdings stößt sie heftig weg.* Nein! Neet! Begreifen dämmert langsam in mir auf: Stessest du mich zurück?

ISTVAN: Hörst, Resi, du werdest auf Anfrage bezaigen, daß der

Zwerch von uns persenlich vor der Eithanasie vasteckt wurde. Viele Jahre long, die ins Lond gegongen sind. Dieser Zwerg muß schlußendlich unseren unieberlegten Polenfüm wettmochen. Und wenns Graz güüt. Dieser Zwerg ist Goldes wert. Nett! Speck! Dreck!

RESI *mit Würde*: Niemals nicht bezeugte ich eine Unwahrheit. Ich muß unsarem gietigen Herrn Pfarrer in die Augerln schauen können. Und diesmal kommt eine Lüge schon gar nicht in Frage, richtet sie sich doch gegen meine ureigensten Interessen als Weib.

ISTVAN: Schweigen Sie, Theres, bevor Sie etwas sagen, was Sie hernach bereuen könnten!

KÄTHE *mühsam, noch groggy*: 1925 stund ich zum ersten Male neben der saftigen Volksschauspielerin Hansi Niese auf den Brettern, die die Welt bedeuten.

RESI *würdig*: Komme jetzt her do, Zwerg, damit mir gehen können. *Sie hängt sich an ihn und versucht, ihn zum Ausgang zu zerren, er wehrt sich tapfer, hat aber natürlich wenig Chancen.*

ZWERG: Net stessen! Net stessen bitte! Net unhöflich sein!

RESI: Kimm her do! Geh weida! Gengan mir!

ISTVAN: Dieser Dienstbot macht sich vor der Herrschaft just lächerlich. *Lacht.* Aber Resi, sehen Sie schier nicht, daß dieser Zwerch widerstrebt? Ich gehe jetzt ausse, um mich, ei potz, nach dem Verbleib meines Bruders Schorsch bei einem Boten zu erkundigen. *Ab.*

RESI: Es ist doch kein Bote necht gekommen. Man hat keine Tierklingel nicht geheert. Annie Rosar! Annie Rosar! Mein Schutzgeisterl! *Sie schafft es tatsächlich, den Zwerg hinauszuschleifen, der lamentiert.*

ZWERG *halb draußen*: Net stessen bitteschön!

Pause. Käthe liegt noch immer ziemlich benommen am Boden. Die Tür geht auf und ihre älteste Tochter erscheint. Sie hüpft freudig erregt herein und trägt ein geblümtes Tüllabendkleid über dem Arm.

MITZI: Mutti, schau, das Rosenknosperlkleidl! Das hot mit doch anno dazumals der Onkel Schorsch gschenkt, ein letztes Vermächtnis! Ein Widerstondskleiderl, das ich in Ehren halten werde. Schau, Mutti! Damit werde ich zauberhaft aussehen und viele Balleroberungen machen! *Die Mutter rührt sich kaum.* Wos host denn, Mamschi? Mein liebes Mütterlein, schlaf doch nicht zum ewigen Schlafe ein!

KÄTHE *mühsam*: Die Mutter tut am Boden liegen und sich nicht mehr in den Hüften wiegen. Die Schand! Nein, die Schand! Ich überlebs net!

MITZI: Geh, Mamschi, sei gscheit! Erscht gestern hab ich gehört, daß uns der Russe von der braunen Knechtschaft befreit. Beim Greißler. Den was der Lueger dazumals noch belobigt hot. «Ich fürchte nicht für diese Stadt, solang sie solche Bürger hat.» So hot er gsogt.

KÄTHE *heult*: Keinen Sterz treiben mit sulchene Sachen! Hoid aus! Pschsch! Was siech i do? Was ist dos? Die Schand! Die Schand! *Gellend:* Mit diesem Sudelkloide kummst du mir nicht ins elterliche Heimatdorf zurick. *Sie zerrt an dem Kleid. Mitzi wehrt sich.*

MITZI: Neet! Aufpassn, Mamsch! Des is für mein erschten richtigen Ball! Ein Walzer muß es sein! Net zerreißen! Net schänden! Net obsichtlich schiach mochen!

KÄTHE *gellend*: Wieviel Stärke und Mut es erfordert, nur auf sich selbst zu hören! Her das Kewand! Schnöö! Nix Rosenknosperl! *Zerrt.*

MITZI: Naa, i gebs net her! Es is a teires Ondenken an den Onkel Schorsch, esterreichischer Patriot und Widerstondskämpfer der erschten Stunde! Helf! Bester der Besten! Treuester der Treuen!

KÄTHE: Wos siecht das Mutterauge hier? Ein böser Kaffeefleck guckt fürwitzig herfür! Weg domit. *Sie reibt an einem unsichtbaren Fleck.*

MITZI *kreischend*: Naa! Net! Geh weida! Gibstes her, narrische Fuchtel! Tepperte Urschel! Hergeben, Mamsch! Du söba host eahm einigmocht, den Fleck, den beesen! Wo isser? Is jo gor net doo! Du söba host dieses Ehrenkleid bedreckt. Mamsch! I siech eahm net! Den Fleck! Ich troge dieses Kleidl im Geist vom Onkel Schorsch. Und jetzt ist es befleckt!

KÄTHE *haut ihr das Kleid um die Ohren*: Und des do? Und des do? Wos is dos? Wos is dos? Wenn das ist kein Kaffeefleck, werf ich den schönen Namen Käthe weg! Wo is der Fleckbenzin? Gleich tut die Mutti den Fleck hier ausputzen.

MITZI *ängstlich nachgebend*: Oba aufpassen, Mamsch! Vursichtig! Behondle dieses taire Ondenken zort, zärter am zärtesten!

KÄTHE *sucht Benzin*: Jugendfrische und holder Herzenston und ergreifende Wahrhaftigkeit sind mein Geheimnis. Mein Weg führte ohn Zaudern auf den Thespiskarren. *Findet Benzin.* Herbtrotzige Keuschheit! Ungebändigte Verliebtheit! Nur wildes Aufbrausen vom Manne als Antwort. *Sie nähert sich mit dem Benzin der Tochter vor dem Kamin. Offenes Feuer lodert darin.*

MITZI: Neet, Mamsch! Vursichtig! Sunst geht die scheene Foab ausse!

KÄTHE: Habs doch gewußt, daß ich den Benzin hier versteckte, als mich mein Istvan mit einem Obstfleck einst neckte. Still, Kind! Schweige! Stille, Stille, kain Geraisch gemacht! *Sie grapscht nach Mitzi, der schwant Übles, sie wehrt sich.*

MITZI: Auslassen, Mutti! Auweh! Loß mi gehn! Sich regen bringt Segen! Arbeit macht das Leben süß. Auslassen! Aufhörn!

KÄTHE *hält eisern fest*: Tue deine Pflicht! *Käthe kämpft:* Was du heute kannst besorgen, das verschiebe nie auf morgen.

MITZI *gellt*: Hilfe! Zu Hüffe! Wos mocht die Mutti do? Hilfe! Papsch! Resi! Zu Hüffe! Aufhörn!

Käthe sprenkelt, ihre Tochter festhaltend, freigebig Benzin auf Kleid und Tochter.

Hüffe! Hüffe! Hüffe! Ist denn keiner da: Hollaho! Schnöö!

KÄTHE *befriedigt*: Was ich sage, scheint unmittelbar in meinem Herzen entstanden, knapp bevur ich es aussprach. Prüfung. Zitternde Freude! Neie Aufgaben! Die Käthe bin ich, einfach nur «die Käthe».

Sie stößt ihre Tochter samt Kleid in die auflodernden Flammen. Im letzten Moment kann sich Mitzi noch zur Seite werfen und entkommt knapp dem Flammentod.

Maurus! Maurus! Hilf mir, Kamerad Maurus! Biograph!

MITZI: Höffen Sie mir, Herr Doktor Mutesius! Bleiben Sie jedoch, wo Sie sind, Herr Doktor Frankl!

KÄTHE: Oasch! Sie entkam. Wo i geh und steh tuat mir mei Herz so weh. *Singt.*

MITZI *schluchzt*: Papa! Papa! Papa!

KÄTHE *resigniert*: Die Tat wurde leider abgestoppt. Das Kind ist mir davongerobbt. Wo ein Ziel, da ein Weg. Der gute Wille gilt fürs Werk.

MITZI: Wo ich mich doch hibsch machen wollte, fier unsaren neuchen Gost. Jedes Mädel beginnt einmol zag, sich hibsch zu mochen.

KÄTHE: Welchen Gost?

MITZI: No angeblich ein Zwerchel! Beese Mamsch! Hot mi so gstessen!

ZWERG *wie aufs Stichwort von draußen*: Net stessen! Net stessen bitte! *etc.*

MITZI, *Hand hinterm Ohr, theatralisch lauschend*: Horch! Hörest du nicht einen Laut? Die Veegerl schweigen im Walde warte nur balde? Das Echo vom Berg? Oder ist es gar schon der Zwerg? Und i bin no net onzogen fier unsaren Retter.

KÄTHE: Funse! Funse! Funse! Der Weg von der Wirkung zum Wesen.

Die Tür fliegt weit auf, der Zwerg erscheint wieder, allerdings etwas ramponiert von Resi, aber sonst recht frisch. Großer Burgtheaterauftritt.

ZWERG: Hollaho! Hallihallo! Keiner do? Hallo Wirtschaft! Hollari Hollaro! Grüß Gott! Tritt ein, bring Glück herein. *Pause.* Ich soll allhier ein tulli gstölltes Maderl treffen, mit welchem die Theres keinen Vergleich nicht aushaltet. Keuschheit! Vor allem Keuschheit unterscheidet diese von jener.

MITZI *erschrocken*: OH! OOOOH! So schlimm hab i mas net vurgstellt! Des is jo pomale furchtbor!

KÄTHE: Jetzt löffle die Suppe aus, Kind!

MITZI: Aber er ist ja unbeschreiblich häßlich und zudem sehr klein!

ZWERG: Muaß so sein, ghert zum urdentlichen Zwergel dazua wie die Gas zur Kammer. Jawull!

MITZI: Na ich weiß nicht so recht...

ZWERG: Auf alle Fälle: grieß Gott! Do seind Sie jo! Verehrung!

Gschamster Diener. Hier sind Pralinés, wo hobe ich nur die Großpockung? *Sucht.* Ei, wo bist du nur, wo? Mocht nix! Hier steht jedenfolls das Mensch fier den begnadeten kleinwüchsigen Darsteller. Jetzt holt er nur noch rasch die Bonbonniere, die er vergaß, Momenterl. *Rasch hinaus.*

Mitzi fängt laut zu heulen an.

KÄTHE: Gosche! Halt die Gosche, vorlautes unruhiges Mädchen!

ZWERG *mit einer Bonbonniere hereinkommend, die fast größer ist als er selbst, sie feierlich überreichend*: Hier bitteschön, das Geschenk. Weine jetzt necht mehr, Kind! Ich schreite nämmlich von den Außenbezirken des Seins bis zu dessen verschlossensten Quellen. Außerdem – und auch das ist keine kleine Leistung – vermag ich euch alle, wie ihr da steht, als Regimegegner auszuweisen! Verehrung. Habedehre!

MITZI *schluchzt*: Naa! I wüü net! I wüü net! Gengan mir furt!

ZWERG: Dobleiben! Einen Rum mit Tee bitte! Dieser Zwerg hat Rasse, dieser Zwerg hat Klasse. Und das nur als Zugabe! Im Hauptberuf hot er Begobung, Talent und Eigensinn für drei.

KÄTHE, *Aufschrei*: Rasse! Rasse!! Wenn ich des scho heere! Natur sei die Lenkerin!

MITZI: Nein, sage ich. Wo ist der Herr Leutnant? Gustl, wo bist du? Mache itzo deinen Auftritt, just jetzt tritt herfür! Man will mich nämmlich an einen Krippel, der was ausgerottet ghert... *Sie kriegt von Käthe eine Watsche.*

KÄTHE: Do host eine Watsche.

MITZI *erstaunt*: Ich erhielt eine Watsche.

ZWERG: Ein Zwergerl – direkt aus dem Märchenspiel. Ich bin ein Elementarereignis! Bin ich auch klein – net unhöflich sein!

KÄTHE: Sie hoben vollkommen recht, Herr Kollege. Verehrter Lehrer! Mentor!

MITZI *schluchzend*: Huhuhuhu! Kölblein! Firmling! Lutschkerl! Kommis!

ZWERG: Ich komme oiso hier herein, um deine liebe Tochter zu frein, Frau Burgtheaterkollegin. Jetzt isses soweit. Jung gefreit hat noch keinen gereut. *Er nimmt einen Blumenstrauß aus einer Vase und wirft ihn Käthe direkt an den Kopf, er trifft aber leider zu tief.*

KÄTHE: Müssen Sie gleich soweit gehen? Geniegt Ihnen nicht unsere Freundschaft? Unsere Treue? Blinder Gehorsam? Nibelungenlied!

ZWERG: Geniegt nicht, weil ich nämmlich vor der Wiener Polizei eine Aussage mochen werde. Lieber Verträge, sagte schon der Herr Direktor Reinhardt. Blut bindet fester! Gurkerl! Nudlsuppn!

KÄTHE: Nicht mein einziges Kind! Haltaus! Woatens a bissel, bis se sich an den Gedonken gewehnt hot.

ZWERG: Wir wissen aus sicherer Quelle, daß Sie deren drei besitzen, wovon mindestens zwei derzeit in der Küche schwitzen.

MITZI: Schande, Schande! Scham! Schändung!

KÄTHE: Wilhelm Foxl läßt mich im Film Neuland betreten.

ZWERG: Schlußendlich kurz und gut: Wenn Sie nicht wollen, daß ich sag, was Sie olle gemocht haben im achtunddreißiger Jahr und danach, dann missen Sie mir dieses junge Madl scho geben. Sunsten sag i's, sunsten sag i's glei der empeerten Effentlichkeit!

KÄTHE: Saat und Ernte!

MITZI: Reife! Das Tier braucht seine Reifezeit, und das junge Madl braucht sie aa.

KÄTHE: Da wird sich mein Monn, der wos der Bruadan von dem beriehmten gleichnamigen Widerstandskämpfer is, aber gor net gfrain. Unsaren Bruadan haben sie zum Tode verurteilt, die braune Brut. Schande! Österreich wird frei und das Weinderl wird frei, die Kipferl werden frei und die Golatschen aa.

ZWERG: Was muß ich da hören? Kam mir einer zuvor? Mir scheint, i muaß mi tummeln, gibt immer mehr Verfulgte. Schliaffens ausse aus die Lecher, wia die Ratzen!

KÄTHE: Dienen Sie der Kunst, nicht der Geltung.

ZWERG: Ich verliere hier meine Zeit mit Ihnen. Seit Wochen bereits belästigen mich ehemalige Kollegen des Burgtheaters, ich sull sogen, ich bin in eahnare Kölla gehuckt. Flennen tans! Rehren! Rehren! Platzen! Nur die Allerbleedesten von eahnen sind nicht in der glücklichen Loge, einen Reschimgegner ihr eigen nennen zu dirfen. De werden donn dawischt wern.

KÄTHE: So haben wir nicht gewettet, Zwerg. Nimm mich, doch verschone die jugendliche Frucht in meinem Gorten!

ZWERG: Mitnichten. *Tappt Mitzi gierig ab.* Ich greife mir diese Fut hier. Jung gefreit hat noch keinen gereut. Höflich sein!

MITZI: Mutter! Mutter! Bertha von Suttner!

KÄTHE: Fort von meinem Kinde. Zwerg, verschwinde! Hosentürl! Burschi! Krischpindl! Sakra sakra!

ZWERG: Wers glaubt wird selig. Der Zwerg hat itzo Appetit, und zerscht amol nimmt er diese hier mit. *Zerrt Mitzi zur Tür.* Kumm, folge mir! Ausse! Loschierst itzo beim Zwergerl, wos als Erbkronker verfemt und verfulgt wor und nun aufersteht. Essiggurkerl!

KÄTHE: Niemals! Bildens Ihnen nur nix ein, Herr Kommerzialrat! Lossen Sie dos junge Dingerl gehn, Herr Baron!

ZWERG: Komm jetzt! Komme!

SCHORSCH *platzt plötzlich und ganz unversehens herein. Alle erstarren*: No samma olle wiederum beieinand? Das is gscheit! Brav seids! I kumm grad stracks vom Morzinplotz, hollodero! Vom Metropol, hallihallo! Weinbeißer! Bockhendl!

KÄTHE *zum Zwerg*: Wie ich schon sagte, ist es ihm mit einem jüdischen Dreh gelungen, sich durten inhaftiern zu lossen. Issa gscheiter Bursch, der Schorsch.

SCHORSCH: Ui jegerl! Kein fließend Worm-Koltwosser. Doch jetzt is der braune Spuk faktisch aus. Seids terrisch worn? Seidses teppert?

Alle Anwesenden geben Laute und Anzeichen des Erstaunens von sich.

KÄTHE: Mir hom glaubt, du seist neilich ërscht liquidiert wurn.

SCHORSCH: Nichts wird so heiß gegessen wie gekocht.

MITZI: Onkel Schorsch, gut daß du wieder da bist. Dieser häßliche Genußzwerg will mich mißbrauchen wia man ein deutsches Mädel nicht vergenußspechteln darf. Gottseidank bist du gerade zur rechten Zeit erschienen. Leibwarm. Fein, daß du nicht tot bist, Onkel Schorschi!

SCHORSCH: Drei Wochen long, eine wohre Ewigkeit! Wenn der Mensch sei Freiheit valieren tut, so valiert er etwos Unverlierbores. Hallihallo! Joho, der Wein is guat, i brauch kan naichen Huat! Ich wurde geläutert.

KÄTHE *wirft sich ihm jählings an den Hals*: Retter! Retter! Und ganz unversehrt! Gnade! Gietiges Geschick! Ich sehe olle Schatten des Glickes und des Schmerzes ieber dein Gesicht hinwegziehen wie Wolken ieber eine geruhsome Herbstlondschoft.

SCHORSCH: Jojo, is scho guat. Is scho guat! Net hinmochen! I hab mi schlußendlich, finf vor Zwölfe, no fotografieren lossen, wia i an Scheck fier die esterreichischen Patrioten unterschrieben hob. Olles fier Esterreich, domit es wieder rein und scheen werdet! Besoffen hob i gsungen, es steht a klanes Bankerl im Helenental. Des homs net wolln, die Nazibagasch! Ihr seht: Kleine Ursachen – große Wirkung! A tuli Idee wor des, gö jo!

KÄTHE: Davon später. Rette mein Kind vor dem Zwerge, der was es heiraten wü.

SCHORSCH: Klor. Mach ma! Hamma nimmer notwendich das Zwergerl. Samma söba Verfulgte. Jawull! Hamma söba des greeßte Opfer gebrocht, und des is des eigene Leben! Habedehre! Schnabulieren will ich jetzt, und das ausgiebig!

KÄTHE: Schwager! Bruada! Wer sull dir die erscht unlängst verlurenen longen Jahrln ersetzen? Tue flugs ebenfalls Menschen gestalten! Wia mir es die gonze Zeit tan!

SCHORSCH: Grauslich! Seind Kommunisten aus die Fenster vom vierten Stock ghupft! Homma ihnare Knocherl bis auffe krickeln ghert. Bluat im Schnee, sans davonghupft. Homsas meistens eh wieder eingfongen. Sovü Bluat! Außen Rot und innen aa. Haha. Oba wos soll i eich dazöhln: erschtens die Gekepften! Geschrian hams die ganze Zeit: Mutter! Rotfront! Mutter! Rotfront! Mutter Rotfront! Das Beil machte dem ein rasches Ende. In der Nocht hot man net schloffen kennen. Scheißlich! Grauslich! Wos ein Mensch dem ondaren Menschen antun kann: ein Verbrechen gegen die Menschlichkeit! Pfui.

KÄTHE: Keiner gibt dir die Jahrln wieder zuruck, in denen du deiner ureigensten Berufung als Burgschauspieler nicht nachkommen durftest, weil sie dich ächteten.

SCHORSCH: Dafier durfte ich Zaige sein, wie Esterreich wiederauferstand! Des wor mas wert. Stell dir vor, es geht das Licht aus, ja wos sollen wir da tun? Keine Angst, es geht noch nicht aus, aber trotzdem sag ichs nun!

ZWERG *wütend*: Mir bleibt das Gonze trotzdem schier unverständlich, Kinder. Gemma auf olle Fälle furt! Gemma. Ausse! Ausse! *Er zerrt Mitzi hinter sich her.*

KÄTHE *wirft sich vor den beiden auf den Boden, sie am Hinausgehen hindernd*: Hiergeblieben! Stillgestanden! Stille Stille kein Geräusch gemacht! Eine Mutter hat man nur einmal. Sehet her! *Sie reißt sich ihren Halsausschnitt auf, ein goldenes Hakenkreuzerl an einer Kette kommt zum Vorschein:* Ihr könnt mich schänden, ihr könnt mich pfänden! An dem Kraizerl do werds eich verbrennen! Muttererde!

ZWERG *prallt entsetzt zurück*: Eine schier Unbelehrbare! Schätze, die wird sie auch noch nach Jahren sein und bleiben! Da zieht sichs Zwergerl schnö zuruck von dem braunen Nazispuk! *Er weicht übertrieben zurück, die Hand abwehrend vor den Augen.*

MITZI: Nein! Geh in dieser schweren Stunde nicht von uns, Zwerg!

SCHORSCH: Hiergeblieben, Zwerg! Haltaus, Zwersch! Hopperla! Pardauz! A so a Zwetschkerl! Vorsichtig sein! *Er stellt dem Zwerg ein Bein, der stolpert.*

KÄTHE *würdig*: Was ich erntete, säte ich wieder in den fruchtbarsten Boden, aus dem ich selbst hervorging: das Volk.

ZWERG: Habedehre allerseits. Nix für ungut! Ich bin schier überwältigt worden und gehe nun ab. *Will ab, wird von Mitzi und Schorsch festgehalten, wehrt sich verzweifelt, aber wirkungslos.* Net stessen! Net unhöflich sein!

KÄTHE: Jedoch ein Kripperl findet bei uns immer Unterschlupf und ein wärmendes Mahl. A so a Binkerl!

ZWERG: Bei Ihna kimmt sogar ein Zwerg in Verlegenheit, glaubens mir! Wos sull er mochen? Er dorf sich schier nicht mit Ihnen blicken lossen. Ihm droht eine Abreibung, tut er es doch. *Will ab, da gibt ihm Schorsch einen Stoß, daß er über den Fußboden schlittert und neben Käthe zu liegen kommt.*

MITZI: Also ausgemacht ist: Der Zwerg wird auf Anfrage antworten, daß er bei uns im schitzenden Kölla huckte. Flugzeuge zuckten umher, doch er vergoß keinen Tropfen Zwergenblut. A Hetz hama ghabt, er wurde vom gräßlichen Geschehen abgelenkt, der Zwerg. Wiener Blut, Wiener Blut – was die Stadt alles hat in dir ruht! *Singt.*

SCHORSCH: Vorne die beiden jungen Frauen in ihren hellen Kleidern, dahinter der Widerstandskämpfer mit seinem scharfen Verstand, dazu sein Bruada. In der Mitte der agile resche Zwerg. Ausgeschlossen: die Nazibande. Saupatteln. Gfrießer! Wichtelmänner!

MITZI: Erzähle uns doch noch einige deiner Abenteuer im Nazigefängnis, Onkel Schorsch! Bitte bitte! Sei fesch!

SCHORSCH: Gern. In Permanenz hams durch die Wand geschrian: Rotfront! Mutter! Lang lebe Stalin! Ich vermißte die Wiener Höflichkeit, die Poesie dieser einmaligen Großstadt. Narrisch host wern kennan. Keine Spompanadeln bitte!

ZWERG: Jetzt heißts sich rechtzeitig besinnen und einen Preis gewinnen. Hier sehe ich den Preis schon.

MITZI: Naa, i tuas net! Naa, i wü net!

KÄTHE *ohrfeigt Mitzi*: Trutsche! Pritsche! Funse! Trine! Zwergerl is kommen! Zwergerl is do eh liab! Wackerer Zwerg! Bravs Zwerscherl! Versäume nicht deinen Auftritt! Trete jetzt auf!

ZWERG *verbeugt sich geschmeichelt*: Meine strahlende, unbefangene Jugend gewinnt wie stets die Herzen der Wiener. Höflich sein!

MITZI: Zu Hüffe! Zu Hüffe! Kommt denn keiner? Nein, ich sehe keinen. Hilfe!

KÄTHE *wirft dem Zwerg die Tochter entschlossen in die Arme. Der Zwerg fällt um ob der Last*: Ich bin im Volksmund ein Lied, das bleibt und klingt, warum? Weil es echt ist!

SCHORSCH: Ein Feinspitz isser, unser Zwergerl, ein Feinspitz!

MITZI: Hüffe! Bedienung! Holla! Keiner da? Frau Wirtin Wundermild! Zu Hilfe!

Die Tür springt wieder einmal jäh auf, auftritt Istvan. Er hat die Resi im Schlepptau. Letztere wehrt sich heftig und schenierlich.

ISTVAN: Wer rief mich? Da bin ich! Juppheidi und juppheida! Fidirallalallalla!

RESI: Naa sog i! Sans so guat! I muaß kochn! Und sovü Wäsch hob i aa no! Gengans lossen Sie mich aus! *Giftig den Zwerg beäugend:* Dieser Zwerg, den ich jahrelang selbstlos versteckte, legt sich nun ins gemachte Bette. Und wo liege ich? Soll denn Dienen und immer nur Dienen meine Bestimmung bleiben? Ich hoffe nicht!

Käthe hat sich unbemerkt in eine Ecke zurückgezogen und versucht, sich mit Hilfe eines Polsterüberzugs – kein Plastiksack, leider – zu ersticken. Das geht natürlich nicht. Sie zieht ihn sich über den Kopf.

ISTVAN: Paß mer auf mei Weiberl auf. Sufurt! Person damische! Narrisches Hendl! Krowotin! Softgulasch!

ZWERG: Ich schlage fulgendes vur, Kollega: Ich lege mein junges Weib ungebraucht zurück. Dafier derf i fürderhin den Don Carlos spuin, den Hamlet schier! Hochs Zwergerl aus der oiden Burgtheaterdynastie! Fost hätte er eine hibsche Gemahlin gewonnen. Is aber nix draus wurdn. Die Wiener toben, und das zurecht!

ISTVAN: Ich bin eigens gekommen, um fulgendes vorzuschlagen. Erscht der neilich ist mir diese Idee gekummen: Mir wullen sein ein einig Vulk von Gegna, in kana Not uns trennen und Gefohr!

Jubel von allen Seiten, Wiederholung des Satzes in allen Tonarten, auch gesungen. Jawohl, Papsch, genau! Bravo! Bravoo! *etc. Alles mündet schließlich in das beliebte Wienerlied «Erst wanns aus wird sein mit ana Musi und an Wein» ... etc.*

SCHORSCH: No jo, i bin auf olle Fälle ausm Schneider, des sog i eink. Schlimmstenfolls wird man hinter vorgehaltener Hond tuscheln, doß i a Monarchist wor und zum verschimpelten Kaiser gholten hob in brauner Zeit. Welteis! Weltgschmeiß! Kloans Weltkugerl in meiner Hond!

Käthe sinkt offensichtlich bewußtlos und zuckend unter dem Polsterüberzug zu Boden.

ISTVAN: Jo wo is denn mein Weibi? Ist etwa dieses Paket durten mei Kathi? Ich hörte vorhin einen lauten Bumperer, wußte jedoch nicht, wer diesen verursachte.

RESI: Gnä Frau! Gnä Frau! Jeschuschmaria! Der Herr Gemahl ist hier und verlangt stürmisch sein Recht.

MITZI: Mama! Mamaa! Zu Hilfe! Heute fällt mir gar nichts ein als dauernd gellend um Hilfe zu schrein.

ZWERG *beiseite*: Ich kann unmöglich die Tochter einer Frau vergenußkipferln, die sich aus Furcht vor dem russischen Bären entleibte. Daher gehe ich jetzt endgültig aussi. Ich habe es wiederholt angekündigt, doch scheint mir gerade dieser Augenblick günstig. *Er will unbemerkt, da alle bei Käthe Wiederbelebungsversuche machen etc. zur Tür hinausschlüpfen.*

Mitzi erwischt ihn jedoch im letzten Moment bei den Beinen und zieht ihn zu Boden.

MITZI: Hiergeblieben, Zwerg! Nein, so haben wir nicht gewettet!

ZWERG: Net stessen bitte! Net umadumhaun!

MITZI: Ich bedarf deiner noch, jetzt mehr denn je, Zwerg. Kritikaster! Studierter Mensch! Kluger Knopf!

ZWERG: Bitt ich muß hinaus. Net unhöflich sein! Erlauben schon!

SCHORSCH: Um Gotteswillen. Rasch! Eine Schallplatte von den Wiener Philharmonikern unter Karl Böhm! Ihr Lieblingsorchester. Das belebt ihre Sinne stets gründlicher als ein feuriges Getränk es vermöchte.

KÄTHE *flüsternd, groggy*: Musik und das Getränk, bitte! Denn gleich werde ich wieder zu deutscher Erde. *Getränk wird ihr eingeflößt.*

ISTVAN: Um des Herrgotts willen, sakrasakra, was geschah vorhin mit diesem tatkräftigen, resoluten Frauerl?

SCHORSCH: Einen weiteren Cognac für die gnä Frau! Rasch, Reserl! Prächtig. Ein Gewitter könnte die Luft nicht gründlicher reinigen.

ZWERG: Ich gehe jetzt. Auf Wiedersehn. Mein Recht muß mir werden!

Aufs Stichwort stürzen sich alle auf den Zwerg, beschwichtigen ihn zu Abwechslung liebevoll, der Zwerg wehrt sich so gut er kann.

Net stessen bitte! Net stessen! Ich gehe jetzt ausse, um zur Besinnung zu kommen und einen klaren Kopf zu erhalten. Von dieser Ehe muaß ich jedenfalls Abstand nehmen, so leid es mir tut. Klobassi! Taumel der Sinne!

MITZI: Naa net! Schau, wia dei Mitzi deswegen flennt. Bin schon ein junges Weib, necht mehr des Kind, des du einstens kanntest. *Sie hält den Zwerg zurück. Umkehrung der Situation von vor-*

hin. Verlosse mich nicht, denn ich fühle eppes, von dem mir ganz enterisch wird.

ZWERG *mühsam*: Ich kämpfe um mein Recht auf ein friedvolles Leben in Freiheit. Konn mi jetzt wieder offen auf der Gossn sehn lossen, ohne daß mi wer da schnappert und ausbeindelt. Weg do! Auslassn! *Ringt mit Mitzi.*

ISTVAN *hält ihn ebenfalls fest*: Nicht diese Handvoll zusammengewürfelter Menschen aus allen Schichten, Berufen und Konfessionen verraten, Zwergerl! Des tuat ma net! Des derfst net!

KÄTHE *gewinnt Bewußtsein zurück*: Ich schließe mich der Bitte meines Lebenskameraden und Burgtheaterkollegen vollinhaltlich an und glocke hell die Worte: Bleib, Zwerg! Schaut nur – der zitternde Zweig des Haselnußstrauchs! Der Zwerg bebt. Es überläuft ihn ein kalter Schauer, er schaut aus als wia a Toter.

ZWERG: Naa. Aussi muaß i! Loßt mi gehn! Hobts ihr den keinen Onstond mehr im Leib? *Versucht erfolglos, sich durchzuboxen. Istvan schließt ihn statt Käthe mit der Handschelle an sich an.* Jössas! Wos is dos? Wos gspier i do?

ISTVAN: Soda. Fertich! Tan is und guat is. Was Gott zusammengefiegt hot, dos sull der Mensch net trennen.

ZWERG: Druck erzeugt Gegendruck! *Versucht zunächst erfolglos, die Handschelle abzustreifen.* Rosenhiegel! Stätte frohen Schaffens! Der Stoff, aus dem die Träume sind.

KÄTHE *etwas benommen noch*: Deutschland erwache!

Istvan haut ihr mit der freien Hand über den Mund. Sie beginnt zu bluten.

Käthe blutend: Hunde, die bellen, beißen nicht. Der Ackersrand. Der Wackerbrand. Heidelerche! Graz! Aussaat!

ISTVAN: Kusch! Weibsteufel! Trampel!

Endlich gelingt es dem Zwerg, sein Händchen aus der zu großen Handschelle zu ziehen, er läuft rasch ins fernste Eck. Istvan holt ihn mühelos ein und fesselt ihn gleich wieder. Zur Sicherheit hält er jetzt auch noch die Zwergeshand fest.

ZWERG: Die Gesellschaft ist auf alles, was aus der Norm fällt, nicht eingerichtet. Mir wirds wunderlich ums Herz, wos ist dos? Die Enttaischung ieber einen verlorenen Krieg konnt es nicht sein.

KÄTHE *nuschelnd, Blut spuckend*: Grien ist mein Tirolerhut. Versengt das Band, verdreckt das Gwand. Am Polarkreis mißtmer jetzt sein.

ISTVAN: Jaja. Is scho recht. Burenhäutel!

KÄTHE: Sehen Sie denn nicht, daß ich bewußtlos bin? Um Christi Barmherzigkeit willen, zu dessen Ehre dieses Spitol errichtet wurde, soll ich denn inwendich zur Gänze verbluten?

ISTVAN: Bist immer no net staad? Zitat! Plappermäulchen!

MAUSI *kümmert sich liebevoll um den Zwerg*: Plaudertasche! Flaneur! Mei liabs Manndi wirst, gö?!

ZWERG: Naa, i wüü net! Loßts mi ausse do! Net unhöflich sein!

KÄTHE *gellend*: Sie spucken auf uns! In Deutschland sind sie jetzt nicht mehr schwach.

ISTVAN: A Ruah is! *Sie kriegt wieder eine auf den Mund.* Sowas sakt man nur hinter vorgehaltener Hand, wenn überhaupts.

ZWERG: Wenn Sie mich nicht schleunigst ausse lassen, sog ichs! Ich sags dem nächsten Kommissar, dem ich auf meiner Flucht begegne.

MITZI: Nix tuast sagen, Herzi! Wos sogst? Nix sogst! *Küßt ihn wild.*

KÄTHE: Schleckerpatzi Butterbrot, erfinderisch macht die Not. Es werdet sich wohl auch fier mich noch ein Werkzeug finden, denn jeder Topf findet schlußendlich seinen Deckel! Potztausend! *Sie kann sich eine Schere grapschen und sie im Mieder verstecken.*

ISTVAN *den Zwerg hinter sich her schleifend*: Des konnst net mochen. Des is unkameradschaftlich, Kollege! Verehrter Lehrer! Kamerad! Burschi! Lackl! Titan! Atlas!

ZWERG: Und doch sag ichs! Und doch spreche ich frank und frei, wie mir der Schnabel gewachsen ist, von der Leber weg. Jetzt erscht recht!

KÄTHE *gellend*: Uns Deutschen will man die Zähne ausbrechen! *Sie sticht sich mit der Schere in die Brust, blutet, ist aber nicht tot. Es kümmert sich keiner mehr um sie.*

ISTVAN: Weißt, Kropftauberl, du derfst keiner Menschenseele verratn, was du hier im Hause der Musen erblicktest. Dafier derfst du schlußendlich als einziga Schauspüla auf der Wölt den

Posa und den Carlos in einer Person dorstellen, des weiteren den Faust und Mephisto, den von Goethe genialisch ersonnenen Widerpart. Watschengsichterl! Papperter Trottel!

ZWERG: Wo ließ bittschön der Zimmermann ein genügend großes Loch? Empfehle mich. Servus.

MITZI: Bleib! Liebevolle Inszenierung! *Sie macht sich geil am Zwerg zu schaffen, der wehrt sich entschlossen.*

ZWERG: Kleine Verführerin! Lulu von Wedekind! Erdgeist! *Geschmeichelt:* Soviel vertane Mühe für den Krüppel. Traum ganz in Weiß.

ISTVAN: Gehen Sie flugs hinaus, Therese, dies hier ist nur für den engsten Familienkreis bestimmt.

RESI: Und i kunn mei Zwergerl net mitnehmen? Damit i's owoschen und wieder urdentlich herrichten ko?

ISTVAN: Nein. Gehen Sie itzo furt! Um uns herum wird deutsch geredet. Revue!

RESI: Annie Rosar! Annie Rosar! Ich gehe ab, obwohl ich nicht will. *Ab.*

SCHORSCH: Madln und Buam! Ein herzliches Willkomm! Wir bitten zum Tanz. Umasunst ist der Tot, und der kosts Leben.
Die Situation beruhigt sich sichtlich. Mitzi schmust exzessiv mit dem Zwerg, der dabei strampelt, aber nicht wegkann, weil er ja an Istvan gefesselt ist. Pause.

ISTVAN: Was strampft der Zwerg gar a so?

ZWERG *gurgelnd*: A Glasl Wosser bittaschen! Net haun! Dann werde auch ich nicht umhaun.

KÄTHE *richtet sich plötzlich auf, verletzt, stöhnt undeutlich*: Es ist mir schon wieder nicht gelungen. Derweil hat der Russe mein Burgteatta bezwungen. Er richtet sich dorten häuslich ein. Nein! Die Eisschollen schieben sich voran, wie es Klügere als ich prophezeiten. Haltets eahm auf! Ringsum schlagen nämlich Millionen deutsche Herzen. *Gurgelnd.*

ISTVAN *öffnet ihr Mieder, untersucht flüchtig die Wunde, versorgt sie, wobei er immer den Zwerg hinter sich her schleift*: Ei der Taus! Jessas, die spinnt! Der stille Verehrer reitet die Hohe Schule. Powidl! Ribisel! Ogrosel!

KÄTHE *leise*: Eine Krume für die Enkerln loßts mich retten bitte.

ISTVAN: Sinnlose Reprise. Sängerfilm!

ZWERG: Solchene Wegstrecken seind nichts für mich als extrem Kurzbeinigen. Seit Jahren lief ich nicht mehr so viel umher und noch dazu ohne Weg und Steg, ohne Sinn und Ziel.

KÄTHE *gurgelnd*: Muß i denn, muß i denn zum Städtele hinaus, Städtele hinaus. Liebling der Matrosen. Ja, ich gehe sogar so weit zu behaupten: Seine Tochter ist der Peter. *Klangvoller:* Wie könnt ihr denn denken, daß alles umsonst war? Nicht klagen, sagen und fragen, Leutln! Reißts euch zusammen!

MITZI: Mamsch! Tua auch du net so umadumwacheln! Des gilt für das Zwergerl im gleichen Maße wie für dich.

ISTVAN: Is eh scho olles blunzn. *Schließt dem Zwerg auf.* Missmer holt doch noch repartieren!

KÄTHE *ersterbend*: Mir wirds gar wunderlich ums Herz. Der Feldstein! Hier, sehen wir ihn uns an! Gewachsen ist er aus Millionen Herzen von uns allen. Laßt mich flugs das Nötigste gestalten. Wenns ihr mich nicht gestalten laßts, werde ich sufurt wieder bewußtlos. Ich habe diesen scheensten oller Berufe erlernt. Itzo tue ich jeden zerschmettern, der mich an meiner Berufsausiebung behindern tut. Loßts mich Menschenbildner sein! Wos? Es loßts mich nicht? Nun, so schwinden mir eben erneut die Sinne. *Sie wird bewußtlos.*

Alle stehen jetzt um die blutende Käthe herum. Folgendes steigert sich rhythmisch, wie eine Wortsymphonie. Steigern! Rascher! Es muß so gesprochen werden, daß es ausgesprochen sinnvoll klingt, mit Betonungen und allem.

ALLE *abwechselnd, Käthe blutet still*: Davon wissen mir nix! Des sengan mir gor net. Wos mir net sengan, des gibts net! A Schachertuatn mit Schlog. Das blitzende Schlauauge. Der Kalk im Fracken. Der Krotz im Glaserl. Der Schalk mit Hacken. Das Kaffeetscherl mit Hudelzupf. Das blütige Stuterl. Der Torpido. Die Brüte. Der Ränftling. Edelschweiß! Knickschuß! Der Fahlenberg. Der Rohrschnabulierer. Krambambuli. Das Muttergeh. Das Pisstatschkerl. Die Quargel. Der Gilberbrand der Donau. Schampus! Der kehre Grust des Leithagebirges. Der Großhocker! Die Bremse. Der Alpenklein. Die Bombenzische. Ka Kreuzer im Neck. Der gute Braune. Der Schlagoberbolzen.

Das Riesenkrad. Die herzhafte Kartausche. Das Grammelschwalznot. Der Krepierer. Die tausend schluchzenden Granaten. Der Grillkarzer. Die fleißigen Henker. Die Axt des Großwachters. Der Umzingel. Der liebe Herrknoch. Das Umbringel. Der Himmelreiß. Die Omi. Das Wäschergasl. Der Wienerschallt. Der Stukrapfen. Der Faschingsknall. Die Philharmoniker. Der tiefe Bann. Die Almzücke. Die Heimkrücke. Das Vanillifliegerl. Die Vergaserin. Die Ringtrosse. Zwoa Brettl a gführiger Fleh. Juchhe! Der Brodler. Das Hack. Die Tiefflennt. Der Herr Leutnant. Der Steifl. Das Kaffeehaus. Der Kraß. Die Hutteln. Das Köpfeln. Die Tramwarn. Der Glanz von tausend Brustern. Die Muttergottes. Der Kaiserschmierer. Die Hofwürg. Der Schnalzer. Salzburg! Das Krepierl! Fritz Eugen. Der Germjudel. Der Haferlknoch. Das Gurkenstirndl. Das Salzkammerblut. Motzhart. Das Scheißhäusl! Schubert Brennzl. Der Abortknüttel. Papa Haydn. Die goldenen Jahre der Tellerminette. Die silbernen Jahre der Zyklonbette. Die Saubertöte. Die Senkgruabn. Ringstraßenmorderie. Die Pawlatschn. Wiener Schnalzer! Des Pferterl. Die Laschur. Das gspiebene Äpfelkoch. Strauß Waani. Klamm Knochwien. Der Hammerring. Der Semmerkalt. Der Jagerkrepp. Der Wüderer. Das Knüppelhäusel. Königottokarsglückundende. Das Haus Habswürg. A Gasmüch. Das Judensternderl. Mamsch und Papsch. Das Musikkazett. Die Safaladi. Die Mutterquäle. Das Stück Altes Gerinn. Das man im Schwärzen drin hat. Der Feurige. Die Gloriette! Salzburger Trümmerl! Wimmerl! Der Trottel. Der Hirnkehrer. Der Klachl. Das Wurzelmorderl. Der Finacker. Das Hunterl. Das Teatta. Das Burgteatta. Der Köpfungsfroh. Halberzehne. Der Teifel. Die guate Menschenhaut. Die Lampenstirn. Der Juchhee. Die Bubenrinne! Der Bombenmatsch! Die Burgverrotter! Der Hundekotter!
Die Hymne bricht jäh ab. Stille. Alle stehen. Dann tanzen sie miteinander um die daliegende Käthe herum, die still blutet. Sie singen: Grieß enk Gott alle miteinander, alle miteinander, alle miteinander, *etc.*

Langsam Vorhang.

KRANKHEIT
ODER
MODERNE FRAUEN

Wie ein Stück

FÜR EVA MEYER

«In chinesischen Legenden steht geschrieben, daß große Meister in ihre Bilder hineingingen und verschwunden sind. Die Frau ist kein großer Meister. Deshalb wird ihr Verschwinden nie vollkommen sein. Sie taucht wieder auf, beschäftigt wie sie ist, mit dem Verschwinden.»

Eva Meyer

Außerdem Dank an: Jean Baudrillard, Robert Walser, Roland Barthes, Joseph Goebbels, Bram Stoker, Joseph Sheridan Le Fanu, Der Spiegel, Der Hörfunk, Das Fernsehen u. v. a.

DIE PERSONEN

EMILY *Krankenschwester und Vampir*
CARMILLA *Hausfrau, Mutter und Vampir, österr.*
DR. HEIDKLIFF *Facharzt für Kiefer- und Frauenheilkunde*
DR. BENNO HUNDEKOFFER *Steuerberater und Carmillas Mann*
EIN HEILIGER
EINE MÄRTYRERIN

Fünf Personen auf Rollschuhen (verschiedene Größen)
Eine sprechende Babypuppe mit hübschen Sprech-Kassetten
Zwei gut erzogene Jagdhunde
Ein paar Frauen in schönen Kleidern
Ein Doppelgeschöpf (Emily und Carmilla, zusammengenäht)

Das Gedicht von Emily Brontë wurde von Arno Schmidt übersetzt. Den Tonfall möchte ich fast durchgehend, vor allem bei den Männern, rasch, agil, dynamisch, leicht.

1

1. Die Bühne ist zweigeteilt, und zwar so, daß ein Teil in den anderen übergeht. Links: Eine Art Arztpraxis mit einem Stuhl, der eine Mischung aus Zahnarzt- und Gynäkologenstuhl darstellt. Dazu ein Tisch, auf dem ein Sortiment Blutkonserven steht. Die Praxis geht rechts in eine wilde Heidelandschaft mit Felsblöcken über. In der Ferne Hügel, Wasser etc. Auf kleinen Bühnen kann die Landschaft durch ein Kinderplanschbecken dargestellt werden.
Herr Dr. Heidkliff, Facharzt für Kiefer- und Frauenheilkunde, kommt keuchend und wolfsartig hechelnd angelaufen.

HEIDKLIFF: Ich ziehe mich aus und schwimme in Wasser. Ich bin hier, aber nicht dort. Meine Kleider falte ich sorgfältig zusammen. Außerhalb meines Geschäfts mache ich appetitliche Spaziergänge. Ich bezahle den Betrag. Unbedacht vertraue ich mich dem Element an. Es hält mich. Es hält dicht. Ich biete einen Anblick. In mir Ruhe. Ich schaue aus mir heraus und sehe an meinen Begrenzungsmauern hinunter. Ich entstehe durch das, was sich an meine Mittelachse angelagert hat: Material. Ich bin aus nächster Nähe wie aus der Ferne sichtbar. Ob jemand kommt, schaue ich vorher gut nach. Nichts. Ich spreche jetzt. Ich könnte keine Unarten von mir benennen. Ich zahle. Ich bilde ein Muster auf dem Boden. Ordnung wird von mir eingehalten. Ich reiche von unten nach oben. Die Schwerkraft hält mich. Jetzt spreche ich. Einen Weg überqueren, weil links und rechts nichts entgegenkommt. Mir wird keiner etwas aus dem Ausland unterschieben. Ich schreibe auf was ich will. In das Register einer Fremdenpension trage ich mich zum Beispiel ein. Ich grabe in der Erde. Ich kaufe etwas. Ich frage nach dem Preis. Es ist mir erlaubt. Von wo ich hergekommen bin, dorthin gehe ich sofort wieder zurück. Durch Eis breche ich prinzipiell nie. Verrückt hat mich keiner. Ich werde mich recht bald verloben. Ich stehe in einem Gegensatz. Ich bin der, an dem sich ein anderer mißt. Für einen Kurs melde ich mich rechtzeitig an. Ich gehe in eine Landschaft und komme wieder heraus. Ich mache vom Sport Gebrauch. Ich finde dort andere wie ich es bin. Über Darbietungen kann man lachen. Es führt eine Autobahn hierher. Ich erlaube es ihr. Es ist normal. Melodie. Unordnung wird von Menschen geschaffen. Leere Flaschen von herausfordernder Gestalt graben sich ins Ufer. Schmutz ist abschreckend, wenn man Arzt ist. Etwas stößt mich ab. Ich nehme meinen neuen Wagen der Oberklasse. Ich entscheide mich auf deutsch gegen die Nation und für den Menschen. Zu guter Stunde entdecke ich gebrauchte Präservative. Der Samen zuckt ruhelos in seinem aufgeblasenen Häuschen. Er will hinaus ins Leben! Er will arbeiten. Er darf nicht. Dein Geist, Emily, ist von meinem vollständig geschieden. Er hat sich endlich für eine bestimmte Größe entschieden. Es fährt schnell unter mir dahin. Eine Autobahntoilette ist eine der menschlichsten Einrichtungen. Ich bediene mich gratis der Baumgrenze, wann ich will. Händewaschen. Brav. Der Himmel befindet sich oben, in der Verlängerung meiner Körperachse. Wind kommt auf. Wie besprochen, quäle ich die Landschaft nicht mehr länger mit meinem Gewicht. Land in Sicht. Ich habe ein Herz. Ich bin ein Maß. Ich bin ein Muß.

Seit einiger Zeit ist Emily huschend näher gekommen. Sie trägt ein modisches, fließendes Kleid. Aus ihrem Körper ragen diskret ein, zwei Pfähle, aus denen Blut rieselt. Heidkliff bemerkt sie nach einiger Zeit.

Ich schaue dich an und möchte nicht wieder jung sein, weil ich es noch bin. Ich fühle mich fit. Du bist mir wie eine Mehrheitsentscheidung: widerwillig aufgezwungen. Aber nun liebe ich dich auch schon. Brav. Ich gewähre dir die Erlaubnis zu einem oder zwei Worten. Ich bin von Bestand. Du störst mich nicht. Du schälst in deiner Schwäche etwas, das du essen möchtest. Auf dem Boden Erde sollte man in der Nacht nicht so herumtrampeln. Störender Lärm. Wo warst du so lang? Da Geld rar ist, sind manche erbost.

EMILY: Du hast mehr als einmal recht. Ich bin außerhalb von dir. Ich weiß derzeit genau, wo ich anfange und du aufhörst. Du störst mich. Du aufgeschlagenes Kapitel. Du Speisekarte. Danke gut. Ich nähere mich dir mit Vorsicht, weil du gestikulierst. Aus dir wächst ja etwas heraus, das Mutter Natur unmöglich in dieser Form so gemeint haben kann. Bin ich hier? Ich glaube ja. In meinem Maul Beute.

HEIDKLIFF: Gewiß, denn du bist meine künftige Verlobte. Daher gilt, wo ich bin, bist auch du. Nanu. Auf diese Weise erspare ich dir die langwierige Suche. Grüß Gott. Ich nütze dir. Und dein Kopf nützt dir ebenfalls.

EMILY: Dort wo du nicht bist, dort ist das Glück.

HEIDKLIFF: An dir sträubt sich eine Nagelwurze. Ein eitriger Wurmfortsatz in der Behaglichkeit meines Gefühls. Schade! Es könnte wie in einer heimeligen Weinstube sein. Herzlich willkommen. Ich operiere gar zu gern! Es ist entsetzlich. Hast du heute endlich ein Frauenleiden bekommen, Emily?

EMILY: Weder Zahnschmerzen noch Schmerzen im Unterleib. Danke, gut. Was ist der Mensch, fragt er dauernd. Was will er? Wo du dieses Stück Erde besetzt hältst, kann ich nicht hin. Geh weg! Bitte weitergehen! Ich bin nicht Fäulnis. Meine Raten zahle ich pünktlich. In einem Office.

HEIDKLIFF: Als Zahnarzt und Gynäkologe habe ich dich in einer Vision gesehen. Ich bete Gott an. Bitte verloben wir uns. Jetzt sind wir verlobt. Was sagst du? Die Freiheit ist eine Fehlentwicklung in der Erdkunde. Überhaupt ergreifst du mich so tief wie nur ein Kind es könnte.

EMILY: Ich berühre dich. Ich rühre dich nicht. Ich spitze einen Bleistift. Andere werden von Kornfeldern berührt. Werde ich mich bald gegen dich wenden? So weit kann ich nicht gehn, mir ein Stück von einem Tier zu greifen. Natur bin ich, erinnere daher oft an Kunst.

HEIDKLIFF: Mach dir aber keine Illusionen über meine Treue. Du liegst so leuchtend vor mir. Du könntest einen Kreis Leute verschieben, die um ein Lagerfeuer sitzen und Countrymusik machen. Meine Liebe kennt ihre Grenzen. Manches von mir Gesehene gemahnt an etwas Seltsames. Ich komm nicht drauf. Du hast den Vorzug Frau zu sein, Emily. Mißbrauche ihn nicht!

EMILY: Die Zeit soll jetzt bitte wegen Liebe stehen. Danke.

HEIDKLIFF: Du bist mit nichts zu vergleichen. Du bist die Spiegelscherbe, der rostige Nagel, der töten kann, die Reise für zwei Personen über ein Wochenende nach einer Hauptstadt. Du hast einen Aufgabenkreis. Du bist um mich herum. Das, was ich als Zirkel dorthin schreibe. Ich lasse dir von mir ein Andenken übrig. Aber gern. Du bist nicht tot. Wenn du stirbst, trauere ich in meiner Wohnung.

EMILY: Ich denke, ich muß deine Dienste beruflich in Anspruch nehmen, mein zukünftiger Mann! Der Ton macht die Musik. Danke sehr.

HEIDKLIFF: Ich glaube, ich muß deine Dienste rein privat in Anspruch nehmen, Emily. Danke schön. Du bleibst wie ein hoher Kastanienbaum an meinem Gedächtnis kleben. Ich habe Vorlieben und Vorurteile. Das ist menschlich. Ich stehe dazu.

EMILY: Ich bin der Anfang und das Ende. Dazwischen komme ich auch noch öfter vor. *Sie lacht, man sieht ihre Vampirzähne.*

HEIDKLIFF: Ich sage dir jetzt etwas, das ich, außer im Fernsehen, noch nie zu einer Frau gesagt habe: Ich liebe dich, Emily. Mein Gott, was bin ich für eine tolle Hose!

EMILY: Ich bleib dir aus Gründen treu. Auf diesem bequemen, einladenden Stuhl nehme ich in diesem Augenblick gutwillig Platz. Ich bin schon mehrmals hier gewesen, da war dieses Haus eine Wiese unter Menschenfüßen. Ich passe hier hinein. Ein Wunder! Ich bin das andere, das es aber auch noch gibt. Daran mußt du dich gewöhnen. Vielen Dank, daß du mir zugehört hast. *Sie versucht ungeschickt, sich auf dem gynäkologischen Stuhl zu placieren, fällt aber immer wieder hinunter.*

HEIDKLIFF: Du kommst mir auch irgendwie bekannt vor. Wahrscheinlich weil wir verlobt sind.

EMILY: Dieser Stuhl ist wie ein Dorf, das mich nicht duldet. Hingegen: Diese Heide kenne ich seit vielen Jahren vom Anschauen sehr gut. Ich könnte ebenso gut hier wie anderswo sein. Es schürft mir das Hirn auf.

HEIDKLIFF: Sofort die passende Kleidung her! Ich gehe jetzt Sport treiben. Ich lache in einer Bahn, in einem Flugzeug den Menschen ins Gesicht hinein. Geldverlegenheit habe ich nicht. Mit Besuchen habe ich immer Glück. Einer kommt. Einer kommt nicht. Ich habe ein Gesicht und esse damit.

EMILY: Ich gehe jetzt mit der Stirn gegen den Stein einer Pyramide schlagen. *Sie verschwindet einfach.*

Wie Sie das machen, Herr Vorsitzender, ist mir egal. Aber machen Sie es. Versenkung, Spiegel, Hinaufziehen etc. Ganz wie gewünscht. Heidkliff spricht weiter, als wäre Emily noch da.

HEIDKLIFF: Also daran bin ich nun wirklich nicht schuld. Das kann mir keiner bei der Ärztekammer vorwerfen. Ich schenke dir Aufmerksamkeit. Ich frage, wo ich hier straflos parken kann. Ich bin ich. Bewegung! Wenn ich will rasch, wenn ich will langsam. Herrlich. Gelenke habe ich an so vielen Stellen und hebe damit schwere Lasten wie Arme und Beine. Wunderbar. Bitte können Sie mir das Wetter vorhersagen? In dieser Frau lese wer will. Du bist mir ein Rätsel, Emily. Ordentlich bist du nicht, außer im Beruf. Du bist Krankenschwester. Andere sind Sozialarbeiterinnen auf flachen Schuhsohlen. Sie sind evangelisch und müssen sich von Liebgewordenem trennen. Die Schwester hegt, dann wird sie aufs Kreuz gelegt. Sie muß überproportional oft auf Wiedersehen sagen. Der Kunde geht. Das Wasser rauscht hinter seinen Schläfen. Der Patient soll ruhig weiter leben! Du bist der siebente Himmel für den, der es aushält. Du hilfst und liebst. Dein Dienst ist öffentlich. Ich hätte gern einen Buchstaben oder eine Zahl, um dich in kürzester Form zu benennen, ohne daß ich mich anstrenge. Erlaubst du, daß ich eine Kurzfassung von dir erstelle? Ich möchte dich in einem Aquarium züchten. Vielen Dank, daß du es vielleicht erlaubst. Da du wie alle bist, brauche ich eine andere nicht eigens aufzusuchen. *Macht sich am Gynä-Stuhl zu schaffen.* Schau mit dem Berufsauge auf mich! Ich bin gut zusammengesetzt. Ich funktioniere. Wenn nötig inmitten von Duft und Natur. Ich gehe gerne hin, wo man mich mit einem Strick in die öffentliche Entscheidung einbindet. *Eine Fledermaus flattert nett über ihn hinweg.* Natur! Über dem Land wird es Abend. Gierige Angler stehen beim Kanal. Wieso verschwinden immer wieder Blutkonserven aus meiner gutgehenden Praxis? Jemand scheint sie förmlich auszutrinken. Ja, Blut ist ein besonderer Saft. Er zupft einen ordentlich am Stengel. Ich denke gern in Zahlen, die haben eine schöne Figur. Ich höre Musikkapellen jeder Sparte zu. Mein Hobby ist meine Verlobte Emily. *Als wäre sie noch hier.* Kannst du nicht besser Ordnung halten?

Wärst du ein Pferd, müßtest du jetzt über Hindernisse springen. Als Krankenschwester bist du finanziell unabhängig. Die Sozialarbeiterin ist wie du ideell gebunden. Die Umstellung auf eine Ehe wird dir schwerfallen. Ich halte es aus. Frauen liebe ich nicht als Jasagerinnen. Was für eine Welle! Du betest und steigst eine Treppe hoch. Als Arzt kann ich mir Wünsche erfüllen. Motorboote und Segelyachten. Damit sie in der Morgensonne funkeln. Du bist auch so ein Behälter für jemand, der gern und gut atmet. *Die Fledermaus flattert wieder unbemerkt über seinen Kopf hinweg.*
Mein Berufsgeheimnis ist die Trennung von Oben und Unten. Diese Trennung ist medizinisch angeregt und konstitutionell angelegt. Willkommen im Spital! Auf dem Sozialmarkt gehen Frauen in Jeans und T-Shirts herum. Ein Kopf verschwindet zur Gänze in ihren Handflächen. Gott würgt sie zart. Es ist früher Morgen. Ich suche mir jetzt eine stille Bucht, in der ich eventuell textilfrei baden kann. *Er geht in die Landschaft hinein, zum Teich.* Hier ist schon eine! Grüß Gott! Ich kaufe. Ich kaufe nichts. Ach, Emily, könnte ich dich doch festnageln! Verlaß mich nicht! Dein Dr. Heidkliff erlaubt es nicht. Er ist Dr. med. Diese Frauen tragen große Umhängetaschen, darin ein Formular und warme Bekleidung, auch Banknoten, für wenn man aus dem Osten kommt. Auch Kinderspielzeug, denn sie haben alles verloren, wenn sie zu uns hereinschauen mit ihren Gesichtern, die lange keinen Reiz erblickt haben. Im Dunkeln leben Maden. Jeder Flüchtling kennt das Gefühl. Du, Emily, bist allgemein und sozial. Du hilfst viel. Könnte ich doch deine Teile voneinander separieren und ihnen getrennte Aufgaben zuweisen! Ich liebe dich. Ich liebe Gott mehr. Ich lerne es in der Christel-Union. Es wird dunkel. Es wird hell. Ich mache es. An welcher mnemotechnischen Hilfe habe ich mir bloß gemerkt, daß du hier warst? Ich erinnere mich nicht einmal an das Hilfsdenken. Weißt du, Emily – *er beginnt sich auszuziehen* – ich kann immer sofort erkennen, daß ich dich liebe. Ich schaue an mir hinunter, siehst du, so! Und dieser kleine Handelsvertreter meiner selbst regt sich oder leider nicht. Schau dir das an! Jetzt ist es an dir, die Sau rauszulassen. *Er hat sich bis auf eine tigergemusterte Bade-*

hose ausgezogen. Jetzt springt er ins Wasser. Sofort hört man aus dem off Wasser rauschen, fröhliche Schreie von Badenden, Kinderrufen, Gelächter, Hundegebell, überfüllter Strand an einem schönen Tag. Ich übe mich in der schönen Sicherheit des Besitzens. Hoffentlich stiehlt mir keiner diesen von der Stange gekauften Anzug. Ich bade. Ich treibe Sport, indem ich jetzt schwimme. Ich gehe an Orte. Vielleicht sehe ich sogar eine TV-Sprecherin oder eine Filmschauspielerin als eine Nackerte. Ich köpfle. Ich trete ins Wasser. Das Wasser ist unsicher. Es weiß nicht wohin mit sich. Ich werde heiraten. Alles hellblau. Mein Gefühl ist eine warme Kotsäule in meinem Leib. Ich spüre es gut. Es bleibt da, solange ich will. Mein Vergnügen ist grenzenlos. Danke sehr. *Er schwimmt. Badegeräusche. Er spricht immer atemloser.* Die Frau gibt es bereits seit der Antike, wo sie in Aufzeichnungen erwähnt wird. Sie geistert durch eine Überlieferung! Gelt, Emily, da schaust du! Vor dir waren welche! Emily geht zu Fuß, wenn sie muß. Mein kleiner Wechselbalg! Du bist koboldhaft und plauderst mit Menschen. Ich muß jetzt sehr aufpassen – *atemlos* – sonst kann ich sie vom Außen nicht mehr unterscheiden. Sie wird dann Welt. Du bist die Welt für mich, Emily. Und darum lieb ich dich. Bist du hier? Ich möchte dich meinem Freund vorstellen. Der Freund ist seit vielen Jahren nicht hier gewesen. Auch jetzt ist er nicht da. Ich nehme später einen Tennisschläger und schlage damit. Woran soll ich dich erkennen, Emily, wenn ich dir einmal unverhofft außerhalb meiner Praxis begegne? *Die Badenden johlen und brüllen.* O Sport, Sport! Supersport! Leistungssport! Für dich, o Sport, weiche ich sogar von einem Weg ab! Du wunderbares und noch nicht verschmutztes Gewässer! Ich will in dir versinken. Mit geübten Bewegungen halte ich mir jedoch den Ausweg in die Luft offen. *Er ist kaum noch zu verstehen. Lärm.* Emily! Du hast das Zeug zu einer großen Künstlerin, aber auch zu einer Buchhalterin. Das sollst du nicht geringschätzen. Auf Wiedersehen!

Gleißende Helligkeit, als wollte das Ganze einen Augenblick lang explodieren. Sehr laute Geräusche der Badenden. Dann abrupt Dunkel.

2. Die Landschaft rechts liegt fast im Dunkeln. Dafür links geschäftsmäßige Helligkeit über der Arztpraxis. Der Steuerberater Dr. Benno Hundekoffer kommt herein. Er führt liebevoll seine Frau Carmilla mit sich, die hochschwanger ist. An dem Paar hängt eine Menschenkette dran und zwar folgendermaßen: Fünf Personen, welche Kinder darstellen sollen, aber von Erwachsenen gespielt werden. Sie tragen alle Rollschuhe, wenn irgend möglich, und bilden eine Reihe Orgelpfeifen, also das kleinste Kind läuft in der Hocke, je größer die Kinder werden, um so mehr muß der entsprechende Schauspieler sich aufrichten. Wie bei der Eisrevue. Die Kette schleudert wild im Raum umher, wirft Sachen um. Es muß möglichst rasant wirken. (Auf kleinen Bühnen vielleicht Ballettschuhe?)

BENNO: Mein Name ist Benno Hundekoffer. Damit es alle gleich von Anfang an wissen. Ich bin Steuerberater. Mein Beruf ist heilen und helfen. Meine Frau ist schon wieder einmal geburtsreif. Ich wollte, ich könnte ihr diese Arbeit abnehmen.

CARMILLA: Das Heim ist mein. Lehm bin ich nicht, wie ich dir bereits vorhin versichert habe.

BENNO: Jetzt bist du noch unbeweglich wie das Abendessen. Aber warte nur, bald wirst du wieder durch ein herzförmiges Loch in der Tür schauen oder ein Instrument spielen.

CARMILLA: Als Schwärmerin gebe ich mich schon mit wenig Realität zufrieden. Geige zu spielen habe ich nie gelernt.

BENNO: Du bist so leicht rekonstruierbar. Ich staune immer. An dir ist nichts. Aber in dir entsteht vieles. Ich habe ein lebhaftes Verlangen nach Rundumerneuerung. Ich bin ein guter, solider Reifen. Und du, Carmilla, kleine Frau ganz groß. Und bereits zum sechstenmal. Super!

CARMILLA: Ich bin schließlich aus Beseeltem gemacht, nicht aus Staub. Ich bin aus einer Rippe entstanden. Spricht das nicht ein wenig für mich? Ich bastle, aber ich knüpfe an nichts an. Ich werde bald wieder eine schöne Figur haben.
Die Kinder johlen.

BENNO: Wie soll ich dich diesen Leuten hier beschreiben, Carmilla? Meiner Frau ist es unbehaglich. Sie hat eine Entscheidung für ein Gottesgebot getroffen. Das trifft sie selbst am meisten. Sie hält eine Leibsbelastung aus. Prinzipiell verstehe ich sie gut. Ich verstehe dich wie eine schnurgerade Bleistiftlinie. Was soll ich dem Arzt sagen, wenn er kommt? Woran genau leidest du?

CARMILLA: Ich weiß nicht, wohin ich führe. Die Linie weiß es auch nicht. Ich spreche die Muttersprache und lehre sie auch. Ich habe ein Problem. Nichts habe ich verhindert. Ich trete aus einem Haus.

BENNO: Gleich kommt der Arzt. Geduld! Vorerst darfst du dich sicher ohne seine Erlaubnis in diesen netten gepolsterten Stuhl setzen. Wie gern säße ich an deiner Stelle! Ich kümmere mich einstweilen in meiner sanften Art um unsere Kleinen. Sie sind uns gemeinsam. Keine Ursache. Ich beobachte sie gut. Hast du gemerkt, daß sie schon sprechen können? Die Älteren sprechen sogar Fremdsprachen und korrespondieren. Von wem sie das wohl haben mögen? Ich beachte meine Kinder jetzt.

Er zwingt seine Frau in den Gynä-Stuhl, zwingt ihr die Beine fröhlich auseinander, befestigt sie in den Steigbügeln. Sie stöhnt. Die kleineren Kinder kommen eilfertig herbei und drängen sich, der Mutter zwischen die Beine zu schauen. Stoßen einander gegenseitig an, kichern etc. Die größeren Kinder rollen herum und stiften Unordnung.

CARMILLA: Ich mache mir Sorgen, ob ich auch das Gas abgedreht habe. Und was wird aus dem Licht, dieser unersättlichen Quelle des Stromverbrauchs?

BENNO: Keine Sorge, sage ich darauf. Ich verdiene gut. Ein Rätsel ist, was in deinem Kopf vorgeht. Du bist wie ein schöner Nachmittag. Man erlebt ihn zwar, doch hinterher könnte man nicht sagen warum.

CARMILLA *stöhnt*: Ich bin nichts Halbes und nichts Ganzes. Ich bin dazwischen. Ich bin von liebenswürdiger Geringfügigkeit.

Benno fesselt sie immer fester an den Stuhl, Carmilla kämpft gegen die Fesseln. Aber beider Gesprächston bleibt beiläufig, konversationshaft.

BENNO: Sogar den Faden fürs Labyrinth würdest du noch irgendwo verlegen, lenkte man dich mit einem hübschen Kleid ab. Dabei lege ich dir diesen Faden jeden Tag aufs neue in deine Handtasche. Die Erde tobt gegen ihre eigene Schönheit. Sie versteht es nicht besser. Aber was bist du? Aufgeregt! Wegen einer Geburt! Schau nur, wieviel Sonne sich in dieser Praxis befindet. Die launische Dame Fortuna hält sich gewiß gern hier auf.

CARMILLA: Ich habe nur das Beste und Schönste im Sinn.

Die Kinder rasen johlend herum.

Ich erkenne nichts. Es herrscht Nebel. Es herrscht die Regel. Warum muß ich nur auf einmal hartnäckig an einen Friedhof denken? Du hast so eine herzensgute öffentliche Gestalt, Benno.

BENNO: Froh bin ich über deinen Willen zur Disziplin in diesem schwierigen Fach. Diese Geburt wird vonstatten gehen, garantiert dir unser Hausarzt. Er hat keinen Humor, und mit solchen Sachen scherzt er schon gar nicht. Keiner geht vorbei. Handle nach deinen Gewohnheiten, Carmilla.

CARMILLA: Ich habe Angst.

BENNO: Darauf sage ich: Schön bist du nicht.

CARMILLA: Wie bist du gegen mich?

BENNO: Was für ein ansprechender natürlicher Vorgang! Ich wünschte, ich könnte ihn dir abnehmen. Ich treffe ein, zwei Leute. Kein Zerwürfnis bitte!

CARMILLA: Hast du heute die einheimische Industrie und ihre Politiker unterstützt?

BENNO: Heute noch nicht. Gestern zuletzt. Eine Geburt ist kein Unglück.

CARMILLA: Ich bin kein geschickter Kunstgriff vom Herrn Gott. Er ist so einfältig, das Wunder der Schöpfung ausgerechnet jemandem wie mir anzuvertrauen.

BENNO: Keine Sorge! Er hat einen vernünftigen Zweck im Auge. Er weiß es besser als du. Er ißt kein Gabelfrühstück. Er nimmt in dir Platz.

CARMILLA: Glaubst du, ich bin ein Ärgernis für seine Schöpfung, indem ich selber zu schöpfen versuche? Straft er mich jetzt?

BENNO: Dafür schröpfe ich meine Klienten. Carmilla! Meine Art Palast! Jede geringfügige Regung ist dir gleich Anlaß zu düsteren Gedanken. Male dir die Auswirkungen auf das Ungeborene aus! Es leidet bereits. Was für eine Gattung Mensch bist du überhaupt? Du willst hier erwähnt sein, das sehe ich schon.

CARMILLA: Ich bin gottlos. Ich bin eine Dilettantin des Existierens. Ein Wunder, daß ich spreche. Ich bin restlos gar nichts.

BENNO: Aber nein. So schlimm ist es gar nicht, glaub mir doch! Dein Körper hat sich ausgedehnt, aber es ist schließlich für einen guten Zweck.

CARMILLA: Wird das Geborene dann aus dem Material sein, aus dem auch ich bestehe, das arme Kind, was meinst du, Benno? Wie lieb vom Jesusknaben! Daß er so elegant an mir handelt. Er hat mich zwar als Grenze geschaffen, aber er läßt mich in seiner Güte doch manchmal hinüberschauen, über mich hinweg. Ich denke, ein Sturm zieht auf. Tod? Nein, das kann noch nicht sein! Es wollen manche noch Studien und Übungen an mir betreiben.

BENNO: Nur keine Sorge! Ich merke, daß ihr Frauen in merklich höherem Grad von Äußerlichkeiten abhängig seid als wir.

CARMILLA: Aber Benno. Ich rede von meinem Innenraum. Hier drinnen. Nicht dort draußen! So weit würde ich gar nicht gehen. Ich habe Platz genommen.

BENNO: Jawohl. Ich glaube jetzt auch: Dort drinnen sitzt die Wurzel allen Übels. Du Schlingel! Dieser Arzt ist nach allen mir zugänglichen Quellen jedoch auch Zahnarzt und kann deine Wurzel jederzeit extrahieren. Er kann wo er will etwas aus dir herausnehmen. Er wird dann rezitieren und Publikum sein.

CARMILLA: Ich hoffe, du gibst mir noch eine Chance, Benno. Wie gefällt dir unsere bisherige Kinderschar, Benno?

BENNO: Danke gut.

Die Kinder johlen lauter und fahren herum. Die Landschaft wird in unheimliches Licht getaucht, fast unmerklich.

CARMILLA: Nicht wahr, Benno, sag es mir noch einmal: Wir sind uns im Prinzip selbst genug? Wir sind bald acht Personen.

BENNO: Ihr ehrgeizigen Frauen! Woher kommt dieser Druck, den ihr auf eure Männer auszuüben versteht? Warum wollt ihr uns immer in diese geschäftliche wie gesellschaftliche Höhe hinaufgestellt wissen?

CARMILLA: Wo bin ich? Ich grüße artig. Ich liefere Ware.

BENNO: Ich bin Steuerberater. Dorthin hast du mich gestellt, damit du dich neben mich stellen konntest. Geld muß arbeiten. Der Mensch auch.

CARMILLA: Deinen grauen Flanellanzug wollte ich noch in die Reinigung bringen. Bitte verzeih! Wohin ich schaue: Flecken. Dreck. Schlamm. Keine Arten- und Formenvielfalt. Antennen. Flora. Fauna. Bravo!

BENNO: Ich schaue ein wenig auf unsere Kinderschar, und schon kann ich dir nicht mehr böse sein. Diese Kinder werden Nachfolger der großen Klassiker werden.

CARMILLA: Fünfmal ist es zwar gutgegangen, aber ich bin doch besorgt. Das Sechste hättet ihr, du und Jesus, besser einer anderen anvertraut. Der Jungfrau Maria oder der Büßerin Magdalena. Ihre Gesichter sind noch nie auf dem Bildschirm aufgetaucht. Sie sind nicht abgenutzt. Sie sind noch nicht Figuren einer Serie.

BENNO: Es ist hübscher, du machst es. Du kennst den Weg besser.

CARMILLA: Nun, so wage ich mein erlerntes Handwerk auf deinen starken Antrieb hin fortzuführen. Danke schön.

BENNO: Nummer acht. Zieh bitte deine Bahn. Stürze nicht aus dem bürgerlichen Glanz ab, der von mir kommt.

Die Kinder johlen.

Kauf dir feste Schuhe! Geh nicht zu den Nachbarn, die schauen uns herein! Wohne hell und großzügig! Fahren wir zum Beispiel nach Griechenland! Komm von einem Ausflug zurück! Befestige dich an meinem Arm.

Ein Gewitter zieht dräuend auf.

CARMILLA *spricht mühsam*: Ich hoffe, du hast dir gestattet, diesem Kind ein menschliches Bild zu geben? Ich meine nur. Damit man es später, wo gewünscht, als Mensch erkennen kann. Damit man es nicht ausradiert oder mit Gas totmacht. Zieh deine Show ab!

BENNO: Ich war recht konzentriert bei der Sache. Ich habe genau mich selbst noch einmal gemacht. Ich habe dieses genau wie die anderen geschaffen. Schau, wie sie rollen und rollen und laufen und laufen!

CARMILLA: Vielen Dank, daß du mir diesen Braten in die Röhre geschoben hast. Vielen Dank, daß du dieses Brötchen gebacken hast.

BENNO: Bitte. Keine Ursache. Immerhin hätten wir auch plaudern können.

CARMILLA: Ich hoffe, der Arzt kommt bald zu mir und macht dein Werk fertig. Er soll bitte das Tüpfelchen auf das I setzen. Wie heiße ich doch gleich? Ich vergesse es immer wieder.

BENNO: Wenn du es vergißt, sag ich's dir gern immer wieder. Tausendmal, wenn es sein muß! Etwas Urin ist auch noch in deiner Kammer. *Küßt sie.*

CARMILLA: Ich werde an dich denken, wenn das Kind herauskommt. Ich danke dir, daß du mich erneut vollgefüllt hast.

BENNO: Darauf ich: Gott ist unergründlich. Er hat einen Ratschluß. Er macht einen Kletterschluß. Er kann sogar in Gestalt einer Zange eingreifen.

Es donnert.

CARMILLA: Es wird doch in diesem Augenblick nicht regnen wollen, Benno?

BENNO: Nein. Ich lasse es jetzt nicht regnen.

CARMILLA: Du kannst unmöglich ein schönes Leben an meiner Seite führen.

BENNO: Unsere Kleinen entschädigen mich. Ich bin sanft.

CARMILLA: Ich muß dann noch einkaufen, aber was? Und wieviel? Der Pulli wird mir doch nicht eingehen!

BENNO: Was für ein Glück du hast, ist doch dein Leben ein einziger ungestörter Schlaf.

Die Kinder gehen jetzt gemeinsam daran, das Ufer des Sees zu zerstören. Sie werfen Styroporfetzen herum. Johlen furchtbar.

CARMILLA: Auf diese ungefügten Brocken, die erst noch von Goethe werden hören müssen, wirkt es sich vielleicht ungünstig aus, daß ich ihre Mutter bin. Ich verziehe mich lieber. Ich bin verzogen.

BENNO: Schluß jetzt mit dem Trüben. Setze dich der städtischen Luft aus! Laß den See glänzen! Konzentriere dich auf Alltägliches! Es kann schön sein. Laß die Geburt vonstatten gehen! Du wirst dein Haus wiedersehn!

CARMILLA: Jetzt beginnt der Kampf. *Versucht, in ihren Unterleib zu schauen, ist aber gefesselt.* Wo ist mein Platz? Ach ja, hier ist mein Platz.

BENNO *beugt sich über ihren Unterleib*: Schau, der Kopf zeigt sich schon im Abfluß. *Starrt ihr zwischen die Beine.* Leider ist der Arzt noch nicht von einem Krankenbesuch zurück. Schade. Eine versäumte Chance! Glaubst du, du wirst überleben? Hoppla! Da sitzt ja einer im Ausguck! Dieser Ort ist Wien, das heißt Österreich. Es kommt! Es kommt! Hervorragend!

CARMILLA *vor Anstrengung ächzend*: Dabei hast du soviel Kunst und Sorgfalt auf dieses Produkt verwendet. Es darf nicht kaputtgehen. Du bist so partnerschaftlich gewesen und hast die ganze Herstellung übernommen. Ich erinnere mich: An jenem bewußten Abend bist du bis spät in die Nacht aufgesessen!

Die Kinder demolieren die Landschaft. Es donnert.

BENNO: Der Ausguß füllt sich mit schaumigem Wasser. *Schaut zwischen Carmillas Beine.* Wüste. Wäsche. Komm schon! Los! *Wie beim Sport.* Raus! Ich dulde nichts Halbes in meiner Umgebung!

CARMILLA: Mein Stil ist das normalerweise nicht.

Benno greift entschlossen zwischen ihre Beine. Blitz, Donner. Gellendes Licht, Dunkel. Pause.

3. Helles, weißes Licht. Keinerlei Unheimlichkeit. Ansonsten wie vorhin. Die Kinder beschäftigen sich jetzt still, essen Obst, zeichnen auf Papier, spielen mit überdimensionalem Spielzeug, das ihrer Größe entspricht.

Emily tritt auf. Sie trägt eine schicke Krankenschwesternuniform, aus der in Höhe der Brust (nicht aber aus dem Herzen!) elegant zwei, drei Pflöcke ragen. Keine Spur Blut.

Carmilla hängt tot im Sessel, was aber niemand zu merken und niemand zu stören scheint. Zwischen ihren Beinen Blut.

Dr. Heidkliff tritt naß in seiner Badehose auf und zieht sich in der Folge langsam an. Alles recht alltäglich.

EMILY *zu Benno und Carmilla*: Stoßen Sie sich bitte nicht an meiner äußeren Uniform. Sehen Sie mir bitte ins Herz! Hier schillert alles ziemlich verwesungsartig und ist doch völlig in Ordnung. Außer daß eine Frau gestorben ist. Sie haben übrigens recht: Ich sammle. Ich teile nicht. Ich bin eine fleißige Biene. Es macht Ihnen doch nichts aus, wenn ich rasch etwas zu mir nehme? Ihnen hilft es ohnehin nicht mehr. Ich habe den ganzen Tag noch nichts gegessen. Ich sehe, Sie sind hübsch, aber schwach. Sie sind ja tot! *Schaut neugierig zwischen Carmillas Beine.* Wo ist denn all Ihr Blut geblieben? Vorhin hatten Sie es doch sicher noch. Ist es in einem Gefäß?

CARMILLA: Ja. Ich bin jetzt leider tot. Ich bin gestorben. Gern sehe ich jemanden essen, vorausgesetzt, ich muß seine Nahrung nicht herbeischaffen. Sie sehen auch gut aus. Sie sind ja wie aus der Natur geknallt! Wie ich früher. Ich habe gerade ein dummes, überflüssiges Abenteuer hinter mir. Ich bin so tot.

EMILY *sucht herum*: Nicht mehr flüssig. Zu lang an der Luft. Nicht mehr hinreichend flüssig.

BENNO *patscht seine Frau väterlich ab*: Brav geboren! Prekäre Folgen. Sie wissen es noch nicht, Schwester: Mein Name ist Benno Hundekoffer. Steuerberater. Von Natur und Neigung. Ich heile und helfe. Ich zeuge auch. Ich bin der Löwe, der die Zunge herausstreckt, nachdem er ein Werk gemacht hat.

EMILY: Ich bin Schwester Emily. Freut mich sehr. Ich bin normalerweise nicht hochmütig. Ich denke, daher bin ich. Ich trinke, daher geht es mir gut. Ihre Frau ist ja normalerweise auch nicht tot.

BENNO: Haben Sie gesehen, was für wonnevolle drei Kilo fünfundvierzig mir dieses verstorbene Geschöpf hier, dem man die Anstrengung noch ansieht, soeben geschenkt hat? *Er zeigt die Babypuppe.*

EMILY *zu Benno*: Na, jetzt haben Sie aber eine Pause verdient, was? Nicht schlecht für einen, der einer sitzenden Beschäftigung nachgeht.

BENNO: Ich lasse gleich Karten drucken. Meine Fröhlichkeit ist ansteckend.

EMILY *schaut die Puppe an*: Mein Angriff gilt Ihrem schwächsten

Punkt, Herr Hundekoffer: Ganz vollständig ist das Kind nicht. Aber Mädchen ist es auch nicht.

Carmilla kämpft stöhnend gegen ihre Fesseln an.

BENNO *zu Emily*: Ihr Frauen! Immer launisch. Ohne jede Zärtlichkeit und Menschenliebe. Das macht uns Männer einsam. Daher suchen wir immer nur uns. Dazu ein Mangel an Kenntnissen.

EMILY: Hauptsache gesund. *Sie beginnt, sich etliche Blutkonserven wählerisch zusammenzustellen, auf dem Tisch aufzureihen, Strohhalme hineinzustecken. Wie an einer Bar.*

CARMILLA *laut stöhnend*: Zum Glück habe ich mir vorige Woche eine neue Dauerwelle geleistet. Meine Frisur ist haltbar wie Stacheldraht. Schweiß und Staub sammeln sich monatelang in ihr. Jemand spricht, und ich verstehe ihn überhaupt nicht. Ich entdecke gelegentlich eine Menschendarstellung wie dieses Kleinkind und freue mich daran.

EMILY *geht zu ihr zurück, prüft ihre Fesseln*: Ich sehe schon, auch Sie sind so ein Gurtenmuffel!

CARMILLA: Ich bin keine Lieblingsspeise. Trotzdem fressen mich die Kinder auf. Ich habe keine Zeit fürs Kino. Dafür putze ich und bin fein heraus. Helfen Sie mir!

EMILY: Dazu bin ich da. *Sie macht Carmilla los, interessiert sich sichtlich immer mehr für sie. Carmilla bleibt freiwillig liegen.* Sie sind eine wunderschöne Frau in wunderschönen Zimmern! In frisch ausgelegten Schubladen. Haben Sie dieses Abenteuer denn nötig?

CARMILLA: Ich bin unschuldig.

EMILY: Sind Sie hochmütig?

CARMILLA: Ich bin nicht todeswütig. In etwas hineinzugehen, dazu lassen mir die Kinder keine Zeit. Ich könnte vor Glück sofort närrisch werden.

EMILY: Ich bin leider lesbisch. Ich bin anders als Sie. Ich gebäre nicht. Ich begehre dich.

CARMILLA: Danke. Das trifft sich gut. Ich bin zart und pflegeleicht. Man muß mich nur in eine Maschine legen. Ich bin fleißig. Meine Naturwelle ist mir zu schwach, daher verstärke ich sie mit Kunstwellen. Was tut Ihnen sonst noch weh?

EMILY: Wenn jemand solche Fragen stellt, dann ich. Ich bin diplomierte Krankenschwester. Sie gefallen mir sogar tot. Sie gefallen mir gut. In meiner Freizeit darf ich machen, was ich will, sagt Dr. Heidkliff. Ich dichte ununterbrochen. Ich komme halb von Sinnen durch Sie! Unsere üblichen Gebärenden sind ansonsten nicht besser als Kunden auf einer landwirtschaftlichen Messe. Kaufkräftig, aber sie wissen nicht genau, was sie für ihre Äcker benötigen.

Benno will Emily die ganze Zeit über auf den Säugling aufmerksam machen. Emily aber interessiert sich nur für Carmilla, deren Hals sie zärtlich sondiert.

CARMILLA: Ist es wirklich wahr, daß Sie eine Veranlagung haben?

BENNO *drängt sich hinein, hält die Puppe vor Emilys Nase*: Sehen Sie selbst: Es entspricht genau der österreichischen Norm. Wie in meinem Gesuch gestanden hat. Er ist schon tüchtig unterwegs. Er wird hoffentlich werden wie die anderen. Schwester! Geben Sie mir bitte ein Hilfsmittel für mein Gedächtnis, damit ich mich an die anderen erinnern kann. Ein alkoholhaltiges Getränk bitte! Ich möchte mich erinnern können, woher dieses Kind gekommen ist. So gut gefällt es mir.

CARMILLA: Wenn es dir nur gefällt, Benno!

EMILY *an Carmillas Hals*: Ich bin eigentlich Schriftstellerin. Ich habe nicht Kinder, nicht Zeit, nicht Rat, nicht Mann. Keins und kein anderes kommt. Es mangelt mir nicht an Bewegung. Ich renne dem Fleisch hinterher. Ich bin nicht nur Fadenspenderin eines Helden!

CARMILLA: Mit dem Gift in der Muttermilch wird deutlich, daß der Mensch die von Gott gegebenen Befugnisse, über die Natur zu herrschen, überschritten hat. Ich selbst möchte von mir nicht trinken müssen. Was darf ich sonst servieren?

EMILY: Ich gedeihe inmitten von Seuchen. Wenn ein Wesen wie ich gut wäre, was für Ströme könnten von ihm ausgehen!

BENNO *herumsuchend, legt dann das Kind einfach so achtlos auf den Boden*: Ich suche zur Entspannung etwas Hochprozentiges und Nachhaltiges. Hier steht aber nur Blut herum. Sinnloser Saft.

EMILY: Mein Vater, der Pfarrer und Alkoholiker. Aber ich selbst habe ja auch manchmal Hunger. Ich habe dann Durst. Ich spreche in der Kunst. Ich bin international. Ich bin nicht abstrakt, dennoch tauche ich an dem einen und sofort an dem anderen Ort auf. Dann wieder bin ich absolut fort. Man müßte schon sehr arbeiten, um mich wieder einfach zu machen! Ich habe früher zwei Schwestern gehabt. Die müssen aber, zum Unterschied von mir, nicht wiederkommen. Sie sind ruhig. Diese Unbösen. Sie haben sich längst aufgelöst, einfache Rätsel, die sie waren. Sie haben nicht so sehr mit der Welt und deren Publikationsmöglichkeiten spekuliert. Außer vielleicht meine Charlotte. Sie hat einen durchschnittlichen Menschen geheiratet. Keiner kann etwas dafür. Ich war auf der Heide und im Wald. Jägerin war ich nicht. Zu keiner Freude. Wie kann man nur abgehobene Sachen schreiben! Ich verstehe mich selbst nicht. *Saugt zerstreut Blut durch einen Halm.* Und dann muß auch noch meine Veranlagung anders sein. In allem und jedem: unerbittliche Opposition!

CARMILLA: Mein Mann veranlagt Sie gern noch einmal neu! Er ist gefällig. Ich verstehe Sie gut. Ich selbst könnte nicht in ein Haus gehen, dessen Bewohnbarkeit nicht vorher gesichert ist.

EMILY: Sie sind lieb! Warten Sie ab! Sie werden nicht Magd sein, wenn ich mich von Ihnen ernährt habe. *Sondiert wieder Carmillas Hals, fährt mit den Lippen darüber.* Ich bin der Anfang und das Ende. Von dem ich esse, der wird ewig leben. Ich bin hier und dort. Niemand segnet mich mehr, nicht einmal das Zeitliche.

CARMILLA: Ich bin zeitgemäß gekleidet. Ich bin in Maßen modisch-elegant. Ich bin eher damenhaft. *Emily hat die Babypuppe aufgehoben und sie zerstreut betastet.* Bitte, bedienen Sie sich!

EMILY: Das Blut des Neugeborenen ist leider frühestens ab der ersten Lebenswoche halbwegs für den menschlichen Genuß geeignet.

CARMILLA: Geben Sie mir Anweisungen zum Gehen? Herzlichen Dank. Indem ich still daliege, sehe ich Leute einander auf die Schädel schlagen und dann woanders hin schreiten und möchte es nachmachen. Es geht nicht. Auf mich kommt etwas unaufhaltsam zu, wie der Lufthauch von einer Eisenbahn. Was bitte?

EMILY *legt das Kind achtlos weg*: Meine Unarten habe ich auf der Heide in einer Heimat eingeübt. Durch meine Gedichte sollte das Sichtbare auch wahrzunehmen sein. Es blühen Blumen dumm herum. Stehen einfach da.

CARMILLA: Ich war einmal Sekretärin, ein sterbender Frauenberuf. Ich bin abgesprungen. Meine Haut wird naß. Ich schaue in den Spiegel. Ich tue allerlei stille Gänge in meiner Wohnung, die alle geheimnisvoll in relativ neuen Elektrogeräten münden. Ich bin in Graz, der Hauptstadt der Steiermark, geboren. Ich bin jetzt tot.

EMILY *zärtlich an ihrem Hals*: Ich habe früher in England gelebt. Dort geht es demokratisch zu! Ich will jetzt gern in dir wohnen. Laß mich rein! Ich gebe und nehme Blut, nur die Mengen stimmen nicht immer überein.

BENNO *mischt sich ungeduldig in das Gespräch, das er wie ein Tennismatch, aber verständnislos verfolgt hat*: Ich freue mich über unser Kind, Carmilla, sage ich jetzt. Doch sofort kommt mir das Gedankliche an mich heran: Frage Schwester Emily nach der Farbe ihres Lippenstifts, der mir gut gefällt. *Boxt seine Frau in die Rippen, derb-zärtlich. Emily zieht sich leise zischend zurück.* Gehe bald in unsere eigene Wohnung zurück!

CARMILLA *zu Emily*: Wie heißt bitte die Farbe Ihres Lippenstifts?

EMILY: Arme Erde. Staubige Straße. Die Feder will es nicht aufschreiben.

BENNO *zu Carmilla*: Deinen Plan, eine Boutique zu eröffnen, wirst du nun wohl aufgeben müssen, Carmilla. Und zwar wegen Doppelbelastung. Und wegen Trauerfalls.

EMILY *zu Carmilla*: Wirst du morgen zu mir kommen? Sprich über Empfindungen! Sei unehrlich! Gib und nimm Gefühle! *Legt den Kopf an Carmillas Schulter.* Wäre mir soviel Liebe und Sorgfalt zugeflossen wie dir, Carmilla, ich wäre allgemein langweilig geworden. Eine andere. Ich würde plaudern. Ich würde auf den Boden schauen. Rette dich bitte sofort!

BENNO: Im Sprechen haben wir als Ehepaar uns nie zusammen in einen reinen Männerchor einschreiben können. Du warst immer eine zuviel, und das am falschen Ort, Carmilla! Das liegt teilweise an mir, teilweise auch an dir. Du mußt gerecht sein.

EMILY *legt achtlos das Kind Carmilla an*: Mach nur eine kleine Geste mit der Faust, und schon ist der beginnende Verkehr zwischen uns vorbei!

CARMILLA: Aber nein. Wie merkwürdig und schön. Still, Kind! *Das Baby schreit.* Kein Geplänkel! Behaglichkeit! Dauer! Mein Mann ist ehrlich Steuerberater und wohnhaft. Ich selbst heiße Carmilla Hundekoffer und habe im Augenblick sechs Kinder.

EMILY: Vorbei. Vorbei.

BENNO *das Kind stolz nehmend*: Ich nehme es vom Lebendigen!

EMILY *zu Carmilla, sich mit dem Mund entschlossen deren Hals nähernd*: Macht nichts. Du gefällst mir geradeso wie du bist, Carmilla. Du bist sichtbar und unsichtbar wie die Ecken in deiner hellen geräumigen Wohnung. Ich nehme dich wahr! *Beißt sie entschlossen in den Hals.*

Carmilla stößt einen hellen Schrei aus. Benno merkt nichts.

BENNO *mit dem Säugling vor den beiden ineinander verbissenen Frauen wedelnd, die seiner nicht achten*: Schauen Sie doch, Schwester! Kiloweis vom Besten! Güteklasse A! Mein herrliches Blut! Meine Eigenschaften auf derart kleinem Raum. Mich wundert, daß sie alle Platz haben. Hurra, ein Junge, rufe ich laut. Ein Stammhalter! Der Baum wackelt keinen Zentimeter.

Die Frauen beachten ihn nicht, ineinander verkrallt und verbissen wie sie sind.

Schauen Sie! Essen Sie! Trinken! Betrachten Sie, was ich gemacht habe!

EMILY *löst sich einen Augenblick, saugt gleich weiter*: Es gibt leider zu viele unscheinbare Menschen.

BENNO: Ich bin so qualifiziert! Ich bin so quellfinster! In mir steckt Zahnfüllung in Gold! Bitte behalten! Nur nicht so schüchtern!

Die Frauen stöhnen. Emily saugt. Benno bewundert sein Kind. Langsam Dunkel.

4. Bläuliche Dämmerung. Dr. Heidkliff ist angezogen, schließt seinen Arztkittel. Carmilla hängt im Gynä-Stuhl, den Kopf zurückgeworfen. Man sieht die neuen Vampirmale an ihrem Hals. Emily in einem fließenden eleganten Seidenkleid. Sie ist in Carmilla versunken, küßt, streichelt sie. Die Kinder liegen, zu einem Haufen aufgetürmt, auf dem Boden, schlafen inmitten des Chaos, das sie angerichtet haben.

HEIDKLIFF: Dann wollen wir einmal. Ich bin jetzt Beruf. Ganz in Weiß. Keine Braut. Fan! Ich bin geschwommen, habe aber auch Geräte für ganz andere Arten. Ich habe zwei voneinander völlig verschiedene Squash-Schläger. *Er setzt sich entschlossen auf einen Hocker zwischen Carmillas Beine. Der Ehemann kommt sofort neugierig herbei, schaut in den Unterleib.* Ich trinke Bier, Cola, Limo. Ich möchte, daß der Menschheit wohl ist. *Zu Benno:* Schauen Sie konzentriert auf den Bildschirm! Sie sehen das, was Ihre Frau unter dem Herzen trägt. Sie sehen den kleinen Astronauten in seiner giftigen Kapsel. Ist es nicht wunderbar? Ein epochales Ereignis. Es kommt nicht oft vor. Nur schade, daß das Junge den Uterus bereits verlassen hat!
BENNO: Grüß Gott, tritt dennoch ein, bring Glück herein.
HEIDKLIFF *zu Benno*: Ich sehe zwar: Wir sind austauschbar. Aber ich bin ich! Wir verdienen etwa gleich viel. Wie sollten wir also das, was wir sprechen, untereinander gerecht aufteilen? Es geht nicht. Wir sind total unterschiedliche Individuen. Wir sind total dasselbe. Wir sprechen nicht mit Unterschieden. Sogar unsere Tennisschläger sind ungleich! Sie sind gleich. Man hört verschiedene Stimmen. Man hört immer nur uns. Man stört uns daher nicht.
BENNO: Wir sind moderne Personen. Wir sind ungleich, aber ohnegleichen. Wir sind dasselbe. Wir tragen Stehleitern und stellen uns, wo es uns gefällt, darauf. Wir sind unsresgleichen.
HEIDKLIFF: Unser insgesamt Blut könnte man oft austauschen. Wer nimmt Notiz? Wir haben dieselben Interessen, aber zwei verschiedene Frauen. Wir haben nicht geteilte Meinungen. Wir sind miteinander identisch. Wir haben gemeinsame Vorlieben. Daraus entstehen uns keine gemeinsamen Nachteile.

BENNO: Wir sind angenehme Erscheinungsformen von ein und derselben Sache.

HEIDKLIFF: Wir sind jeder anders gekleidet. Aber von ein und derselben Qualität sind unsere Gehirne. Wir sind eins. Wir sind wir.

BENNO: Am Urinoir gemeinsam stehen. Reihe machen. Nicht speien! Froh brunzen wir vor uns hin. Alle für einen. Einer für alle. Eins und einer. Die Sonne kommt heraus. Der Wald zuckt unter der Peitsche des Wetters.

HEIDKLIFF: Wenn ich unter Mißbrauch meines ärztlichen Briefkopfs eine private Meinung äußern darf: Zieht man das Alter Ihrer Frau in Betracht, so muß ich widerwillig äußern: Gut gemacht. Bravo. Letaler Ausgang.

BENNO: Nicht wahr?! Meine Frage lautet nun, und sie liegt nahe: Kann ich mich noch ein weiteres Mal gefahrlos in dieses verästelte Labyrinth wagen? Ich bin kein Held, müssen Sie wissen.

HEIDKLIFF: Von mir aus kein Einwand. Medizinisch gesehen. Ich wüßte allerdings etwas Besseres, wäre ich an Ihrer Stelle. *Wühlt in Carmillas Unterleib herum.* Sie könnten beispielsweise für öffentliche Ordnung sorgen. Sie tun es schon. Sie könnten Verkehr regeln! Wenn Sie nur wollten.

BENNO: Meine Frau befriedigt mich mehr. Und besser als eine Uniform es je könnte. Auch Steuerberater zu sein, macht mir Spaß. Ich nehme Sachen auf und lege sie woanders hin.

HEIDKLIFF: Ich bewundere Sie. Zu wagen, in diese zerstörte Umwelt ein Kind hineinzusetzen! Nicht einmal einer Retorte würde ich das zumuten. Ihre Frau: Eine blinde Tür. Eine soziale Ordnungs AG!

BENNO: In der Tat handelt es sich bei meiner Frau Carmilla mehr um Natur als um irgend etwas sonst. Ich ziehe die stille Betrachtung dieser Frau amourösen Abenteuern bei weitem vor. Davor muß das Reagenzglas schweigend zurücktreten.

HEIDKLIFF: Von Mann zu Mann: Das kann doch nicht Ihr Ernst sein!

BENNO: Zum Thema Umweltzerstörung ernstlich: Darüber sprechen vor allem Pastoren. Ich aber bin ein erklärter Gegner von dramatischen Szenen. Ich würde niemals in ein Glas hineinspritzen. Ich bin nicht leidenschaftlich. Ich bin besorgt. Ich fühle mich berufen. Schwätzer bin ich keiner.

HEIDKLIFF: Für die Natur wie für die Frau gilt: Verwalten, nicht vergewaltigen!

BENNO: Ein Zählen stellt sich in meinem Kopf ein. Grüß Gott. Ich bin vernünftig. Ich liege flach und unkompliziert auf meiner Matratze. Ich habe meiner Frau schon öfter erlaubt, etwas zu bedeuten. Sie soll mehr aus sich machen. Sie hat schon oft was aus sich gemacht.

HEIDKLIFF: Seien Sie mehr in den Beifall der Welt verliebt! Werden Sie meinetwegen spätberufener Virtuose! Werden Sie Gigant! Werden Sie wie ich Wassersportler! Sie haben es. Sie haben es in sich! Dafür bringe ich leider nur im Nebenberuf Zeit auf. Holen Sie Pilze aus dem Wald heraus! Seien Sie meinetwegen ein König in Ihrem Bereich. Verlangen Sie Dienstleistungen! Sie stehen Ihnen zu. Nur bitte, bitte: Stehen Sie dem Unterleib dieser Frau ein wenig gleichgültiger gegenüber. Sie ist übrigens tot. Sie ist gestorben, nachdem sie Ihren Auftrag ausgeführt hat. Als Person ist sie tot. *Er wühlt in Carmillas Unterleib, Benno schaut interessiert zu.*

BENNO: Sie glauben, es könnte mir schaden? Gleich esse ich mein Brot mit Tränen.

Beide wühlen jetzt. Nach kurzer Pause holt Dr. Heidkliff ein inneres Organ hervor, betrachtet es und wirft es dann wie ein Hühnerbein hinter sich auf den Boden. Es platscht auf. Benno springt eilfertig hin, hebt es auf, untersucht es, wirft es wieder weg. Er geht zurück zum Unterleib.

Man würde nicht glauben, was da alles hineingeht. Man nimmt Kleinigkeiten so übermäßig wichtig. Wie dumm. So fügt man sich Schaden zu.

HEIDKLIFF: Von Mann zu Mann: Da haben Sie recht. Und gleich kommt noch eins! Horuck! Wie gut, daß die Patientin tot ist. *Er wirft ein Organ auf den Boden.* Und auf ein Neues! Ich sollte mich ja schämen. Ich sollte mich vor einigen Küchengeräten derartig schämen.

BENNO: Haben Sie eigentlich über all Ihrer Arbeit Zeit gefunden, meine kleine Künstlerin hier höflich zu grüßen?

HEIDKLIFF: Zu ihren Lebenzeiten nicht. Grüß Gott.

EMILY *flüsternd zu Carmilla*: Werde eßbar!

CARMILLA *flüsternd zu Emily*: Werde dehnbar!

BENNO: Zu diesem Thema fallen mir keine Wörter ein. Man möchte sich emporschwingen! Singen! Eine Decke besticken! Bestürzt ein neues Gewürz entdecken!

HEIDKLIFF: Dieses Loch hier sieht so einfach aus und ist doch derart kompliziert, daß ein Mann wie ich jahrelang hart studieren mußte, um sich darin halbwegs zurechtzufinden. Ich mußte Prüfungen ablegen!

BENNO: Man könnte vielleicht einen Faden am Eingang befestigen.

HEIDKLIFF: Kein schlechter Einfall. Und kurios! Leidenschaften treiben uns oft ziellos voran. Was für eine Meinung haben Sie von dem anderen Geschlecht, wenn ich fragen darf?
Er zieht jetzt schlaffe, aufblasbare Gummitiere aus Carmilla hervor. Ein, zwei Kinder erwachen halb und beginnen, die Tiere wie in Trance aufzublasen. Schwimmtiere, Enten, Frösche, Schwäne etc. Heidkliff wirft den Kindern die Schwimmtiere zu.

BENNO: Ich bin Feinschmecker und Steuerberater. Zu mir kommen Lieferanten. Ich bin sehr aktiv bei den Frauen. Ich ziehe eine vor. Ich spüre einen Trieb und einen Beruf.

HEIDKLIFF: Die Liebe geht durch den Magen. Der Appetit kommt mit dem Essen.

BENNO: Ich bin zudem erklärter Liebhaber des inhaltslosen Geplauders. So etwas serviert mir meine Frau jeden Tag. Sie geht ganz im häuslichen Bereich auf. Sie ist fort. Sie bleibt fraglich.

HEIDKLIFF: Ist sie vielleicht auch noch akrobatisch und aristokratisch? Magnetisch? Töricht? Ein Hobbygeschlecht?

BENNO: Jetzt habe ich aber eine kräftige Jause verdient. *Er hebt eins von den Fleischstücken auf, die Dr. Heidkliff herausgeholt hat, riecht daran, kostet, spuckt es aber gleich wieder aus. Die beiden Frauen verbeißen sich ineinander.*

HEIDKLIFF: Damit kann die Philosophie natürlich nicht rechnen, weil es ihren Horizont zerstört. Es zerhackt etwas in einer Maschine. Haben Sie vorhin beobachtet, ob die Nachgeburt schon herausgekommen ist? *Späht in Carmillas Loch.*

BENNO: Jawohl!

HEIDKLIFF: Und was haben Sie anschließend damit gemacht?

BENNO: Sie hat sie aufgegessen. Meine Frau läßt nichts verkommen. Ich lasse nichts anbrennen.

HEIDKLIFF: Sie hätten ihr nach dem letzten Kind mehr Ruhe gönnen sollen. Kocht sie als seltenes Exemplar noch selbst ein?

BENNO: Hundekoffer mit Namen. Halt nicht gern zurück den Samen. Sie macht – wie die Filmschauspielerin Doris Day – sogar ihr Tomatenketchup aus frischen Gartentomaten selbst! Sie ist nicht zu bremsen.

HEIDKLIFF *wühlt in Carmilla, wirft Gummitiere*: Ich bin nichts so sehr gewöhnt wie den Anblick von Frauen. Bei mir ist die Frau Patientin und sonst nichts. Die Nachgeburt ist also weg. Aber vielleicht finde ich noch was Interessantes!

BENNO: Wo ich nichts gefunden habe? Wo ich mich in ihr auskenne wie auf meinem Klo? Das möchte ich bezweifeln. Dann wären Sie schlauer als ich!

HEIDKLIFF: Wer suchet der findet. Wir müssen imstande sein, die Frau als Ganzheit zu sehen. *Er nimmt ein besonders großes aufblasbares Organ heraus, es ist amorph und braun, und legt es kopfschüttelnd weg:* Ich liebe die Natur. In bezug auf einen Baum kann ich sehr eigen werden. Ein schilfumstandener Weiher kann mich zu einem Mord treiben, sehe ich industrielle Verunreinigung darin.

BENNO: Und jetzt zunähen, nehme ich an?!

HEIDKLIFF: Genau. *Er näht Carmillas Unterleib zu.* Weil ich die Natur liebe, beschäftigt mich die Frau als solche. Im Hinblick auf einen schönen Garten gefällt nicht nur mir die Frau besser.

BENNO: Ich habe ein starkes Bedürfnis nach Kunst und Kosen. Ich nehme meine Frau gleich mit. Packen Sie sie mir ein! Zum Glück sind Sie fertig, Herr Doktor.

Dr. Heidkliff steht auf und zündet sich eine Zigarette an. Emily verschwindet einfach. Carmilla richtet sich stöhnend auf, streckt sich. Sie nimmt einen Taschenspiegel und schminkt sich.

HEIDKLIFF: Abfall! Abfall! Sogar ein Wurm könnte uns Menschen schwere Vorwürfe machen, wie wir mit dem Erdboden umgehen.

BENNO: Wenn Sie arbeiten, kann Ihr Gemüt unmöglich anders sein als friedlich und Ihr Herz gut. Manche nähren sich vom Blut lebendiger Menschen, und ich, ich ernähre mich dann von ihnen. Meine Frau ist mir gehörig. Ich bin Steuerberater und Laienkünstler in der Sparte Singen.

HEIDKLIFF: Trieb und Beruf muß man trennen können.

BENNO: Carmilla, du kannst jetzt gehen! Vergiß das neue Kind nicht! Du siehst, auch diesmal habe ich mich nicht lumpen lassen.

HEIDKLIFF: Alles normal.

BENNO: Ich bin Ihnen sehr dankbar, Herr Doktor. Geben Sie meiner Frau noch einen ärztlichen Rat?

HEIDKLIFF: Gnädige Frau. Im besten Fall sind Sie Anlaß für einen Helden, Ihnen den Kopf abzuschneiden. *Er gibt ihr einen Klaps hintendrauf.*

CARMILLA: Was muß ich jetzt so fröhlich lachen? *Lacht.*

HEIDKLIFF *zu Benno*: Wenn Sie sich wieder hineinbegeben, müssen Sie zuvor natürlich einen Faden am Eingang festbinden. Damit Sie wieder zurückfinden. Sie Mann vom alten Schlag!

CARMILLA: Vielen Dank, Herr Doktor. Aber das Kind ist sehr klein. Wo ist das Kind bitte?

Benno hält es ihr hin, sie sondiert seinen Hals.

HEIDKLIFF *als wäre Emily noch hier*: Weißt du, Emily, was mir abgeht? Aus offenen Fenstern das Spiel eines Instruments! Herr Doktor Hundekoffer singt auch! Posierst du in diesem Bild für mich? Wenn ich operiert habe, kann ich mich meiner neuesten Liebhaberei: Vögelsingen und Massengräber Betrachten widmen.

Benno beginnt, die sich sträubenden Kinder anzuziehen, weckt sie auf. Carmilla, plötzlich aggressiv, versucht, die Kinder einzufangen. Die Kinder rasen auf ihren Rollschuhen vor ihr davon. Sie läuft ihnen nach. Wirft sich schließlich auf eins drauf, das sich heftig wehrt. Sie kämpfen. Die Männer reden weiter. Sie merken nichts. Carmilla beißt ihr Kind, dessen Bewegungen immer schwächer werden.

DAS KIND: Gestern noch ins Gras geschissen, heute vom Vampir gebissen. *Stirbt.*

BENNO: Carmilla? Hast du denn keine Zeit für Fortbildung? Was, wenn der Musikfreund, der ich nun einmal bin, nach einer neuen Schallplatte ruft? Wie willst du mir zum Besipiel bei einer Bildbetrachtung folgen?

Carmilla saugt das Kind aus. Dann setzt sie sich zu den Blutkonserven auf dem Tisch und trinkt gierig mit dem Strohhalm verschiedene Konserven aus.

HEIDKLIFF: Kinder fernhalten! Wegbringen! Staub saugen! Meine nächsten Patientinnen warten schon. Und meine Assistentin Emily verschwindet immer dann, wenn ich sie besonders nötig brauche.

CARMILLA *unterbricht, trinkt weiter*: Sie müßten ihr eben schmackhaftere, gehaltvollere Ernährung bieten.

BENNO: Andere Musikfreunde laden uns öfter zu Hausmusikabenden ein. Was soll ich ihnen darauf mitteilen? Aus Fenstern dringen Töne. Man fragt sich dann, ist es der Herr Direktor oder die Frau Direktor, die so hübsch spielt? *Er zieht die Kinder fertig an.*

Carmilla scheint satt zu sein. Sie bläst jetzt gurgelnd mit dem Halm ins Blut hinein, daß Blasen blubbern. Wie es gelangweilte Kinder manchmal mit ihren Getränken tun.

HEIDKLIFF *blättert in seiner Kartei*: Ich sehe gerade, als nächstes folgt ein Zahnproblem. Eine Extraktion steht mir ins Haus. Fürchterlich! Grausam!

CARMILLA *läßt ihr Blut im Stich und kommt, sich die Lippen leckend, von denen noch Blut träufelt, nach vorne. Sie lächelt aufmerksam und zischend*: Frische Ware, gefällig verpackt, das lockt die Hausfrau mehr als ein Klumpen Gold dies vermöchte! Schöner noch als Edelstein ist die Nahrung, wenn sie rein!

BENNO: Komm endlich, Mutti! *Er zerrt sie hinaus.*

Die Kinder johlend hinterher. Das, an welchem Carmilla gesogen hat, bleibt einfach liegen, was keiner beachtet. Es liegt in einer Blutlache einfach so da.

HEIDKLIFF *stößt nach einer Weile das Kind mit der Schuhspitze flüchtig an, unternimmt aber nichts. Er richtet den Stuhl wieder. Wischt dann mit einem Fetzen Blut auf, auch von den*

Organen Carmillas. Die Fetzen werden blutig: Sie tun gerade, als wäre dies hier ein öffentlicher Platz. Es macht mir nichts aus, Rezitator und horchendes Publikum zu sein. Wo ist meine Verlobte Emily? Das ist ihre Arbeit! War sie heute schon einmal hier? Es kommt mir fast so vor. Ich esse doch wirklich genug Obst. Einsame Wälder locken mich. Mit meiner Flinte gehe ich auf die Jagd. Ich sehe täglich, was die Frauen aus ihren naturgegebenen Waffen machen, daher habe ich noch keine eigenen Kinder. Keine auf Zündholzlänge heranlassen! Lange Haare, kurzer Verstand. Es nützt nichts. Kaum sind sie aus meiner Praxis hinausgegangen, atme ich auf wie in reiner frischer Luft. Es graust mir. Ein Gewitter fällt prasselnd auf Häuser. Es hört wieder auf. Sie könnten uns Männer um den kleinen Finger wickeln, aber was tun sie? Sie überlassen es Gott und der Zeit, was aus ihnen wird. Sie möchten Studien betreiben und schrekken gleichzeitig davor zurück. Sie sind ländlich-wäßrig. Ungegliedert. Sie haben keinen Fixpunkt im All. Linien enden mit ihnen irgendwo. Sie sind die Wüste, wie der hohe Fels, an den sie sich haltsuchend klammern. Sie sind da und nicht da. Zu Hause bleibe ich meinerseits nicht gern. Mich treibt es ins Land. Die Frauen geben sich Tat- und Tagträumereien hin. Sie fahren mit ihren hervorragenden Familien ins Ausland und kommen unbeeindruckt zurück. Sie kochen für zehn Personen in Bungalows am Meer. Mit einem verzückten Lächeln im Gesicht baden sie. Ihre Kinder triefen vor Wasser, und die Mutter ängstigt sich. Sie bieten einen köstlichen Anblick dem, der in ihnen zu lesen versteht. Ich. Sie dulden Raketen! Sie sind Geschlecht. Schlecht sind sie nicht unbedingt. Sie versäumen nicht, das Mittagessen zu kochen. Ihre Tiefe glänzt nicht. Davon kann ich mich täglich überzeugen. Ich kann in sie hineinschauen. Sie sind selten auf einen Berg hinaufgeklettert. Ihre Kinder stürzen an ihnen vorbei in die Tiefe. Sie wissen nichts Vernünftigeres als Schreie auszustoßen. Das Gestrüpp lockt sie mehr als alles. Sie wollen verborgen sein, aber in ihrem Verschwinden alles noch ins Bodenlose lenken. Sie wollen uns mitnehmen! Verreißen das Steuer. Sie haben etwas verbockt und geben es nicht zu. Sie sind so. Ich. Der Mann geht etwas kaufen und kehrt nie mehr zurück.

Ich. Die Frau geht etwas kaufen und kehrt mit dem Vielfachen ihres Eigengewichts zurück. Ich. Sie entschuldigt sich. Ich. Aber zu spät! Exitus. Ich gehe jetzt in meinen privaten Bunker und kontrolliere dort gewissenhaft die Vorräte für mein Überleben.

5. Über allem roter Schein, leises Donnergrollen. Über die Landschaft rollt ein Felsbrocken. Man sieht ein, zwei Grabkreuze darin. Emily kommt rasch herbei. Sie ist in Schwesterntracht, über die ihr jetzt ein wenig Blut rinnt, aber diskret! Sie hebt vom Tisch in der Praxis Blutkonserven ans Licht, um zu sehen, ob noch was drinnen ist. Trinkt die Reste aus, wirft die leeren in den Abfallkübel. Heidkliff, der Eintragungen in seine Kartei gemacht hat, sieht gar nicht auf, als sie kommt.

EMILY: Stell dir vor, seit zwei Stunden springen mich jetzt wieder die Wörter an. Ich muß wahrscheinlich gleich dichten. Ich empfehle mich. Weiß und Rot sind hier die Farben. Das inspiriert mich sehr. *Sie trinkt durstig eine neue Konserve aus.* Wo hast du Salz und Pfeffer hingetan?

HEIDKLIFF: Was machst du hier? Ich habe dir doch freigegeben.

EMILY: Ich gehe an diesem ruhigen Ort meiner Liebhaberei nach, der Wortkunst. Für einen Menschen, der viel zu Fuß unterwegs ist, ist festes Schuhwerk das Allerwichtigste, sagt der Alpenschutz. Für einen Menschen, der viel schwitzt, so wie ich, sind alkoholfreie Getränke wesentlich. Ich fange an.

HEIDKLIFF: Wenn wir erst verheiratet sind, werde ich gewiß sexuell aktiver sein. Ich werde Gelegenheiten besser nutzen.

EMILY: Von meinem Erkundungsgang auf den Friedhof komme ich diesmal mit leeren Händen zurück. Die Sargpreise sind kaum mehr zu bezahlen. *Sie sondert flüchtig Heidkliffs Hals.*

HEIDKLIFF: Blut zu trinken ist an sich eine reizende Marotte. Nur: Was hättest du damit Gutes ausgeübt? Nichts als deinen Anhängern Entsetzen einzuflößen!

EMILY: Ich möchte so gern einmal in einem Spiegel durch mich hindurch auf etwas anderes sehen. Doch das ist mir leider versagt. Danke schön.

HEIDKLIFF: Ich bin bei allem, was ich je getan habe, ich selbst geblieben. Bleib auch du mir treu, Emily!

EMILY: Würdest du bitte einen Augenblick aus der Haut des Privatmannes schlüpfen? Vielen Dank.

HEIDKLIFF: Na, wo brennt's denn? In der Hölle, wo du gerade warst? In einem heimeligen Haus mit fraulichen Formen, wo du gern wärst?

EMILY: Ich benötige zahnärztliche Hilfe. Diese Eckzähne stehen so weit vor. Ich möchte das kosmetisch in Ordnung bringen lassen. Auch wenn ich mich nicht im Spiegel sehen kann.

HEIDKLIFF: Dein Berufsrisiko! Das hat meine kleine Emily doch noch nie gestört!

EMILY: Wo ich doch reich an Leben und lesbisch bin.

HEIDKLIFF: Noch so eine kleine Abweichung am Weg in Gottes und der Menschen heller Welt! Zwischen Gräsern und Obstbäumen! Reizend. Gehst du zu einem silbrig stillen Wasser hin?

EMILY: Ich wünsche mir diese beiden wesentlichen Zähne ausfahrbar gemacht! Sie sollen hervorlugen und wieder verschwinden können. Wie ich ja auch. Ich brauche einen ähnlichen Apparat wie ihr Männer ihn habt! Ich möchte imponieren können. Ich möchte Lust vorzeigen können! Ich habe Säfte, aber die gelten im Alltag wenig. Ich möchte auch nach einem Prinzip funktionieren dürfen!

HEIDKLIFF: Als Fachmann sage ich dir, Emily: Für einen Menschen, der viel masturbiert, sind flinke Finger vonnöten und eine zähe Konstitution.

EMILY: Ich habe es jetzt so lang mit mir getrieben, daß ich etwas Neues ausprobieren will. Immer Konserven ist ungesund. In der Nacht erscheinen Mond und Sterne. Am Tag regnet es leider manchmal. Es kann auch heiß sein.

HEIDKLIFF: Und für den Menschen, der viel und hart beißt, ist ein guter Zahnarzt unerläßlich. Warst du etwa eigennützig, als du dich mit mir verlobtest? Erwartest du einen Preisnachlaß?

EMILY: Nein. Erlassen sollst du mir nichts. Ich möchte bitte etwas vorschnellen lassen, wenn mir danach ist. Bitte sehr. Und wenn es nur ein Zahn ist!

HEIDKLIFF: Und warum willst du nicht bleiben wie du bist? Bist du bisher damit nicht gut gefahren? Warst du nicht der Pflanzen- und Tierwelt nahe? Warst du nicht Spaß und Geist? Hattest du nicht dein Auskommen?

Im Hintergrund tritt still ein Heiliger auf und bleibt stehen.

EMILY: Du könntest eine verborgene Feder anbringen. Als Handwerk. Mach mir eine Armatur. Ich möchte ein Menschenkabinett sein, so klein, daß dort nichts vor sich gehen kann. Meine Fangzähne sollen hervorschnellen können, wenn auch bitte nicht gerade dann, wenn ich mit verklärten Gesicht in einem Wirtshausgarten sitze und mir das kühle Bier schmecken lasse. Ich bin nur selten krank. Eine ganze Konstruktion stürzt um. Aber diesen kleinen Wunsch habe ich nun einmal. Zum Dichten des Installateurs fällt mir nur ein, daß man alles sagen kann. Was davon aber auswählen?

HEIDKLIFF: Du Viper! Du Boutique! Du Volk! Wie gut, daß der Vampir im Morgengrauen verschwindet. Der Mann kann auf Lockenwickler, Nachtkrem, Runzeln, Verwesung, Mundgeruch verzichten. Diese Geschichte ist recht ungesund.

EMILY: Du bist dürftig. Ein Hautausschlag. Ich bin verliebt. Wie schön, daß es dich gibt. Zeit zu gewinnen ist unser aller Traum. Ich habe Zeit genug. Ich war ursprünglich Materie, jetzt gehe und komme ich nach meiner freien Wahl. Wenn ich jemand beiße, dann lieber eine Frau. Der Mann ist wie ein Hund meist an einer Mauer befestigt.

HEIDKLIFF: Mir bist du schön genug. Strebe nicht nach etwas!

EMILY: Du hast mir Wüste versprochen, und Wüste habe ich erhalten. Baue mir bitte eine Zahnmechanik! Staue dich an einer Wand. Durchbrich in deinem Pkw eine Geschwindigkeitsgrenze!

HEIDKLIFF *nötigt sie in den Stuhl, arbeitet mit Geräten*: Wie schön es ist, mit jemand anderem zusammen zu sein. Dabei merkt man sofort: Man ist was Besonderes! *Er schlägt mit einem Hammer auf Emilys Zähne ein.*

EMILY *schreit*: Au weh! *Zischt wie eine Katze, faucht. Heidkliff läßt sich nicht irrtieren.* Dadurch, daß du einfach draufhaust, ist nichts gewonnen. Hau lieber auf die Pauke. Zerstampfe eine Reihe von etwas Gesundem.

HEIDKLIFF: Ich bin selbstverständlich der Ansicht, daß es nötig ist, sich anzustrengen, wenn man etwas erreichen will.

EMILY *stöhnend*: Mit Gewalt erreichst du bei mir gar nichts. Sofort versenke ich mich selbsttätig ins Erdreich und spreche mit einer längst toten Frau.

HEIDKLIFF: Meinen Beruf wirst du mich nicht lehren. Nächstes Jahr werde ich nach einem Jubiläum etwas solides Neues für die Praxis anschaffen. Geld ist nicht rar bei mir. Leider hindern mich wirtschaftliche Bedenken. Daß du Vampir bist, Emily, stört mich gar nicht, solange du das Haus nicht vernachlässigst.

EMILY: Au! Glaubst du, ich bin bald wieder durch Glück belehrbar? Scheinträchtig? Wasser voller Algen?

HEIDKLIFF: Daß du lesbisch bist, stört mich gar nicht, solange sich diese Veranlagung nicht auf mich ausdehnt und solange du den Haushalt darüber nicht aus den Augen verlierst.

EMILY: Werde ich gleich zufrieden sein? In einer Gruppe still stehen? Den Boden unter mir knarren lassen?

HEIDKLIFF: Gleich sieht man auch äußerlich nichts mehr von deiner unglücklichen Konstitution. Gleich bist du wieder wie neu geschaffen. Gleich sperre ich eine Tür zu einem wilden Zimmer auf.

EMILY: Werde ich bald eine ohne Ekel Vielgeküßte sein?

HEIDKLIFF: Jawohl. Bald hast du dich vollständig an diesen Ameisenstaat assimiliert. Die Firmung ist der Auftrag Christi. Schön. Sie ist der nächste Schritt. Und wenn ihn dir die Presse noch so neidet!

EMILY: Au! *Zischt:* Von diesem Herrn will ich mir das ewige Leben nicht schenken lassen! Sag, sie müssen aber auf Wunsch wieder ausfahrbereit sein, die Zähne.

HEIDKLIFF: Mich haben ein wenig vorstehende Zähne bei einem ansonsten hübschen Mädel noch nie gestört. Fertig! Auf diesen verborgenen Knopf mußt du drücken, wenn der Zahn saugbereit gemacht werden soll. *Zeigt es.* Und schon: die Explosion. Bitte probieren! Testen! Endlich ein Mechanismus von Menschenhand, der nicht wie Gift auf das Naturgegebene wirkt.

EMILY *probiert*: Auf diesen Knopf, sagst du? Eine Jalousie schließt sich lautlos.

HEIDKLIFF: Genau. Was für ein abstoßendes Schauspiel! Zum Glück bin ich nur als Zuschauer dabei.

EMILY *drückt*: Ich drücke auf den roten Knopf. Es geht. Es funktioniert! Er kommt! Herzlich willkommen, Herrgott!

HEIDKLIFF: Mein Handwerkerstolz würde mir etwas Gegenteiliges verbieten. Dein Gebaren bleibt mir nichtsdestoweniger schleierhaft. Dein Tun erscheint mir sinnlos. Ich persönlich habe mich noch nie an einer Erscheinungsform gestoßen. Die Welt des Sichtbaren ist wie ein Verwaltungsgebäude, in dem man die Duschen nicht abstellen kann: Etwas stimmt nicht, aber es ist einem egal.

EMILY: Und wie kriege ich die Zähne wieder in den Kiefer zurück?

HEIDKLIFF: Mittels eines Griffs zum Unerlaubten. Zum Hammer. Ein Tiefschlag.

EMILY: Wie was warum wozu? *Zischt furchtbar.*

HEIDKLIFF: Der Läufer übergibt. *Er schlägt ihr mit dem Hammer auf den Kopf.*

EMILY *brüllt, ihr Kopf wird zurückgerissen*: Au! Auweh! Auweh!

HEIDKLIFF: Zu Hause sitze ich wenig. Ich schaue fleißig herum.

DER HEILIGE *[Der folgende Monolog kann auch gleichzeitig mit dem Rest des Dialogs gesprochen werden. Man muß von beidem durchaus nicht alles verstehen.]*: Hier bin ich. Bewundern Sie mich! Grüß Gott. Ein Mann aus der Provinz, ich glaube aus Linz, ist gestorben und soeben bei mir eingetroffen. Er und ich, wir werden nicht mehr auftreten. Weder einzeln noch gemeinsam. Sehen Sie mich genau an! Sie werden mich nie wieder sehen. Bedauern Sie es! Bedauern Sie es jetzt. Ich muß ins Büro gehen. Heilig heilig heilig. Ich trage eine Tasche, die eine Form hat. Ich störe die Symmetrie. Ich werfe schmeckende Aufstriche über meine Brote. Ich gieße und schütte. Wunden überkommen meine heiligen Hände, meine heiligen Füße, meine heilige Kopfkrone. Ich sitze in Busbahnhöfen, die geschwürig von Menschen sind, diesen fürwitzigen Tricks der Geschichte. Ich bin ein dummer Kampf. Ich bin ein kluger Knopf. Meine Augen, mit denen ich täglich absichtlich Gott anschaue, sind innerhalb des Schädels durch eine Leitung verbunden. Es kommt Saft heraus. Kammerwasser und Eiter. Was ich sehe gewinnt eine Dimension. Die Beute, jeweils mit dem Namen ihrer Arbeitsstätte versehen, verblutet ruhig in ihrem Schamkästchen. Die Familie gönnt sich eine Ferienreise. Die Fut ist gut. Arbeiterinnen, die ihren Namen zu Ernst verdienen, stopfen sich das faulige Obst ihrer Kinder wieder zurück in die Geschlechtsschatullen. Sie sprechen eine Weigerung aus. Sie tragen schwarze Lasten. Wer kann schon sagen, welche Figuren im Theater ein Sprechen vollziehen sollen? Ich lasse beliebig viele gegeneinander auftreten, aber wer ist wer? Ich kenne diese Leute ja nicht! Jeder kann ein anderer sein und von einem Dritten dargestellt werden, der mit einem Vierten identisch ist, ohne daß es jemandem auffiele. Sagt ein Mann. Sagt die Frau. Kommt ein Pferd zum Zahnarzt und sagt. Ich will Sie nicht kennenlernen. Auf Wiedersehn. Blindlings kollert die Geburtstorte aus der Wöchnerin. Sie ist mittelmäßig. Auch ihr Kind. Ein weißes Kleid will sie sich für einen Anlaß kaufen. Bitte loslassen! Sie will es aber anhaben. Jesus, der alles sieht, ruht ruhig in seinem Schließfach am Flughafen. Es ist ein Draht um ihn gezogen. Ich spreche zum Beispiel gern vor einem Tümpel aus Blut. Wegen der Akustik. Eine Person, die Theater spielt, kommt einfach und schüttet etwas vor mich hin. Andere Frauen tragen Lötkolben. Sie machen mitsamt ein wunderbares Gerät zum Schauen. Sie sind Gespenster und tragen lange Hosen. Schrundige Hirnmajonnaise schieben sie sich gegenseitig in die Mäuler. Sie kratzen etwas von sich ab und geben es als Gewürz hinein. Schämen Sie sich nicht. Ist man denn so entblößt wie eine Biene von Honig? Nein. So schlimm ist es nicht. Sehen Sie gut von Ihrem Platz in der hintersten Reihe aus? Solche wilden Tiere wie Sie! Ein Heulen dauert kurz. Sie gehören verboten. Fleisch kühlt im Neonlicht aus. Leben entwischt aus der Schlinge. Es bleibt mir nichts übrig, ich muß in den Fernseher eindringen wie ein kranker, durchsichtiger Wurm. Denn ich will wissen, was Sie von mir denken. Ich hole aus wirklich jedem noch einen Satz aus Gespräch hervor. Ich wende Gewalt an, wenn Sie es wünschen. Ich bohre es aus Ihnen heraus, das weiße Parasitenmehl der

Übergangenen. Ich sehe Sie. Sie sehen mich. Holzwolle aus Ihnen, Sie Menschenpakete, Sie Menschenflüssigkeiten, liegt überall herum. Ich erkläre diese Ausstellung für eröffnet. Kommen Sie ruhig nach vorn! Einige von Ihnen haben gewiß schon in leere Bierflaschen gespieben. Wenn ich es befehle, zuckt Ihnen Harn aus pappigen Nieren. Ihre Organe sind billigst zu haben. Sie, gnädige Frau, glauben dennoch, daß Sie teuer sind. Es stimmt, denn Sie sind mit Menschensaft erkauft worden. Von Leuten. Hocken sich nieder, die Unterhose müd um die Fesseln geschlungen. An mir vorbei schieben sich vier Personen in eine Kammer, wo ihnen die Zungen herausgerissen werden. Diese großartigen Sprechmembranen. Nun befindet sich nichts mehr in ihnen, was gegen sie aussagen könnte. Gott hat Sie verlassen. Ich verlasse Sie jetzt auch. Mein Chef stempelt jetzt die Uhr in seiner eigenen Fabrik. Bälle rasen unter vielen Füßen über einen Bildschirm. Davor zerreißt sich ein alleiniger Mensch in seiner Wut. Er hat nichts gewonnen. Applaudieren Sie jetzt! In einigen Augenblicken werden Ihnen die Handtaschen voll genommen werden. Ich reiße Ihnen Knöpfe ab. Gehen Sie jetzt fort! Sie sind stinkende Kanäle, weil Sie so schlechte Sachen essen. Ich halte Sie überhaupt nicht aus. Waschen Sie sich jetzt!

EMILY: Du Gott! Du Gott! Du Gott! Du Jesus! Du Jungfrau Maria! Du Joseph der Nährvater! Du Engel! Lauter Leute mit radikalen Absichten und ungestümen Neigungen.

HEIDKLIFF: Es war nur ein Scherz. Ziehe an diesem kurzen Faden, den ich eigens hier angebracht habe. Es wird dir schon nichts abreißen. *Zeigt es ihr.*

EMILY: Wird man ihn auch nicht von außen sehen?

HEIDKLIFF: Ihr Damen. Immer eitel. Selbst die kleinsten schauen schon andauernd in den Spiegel. Porzellan zerspringt. Bleib mir gut.

EMILY: In einem Spiegel sehe ich gar nichts.

HEIDKLIFF: Ach ja. Stimmt. Was seid ihr doch für unheimliche Gesellen. Wir lebendigen atmenden Menschen stehen im schönsten Gegensatz zu euch. Wir sind froh. Wir baden in Wannen. Probiere es jetzt aus!

EMILY: Es klappt. Ich danke dir. Komm Herr Jesus, sei unser Gast und segne, was du uns bescheret hast. *Sie will sich auf Heidkliff stürzen, sie ringen miteinander. Heidkliff droht zu unterliegen.*

HEIDKLIFF: Mein Gott, wo habe ich meinen Rosenkranz hingetan? Er ist im anderen Anzug! Du sollst doch immer den Tascheninhalt umräumen, wenn ich den Anzug wechsle, Emily! *Erstickt sprechend:* Emily! Hör auf! Meine Güte, wenn es dir diesmal gelingt, dann kann ich die Kampf- und Sportstätten meiner Wahl auf lange Zeit nicht mehr in Anspruch nehmen!
Er wühlt und wühlt, findet endlich, im letzten Moment, Emily ist schon dicht an seinem Hals, das Kreuz eines Rosenkranzes. Hält es ihr vors Gesicht. Sie weicht zischend zurück, die Hand vors Gesicht haltend. Rauch steigt von ihr auf.
Von Weihbischof Knötzl in Altötting persönlich geweiht. Ich bin Mitglied in der richtigen Partei. Zum Glück auf.
Emily geht zornig, aber schulterzuckend zurück zum Tisch und sucht sich neue Blutkonserven aus.
Weißt du, was dein Hobby im Jahr mich kostet, Emily?

EMILY: Ich gehe jetzt woanders hin. Zum Glück habe ich vorhin im Radio in Andeutungen von einer Massenkarambologe sprechen hören. Bereit ist der Brei, gedeckt der Tisch. Es wird zwischen uns einmal zu einem Zerwürfnis kommen, Heidkliff.
Emily ab, auf die Friedhofskreuze zu. Sie erklimmt rasch den Hügel. Heidkliff sieht ihr kopfschüttelnd nach.

HEIDKLIFF: Dennoch scheint mir diese kleine Frau eher menschenfreundlich als gehässig zu sein. Und immer appetitlich gekleidet. Das ist das A und O in unserem Beruf. Auf Wiedersehn! Die Erinnerung bleibt mir. Mitleid wäre zu viel gesagt. Neben dem Greis steht das Kind. Sie werden beide groß und unbedenklich. Werdet genießbar, Bürger! Genießet euer Leben, Bürgerinitiativen! Im Wald ist das Echo zuhaus. Es ist heute munter. Ich schließe die Fenster. *Tut es.*
Die Praxis wird dunkel. Über der Landschaft noch roter Abglanz, der sich langsam verliert.
Vorhang.

2

1. Jetzt sieht die Szene folgendermaßen aus: Die Arztpraxis ist verschwunden. Dafür ein reizendes Schlafzimmer im Stil der fünfziger Jahre, Ehebetten, miteinander durch eine Rückwand verbunden, Nachtkästchen, Lämpchen, ein Radio, etc. Nur: Statt der Betten stehen elegant gefertigte, mit Erde gefüllte Särge im Stil dieser Fünfziger da. Idyll. Rechts die Landschaft ist gleich geblieben, nur in etwas unheimlicher Beleuchtung dahindämmernd. Mehrere Grabkreuze oder -steine. Ab und zu flattert die uns schon bekannte Fledermaus darüber hin. Ab und zu flattert ein gemeiner Vogel herum und schreit. So ist es gut. Danke. Links in den Ehebetten liegen gemütlich Emily und Carmilla, letztere mit Lockenwicklern. Emily hat eine Reiseschreibmaschine auf einem Brett stehen, das über ihren Sarg gelegt ist. Gut sichtbar zwei Tiefkühltruhen. «Familie».

CARMILLA: Es sieht so hübsch aus, wenn du jetzt deine Zähne trägst, Emily! Reizend. Soll ich mir das auch machen lassen? Bei welchem Kosmetiker warst du? Er hat in dir das ewige Kunstwerk Mensch wieder neu hergestellt.

EMILY *zerstreut:* Sei da und geh weg! Lebe ewig! Stirb wenig! Gib Ruh!

CARMILLA: Keine Ahnung, was du meinst. Alles wird lustig, wenn die Ewigkeit nur lang genug dauert, daß man sie genießen kann. Ich bin schwer krank.

EMILY: Carmilla: Ein Telefon kann Leben retten!

CARMILLA: Was mich persönlich stört ist, daß manche ihre Fenster vor uns verschließen. Wie viel schöner wär's, ließen alle ihre engen Verhältnisse offen zutage treten. Sie sollen die gesunde frische Luft hereinlassen.

EMILY: Und uns. Das gibt die Basis. Der Verein züchtet etwas und trägt es in ein Buch ein.

CARMILLA: Sie sollen weit, luftig und großzügig werden. Sie sollen atmen. Sie sollen sich ungezwungen am offenen Fenster an- und auskleiden. Sie sollen mit Recht auf besseres Wetter hoffen dürfen. Den Himmel sollen sie mustern, ohne uns zu beachten.

Wir kommen. Wir kommen. Sie sollen ihre mißgünstigen Ohren hinaushalten. Sie sollen in der Luft bewußt forschen, wie alles zusammenhängt. Wir kommen dann. Rufen Sie uns an. Rufen Sie uns so rasch wie möglich an! Unser Terminkalender ist voll wie ein Nest.

EMILY: So stellst du dir das vor. Du mit deinen haltbaren Sakramenten!

CARMILLA: Genau. Und sie wühlen im Gasthaus in einer Speise. Sie fürchten nie, in der Natur zu stören. Sie trampeln inmitten von Wandergesang durch den Wald und achten die Tierruhe gering. Wir nehmen uns Proviant mit. Wir sind daher von den Menschen und ihren Gaststätten nicht abhängig.

EMILY: Wir sind nicht abgängig. Wir sind die Untoten, Carmilla! Merk dir das endlich! Wir können uns nicht kräftig offenbaren. Unsere Existenz ist auf ärgerliche Weise stillos. Wir sind nur Pseudotote. Wir sind die Schlimmsten. Du bist bei der Geburt deines sechsten Kindes gestorben! Merk dir das! Wir sind nicht Tod, nicht Leben! Uns kann man nicht so einfach auferwecken.

CARMILLA: Dein Nachthemd ist am Kragen schon etwas angeschmutzt. Ich wasch dir das gleich aus.

EMILY *eindringlich*: Carmilla, versteh doch, wir sind und sind nicht! Ich zum Beispiel komme aus einer langen Röhre hervor: der Vergangenheit. Mich herbeizuholen ist ein heiliges Essen, und ich ernähre mich von Lebendigem. Ganz meinerseits!

CARMILLA: Das habe ich verstanden. Wir Furien auf glühenden Bahnschienen, rasend um eine unsichtbare Kurve. Halt, wer da? Deutsch Kunst! Gut deutsch Kunst! Duett!

EMILY: Die Geste, die die Hofhündin hilflos zum Haus hin macht. Wir verspotten die Schöpfung. Während der Mann, wie er glaubt, ausersehen ist, der Frau die endgültige Ruhe zu geben. Er sagt es so.

CARMILLA: Wie ich lese: Der Käseskandal. Der Butterberg. Der Mutterzwerg. Lächerliche Erschaffungen.

EMILY: Jetzt, da die Natur endgültig hin ist, wird sie flott besungen. Ein unübersehbarer Haufen Gedichte und Romane fällt fertig von den Schanzen herunter, die sie aufgebaut haben. Wir sind und nicht.

CARMILLA: So ist es aber doch schöner als ganz tot, oder? Es ist netter!

EMILY: Ich gehe fort. Dann hole ich mich immer wieder selbst hervor. Ohne die Hilfe von einem Assistenten. Meine Beute soll die mütterliche Erdkruste berühren und bitte aus der Geschichte lernen, die ich zum Teil als richtig erlebt habe. Die Toten sind ein unübersichtliches haufenweises Volk.

CARMILLA: Mir macht das überhaupt keine Angst. Für mich liegt das alles freundschaftlich beisammen. Die Alten neben den Kindern. Der Wald rauscht. Er wird uns oft beschrieben.

EMILY: Es war übertrieben von dir, im Anfängereifer deine beiden Ältesten mit der Elektrosäge zu portionieren. Du hättest sie nicht gleich kochen und einfrieren müssen. Die Truhe birst ja schon. Das Blut soll frisch zum Genuß führen.

CARMILLA: Ein Anfängerfehler. Jetzt bin ich durch Schaden klug geworden. Die aufgerissenen Geweideteile meines Kindes in der Hütung einer kalten Mutter. Eine recht gesunde Truhe. Zwei Truhen! Ein Mutterleib dauert zu kurz. Ich bewege mich nun rasch in diesem Zimmer vorwärts. Ich sitze. Ich sehe etwas außerhalb von meinem neuen Bett. Meine Gedanken stehen noch wie ein Pflock im Boden, sie sind angeheftet. Sie bleiben hinter meinem Körper zurück. Ich atme. Gleich darauf nicht mehr. Freundschaftlich bin ich zur beweglichen Zeit. Daher lächelt sie mir zu.

EMILY: Solche Tiefkühlkost schießt jetzt überall aus dem Boden. Weiße Schattenpilze. Eisiger Erdgrund. Und wo bleibt dein Genuß? Er vergeht! Am Brunnen schiebe ich schon bald eine Hand in den Strahl und weiß nicht für wen. Die Toten sollen lesbar sein. Ich studiere sie. Die Geschichte soll sich von ihnen nähren dürfen! Ich habe einmal einen gekannt, der wollte bis zur völligen Auflösung der Sonne ausgesetzt werden.

CARMILLA: Soll ich dir ein Glas holen? Ich biete dir mit freundlichem Gesicht alles an, was ich habe: Eine Krankheit. Meine Buben und Mädchen, die noch übrig sind, kommen bald zurück. Sie sind dort, wo sie lernen. Ein Tier hebt den Kopf.

EMILY: Manches dämmert in der Zeit hinter uns nur so dahin. Sei ehrlich tot, Carmilla! Ich möchte es ja auch zu gerne sein.

CARMILLA: Ich scheue die Formalitäten der Todeskrankheit. Daher bin ich zum Spott krank. Ich erzähle meine Krankheiten gern weiter. Um mich herum muß ein Kreis gezogen werden, damit meine Krankheiten nicht unerlaubt hervordringen. Ich bin verdunkelt. Das Abtauen des Kühlschranks ist eine zusätzliche Arbeit. Ich achte auf meine kleinen Kinder. Krankheitshalber werde ich gern gemieden.

EMILY: Der Tod wiegt schwer. Das merkt man erst, wenn man ihn wieder aufheben oder künstlich herstellen möchte.

CARMILLA: Geschäfte tragen prahlende Überschriften. Es soll getrennt sein bitte. Fort und Hier. Ich bin beirrt. Ich möchte hinausschreien: Das bin ich! Ich besitze so viele stille Begabungen unter meiner Schicht aus Lehm. Ich möchte endlich großtun!

EMILY: Ein Talent habe auch ich gehabt, das der Wortklauberei. Soll ich jetzt dichten, Carmilla? Würde es dich unterhalten? Leider kann ich nicht verwesen. Es bleiben Reste und Brocken von mir. Weißt du, einer sagt, die Geschichte beruhe in letzter Instanz auf dem Körper der Menschen. Kümmerliche Nahrung! Zu dünne Kleidung! Verdorbene Haut!

CARMILLA *beginnt, Emily Kleider übereinander anzuziehen, eins nach dem anderen. Sie nimmt die Kleider von einem hohen Stapel. Wie eine Mutter das Kind. Emily hebt die Arme, läßt es passiv geschehen. Das geht bis zum Schluß der Szene so weiter. Ruhig, liebevoll*: Die Krankheit ist schön. Sie ist mir unentbehrlich. Ich bin krank, daher bin ich. Ich rufe zu Hause an, es meldet sich keiner. Sofort kommt mir der Gedanke: Auch ein anderer ist krank! Ich bin krank und daher berechtigt. Ohne Krankheit wäre ich nichts.

EMILY: Ich verbringe meine Tage lieber in kreativer Unruhe. Ich masturbiere täglich und schimpfe dabei auf die Männer. Ich bin unbeliebt.

CARMILLA: Ich ritze mich an einem Nagel und denke gleich das Schlimmste von mir. Ich bin zum Leben zuviel und zum Sterben zuwenig. Meine Ursache wie mein Ziel ist die Krankheit, die ich liebe. Ich bin schwach, weil ich krank bin. Ich nehme Medikamente. Ich bin immer krank und freue mich daran.

EMILY: Ich habe einen ganz anderen Grund. Ich kann ihn in Worte fassen. Aus den Worten suche ich mir dann welche aus.

CARMILLA: Mein Mann ist fest in der Christel-Union. Er kommt aus der Christel-Union wieder nach Hause. Ich bin befruchtet. Ich bin nicht berufstätig. Denn ich bin immer krank. Wegen meiner Krankheit kann man mich manchmal in einem Spital anschauen.

EMILY: Meine Knochen spielen unter meiner Stirn. Blut kommt überall heraus und ist hell sowie arteriell. Ich mag nur diese Sorte. Ich sitze im selben Boot und atme kühl. Ein Chor singt nicht. Keine Beerdigung. Positiv. Das Spital ist auch krank geworden. Du, Carmilla. Ich bin liebestoll.

CARMILLA: Ich bin krank, und es geht mir gut. Ich leide, und ich fühle mich wohl. Krank zu sein bedarf es wenig. Ich kann es, und ich fühle mich sehr, sehr schlecht. Gesundheit ist nicht alles, und mein Körper hält sie nun gar nicht aus. Angesichts von Gesundheiten verwandle ich mich in ein Sieb, das alles durchfallen läßt. Ich bin schön krank! Krank! Krank! Krank!

EMILY: Mit Nägeln besteckt. Seufze unter der Decke, Carmilla! Bitte. Zieh Schuhe an und geh an Land! Hab dich lieb! Hab auch mich lieb!

CARMILLA: Du Dame! Du Leserin! Du treue Kundin! Du Schwindel! Du Rabattmarkenkleberin! Ich möchte so gern über Wasser ausgestreut werden. Mir geht es so schlecht!

EMILY: Du Lercherl. Du würdest dich dem Wind sogar noch entgegenstemmen wollen.

CARMILLA: Ich merke, wie sehr sich dieses Leben von meinem vergangenen unterscheidet. Früher hieß es hungrige Lefzen vollfüttern. Jetzt gilt es, sich möglichst effektiv von ihnen zu ernähren. Ich kann keine Sorte Trinken mehr wählen, es gibt nur mehr Blut und Mineral für mich. Danke, für mich nichts mehr. Früher habe ich mich mit einer Creme behandelt. Jetzt behandle ich andere nicht gut. Es ist mir zugeflogen. Es ist mir peinlich. Ich werde noch mehr krank.

EMILY: Die Menschen sind lebend und haben daher ein Verhältnis zur Natur, in der sie vorkommen. Das Verhältnis besteht im Sprechen über Zerstörungen, die ihnen aber nur unklar vorschweben. Böses Atom! Schreiben darüber tut gut. Scheiden tut weh.

CARMILLA: Wir sind halb lebend. Überall ist es schlecht. Keiner ist ersetzbar. Alles, was im Grünen vorkommt und gesehen werden kann, ist uns vertraut. Die darin wohnen, sind einander zum Verwechseln ähnlich. Ihr Fleisch ist nicht einzigartig, aber es ist auch nicht übernatürlich. Sie sind wir. Sie essen. Wir essen. Durchschnittliche Mengen. Mir ist übel. Ich bin sehr krank.

EMILY: Willst du dir jetzt endlich mein Gedicht anhören, ja oder nein?

CARMILLA: Ich will mich selber anhören. Ich habe jetzt schon zwei, nein, drei meiner Kinder umgebracht. Ich bin eine kaufmännische Angestellte gewesen. Ich verwalte das, was die Toten besitzen. Das Ende dieser drei Kinder wie das Ende aller Menschen kann nicht verziehen werden. Aber dadurch werden sie greifbar. Für uns wie für die Beamten der Geschichte in ihrem Ministerium. Es wird darüber Auskunft erteilt. Parteien verkehren. Ich überlege. Ich überlege, wie es mit denen Kindern hätte weitergehen können.

EMILY: Jetzt hör mir endlich zu. Ich rede jetzt in freien Worten! Ich habe sie selbst gestrickt. Ich hätte auch ganz andere Worte wählen können. Das Gedicht lautet in seiner Übersetzung ungefähr folgendermaßen:

Ich komme, wenn Du Dich trauernd
allein ins Gemach gelegt;
wenn des Tages tolles Getreibe –
Rufe; Lachen – schweigt; und die Scheibe
des Abends noch kühler beschlägt.
Wenn des Herzens wahre Gedanken
keine Rücksichtnahme verdorrt
wenn Scherz & Lust herrlicher schwanken –
dann komm' ich und aus allen Schranken
trag' ich Deine Seele fort.
Hörst Du?; die Stunde schlägt
: Die Wilde Zeit ist nah.
Spürst Du schon, wie Dich schlimm & hold,
fremde Gefühlsflut überrollt;

Herold einer noch stärkeren Macht? –

: Jetzt bin ich da!

Pause. Carmilla zieht Emily zärtlich an sich, nimmt ihr die Lesebrille ab, legt das Buch beiseite, legt auch Emilys kleine Reiseschreibmaschine, die sie auf einem Brett (quer über den Sarg gelegt letzteres!) stehen hat, fort. Sie umarmt Emily lange.

CARMILLA: Damit hast du meinem Schönheitssinn etwas Gutes getan, Emily. Woher hast du das Können? Ich nehme mir jetzt mit frischem Mut heraus, unangenehm aufzufallen. Schau, wie ich mich nämlich eingerichtet habe: Möbel! Möbel! Oh, meine lieben Möbel! Schön! Wohin das Auge schweift Spuren meiner Unsterblichkeit. Und fast alles jeweils auf vier Beinen. Wie ein jagendes Tier in einem Büro. Ich bin eine glückliche Hausfrau. Mir wird jetzt übel. Wahrscheinlich bin ich gerade krank geworden.

EMILY: Ganz unsterblich werde ich wohl nicht. Leider! Eben nur halb, wie alles, was unsere unangenehme Gattung tut. Nur halb kann ich momentan über die Gegenwart nachdenken.

CARMILLA: Mit Kreuzen wollen sie uns zur Strecke bringen. Sie wollen uns so ein Gerät entgegenstrecken! Ein Buch hat ihnen klug gesagt: Christ sein, das heißt gegen den Vampir als Prinzip sein. Der Christ darf kein Blut trinken, das einem anderen gehört als seinem Vorgesetzten. Ich habe mindestens 39 Grad Celsius Fieber. Soeben bin ich krank geworden.

EMILY: Es gibt auch noch den Papst. Er ist Vertreter. Er fliegt und fährt. Wer ihn nicht lobt, wird bei lebendigem Leib zerrissen! Die Menge tobt über ihn. Nichts bitte werfen auf ihn! Bitte jetzt beten! Er liebt sogar die Abfälle noch. Er spricht. Es spricht jetzt der Papst. Wer ihn nicht gernhaben kann, wird von der Menge spuckend angeredet.

CARMILLA: Das finde ich auch. Ja. Dieses Christentum ist Vampir wie wir. Sogar noch mehr! Es lebt nicht, und tot ist es auch nicht. Betrachte es in einem Fernsehgerät und lerne es kennen! Es ist verbilligt. Es soll gefälligst endlich ein ehrlicher Toter werden. Ich genieße meine Krankheit ja auch!

EMILY: Es steht uns Armen feindlich gegenüber. Wie einer Revolution. Ich Unzahme sehne mich immer nach etwas Ruhigem,

Ungefährlichem. Und wenn es nur eine Behörde wäre. Ich möchte wie alle anderen Stempelmarken kaufen. Oder in ein Modegeschäft eintreten. Meinetwegen in einen Park. Es ist heller Werktag. Ich schaue mir mit Genuß die Kinder an.

CARMILLA: So ist es nicht gut. Ich bin kein öffentlicher Weg! Ich bin sehr krank, was viel Zeit in Anspruch nimmt. Ich bin im Diskonthandel erhältlich.

Plötzlich helles, gleißendes Licht über der Landschaft. Heidkliff und Benno Hundekoffer kommen im Tennisdress und mit Tennisschlägern dynamisch-federnd herbeigetrabt, über die Landschaft hinweg. Sie halten keinen Moment still, bersten vor Aktivität. Federn, hüpfen, schlagen mit den Schlägern in der Luft herum, schlagen Bälle. Sie nähern sich dem im Halbdunkel liegenden Schlafzimmer. Vor Kraft können sie kaum gehen. Die Frauen erstarren, klammern sich aneinander.

2. *Beide Männer manisch, von dauerndem Lachen unterbrochen.*

HEIDKLIFF: Die Beerdigung Ihrer Frau war sehr schön. Danke für Erlebnis!

BENNO: Ja, finde ich auch: Begräbnis sehr feierlich. Habe geweint. Der unwillkürliche Reflex, der uns ansonsten zwingt, vor einer schönen Frau instinktiv haltzumachen, darf uns trotzdem nicht leiten. Der Reflex, an einer Mutter instinktiv Halt zu suchen, ist außer Betrieb.

HEIDKLIFF *begeistert*: Ja! Ja! Ja! Ja! Das Knirschen des Pfahls beim Eindringen in den Knochen, der sich windende Leib, der blutige Schaum vor dem Mund, das Erbrochene. Wir dürfen uns daran erinnern: Es muß sein. Es dient der Menschheit. Wie ich als Arzt. Wir spazieren an einem normalen Donnerstag vormittag harmlos vorbei. Wir greifen uns pfeifend Gift aus der Lunge. Wir existieren. Die Welt wird kleiner.

BENNO: Wir machen es an! Wir packen es an! Wir fahren fort. Wir finden Formen des Zusammenlebens, Herr Kollege. Wird dadurch nur ein einziger wieder lebendig? Abgase lieben wir nicht. Ich Kind Gottes. Wir sportieren. Wir segelfliegen. Wir radfahren. Wir tennis. Finster schauen wir auf Räderlinge in der Natur. Sie gehören radikal weggemacht. Gesundheitsgründe! Auch wir wollen eingeschlossen sein in den Rhythmus der Mutter. Wärme und Liebe erwarten uns. Wir sind rechtmäßige Empfänger. Und dafür werden wir kämpfen.

HEIDKLIFF: Darf ich Ihrer werten Gattin den Kopf absicheln? Darf ich sie sticheln? Vielen Dank und keine Ursache. Folgendes tun wir unverzüglich: Bier in uns schütten. Um den Schädel schlagen ein Gewicht. Sie sind der Mutterschaft nicht wert. Ihnen gebührt das Paradies der Geburt nicht. Kopf abhobeln, Mund und Fotze mit Knoblauch auffüllen. Pfahl ins Herz samt Schlag und aus. Finito. Sie dürfen das aber nicht persönlich meinen, Benno!

BENNO: Sie geben aus ihren werten Personen Milch und vergiften uns das Kind damit. Sie zürnen der unschuldigen Flasche mehr als sich selbst. Milch könnten sie nie geben, würden wir ihnen das Kind nicht frei hereinliefern. Hab ich damit recht?

HEIDKLIFF: Der Zeugungsvorgang ist unerläßlich. Der Mann muß nicht als Person anwesen. Das Ei aber schon.

BENNO: Der Kinder Samen kaufen. In einer Bank. In einem Supermercato. In einer rechtschaffenen Geschäftsstelle.

HEIDKLIFF: Es denkt der Fötus in seiner maßgeschneiderten Karosserie über andere Sportwagen nach. Er will bald hinaus in eine neue Abteilung. Er ist ja schon Leben! Mutterschöße schleifen schwer über den Kies. Machthaber ferner Länder werten das Leben des Einzelmanns gering. Wir aber schützen es mit Gewalt!

BENNO *schaut auf die Uhr*: Rasch! Gleich ist es dunkel! Nacht! Dann kommen sie raus! Stülpen sich aus ihrer Leibskaverne, die nichts mehr behalten will, hervor. Die Blutdamen. Keine Kosenamen für solchene. Sie essen Fleisch nicht, spucken es am Kinn vorbei! Schlucken das Beste nicht! Die Verschwenderinnen! Saugen uns aus. Uns! Fleisch spucken sie als Hülse fort. So hat es nur der eine Philosoph zu betreiben gewagt. Der Kerl! Sie wollen unsre Säfte, uns wollen sie nicht mitsamt. Von allem nur das Beste! Den Rest nicht verwerten und achten wie es sein sollte. Schmeißen es weg! Ab in den Müll. Fort in die herzlose

Tonne! Sie sind kalte Aufpasserinnen. So etwas von Wärterinnen! Nichts bringen sie nachher in Ordnung. Ihre Bäuche wuchern nach vorn. Sie tragen es uns aus dem Haus und fort! Die Welt ist der Fall, und zwar für alle. Keine Ausnahme. Aber sie nehmen sie nicht einmal richtig wahr. Werdendes Leben weigern sie sich auszutragen. Dabei spricht es doch schon in ihnen, geht herum, singt! Sparsamkeit ist überhaupt ein Fremdwort für sie. Wo ist nur mein gutes Werkzeug? Wo hat sie es wieder versteckt? Meine Axt, bitte schön! Gefälligst herbringen und vor mich hinlegen. Wird's bald! *Sucht mechanisch herum, ohne sein Gehopse zu unterbrechen.* Der Hausarzt ist schon da, die Hausaxt nicht. Hervorragend! Willkommen! Eins nach dem anderen. Einsatz fürs Leben! Keine Tätlichkeiten, bitte!

HEIDKLIFF: Ich antworte darauf: Zur Stelle. Allzeit bereit. Kein Diener. Rasch! So beeilen Sie sich doch! Bald können wir wieder beruhigt in einem Auto sitzen. Bald dürfen wir wieder auf den Verkehr aufpassen und vielleicht sogar selber Verkehr durchführen.

BENNO: Selbst ist der Mann! Er führt sein Geschlecht lauthals vor. Wie ein Dokument. Er hat es ja bekommen! Alles soll produziert werden. Alles soll lesbar sein. Alles soll man sehen können. *Sucht überall herum.* Sie hat meine Axt versteckt. Das Aas! Gestern war sie noch hier, die scharfe Gefährtin meiner Hobbies! Als ich zum Vergnügen Holz hackte. Das weiß ich zufällig ganz genau. Carmilla! Widerwärtige Verschleuderin von Saatgut!

HEIDKLIFF: Wieso sind Ihre Kinder noch nicht zu Hause? Es ist gefährlich draußen. Ängstigen Sie sich! Es ist auch gefährlich hier drinnen. Es ist gefährlich im Sichtbaren wie im Unsichtbaren, wo die große Verführung stattfindet. Aufpassen! Wer etwas macht, zeigt es vor. Wer vom Blut eines anderen lebt, entzieht diesen Anderen der Welt und verkehrt ihn in sein Gegenteil. Sie sollten also besser aufpassen, Benno! Als Erziehungsberechtigter.

BENNO: Gern schauen sie auf der Straße zu, wie Räder sich drehn. Ich kaufe diesen Kindern eigens Autozeitschriften. Jetzt suchen sie auf der Straße. Ich huldige dem Motor als treuem Prinzip. Er ist verläßlicher als meine kalte Aquarienpflegerin. Ich fasse Carmilla nicht! Sie ist wie ein Geständnis, eine immer wieder hervorgeholte Ungeheuerlichkeit. Nachher ist man aber immer klüger. Ich hätte ihr meinen Samen nicht anvertrauen dürfen. Ich hätte nichts in ihre Erde stecken sollen.

HEIDKLIFF: Schlimm, schlimm. Es ist fünf vor zwölf! Achten Sie jetzt auf Ihre Interessen! *Spielt nervös Tennis.* Riechen Sie bitte, ob es dort drinnen bei diesen dürren Kellnerinnen verwesentlich stinkt! Ob wir ihnen wohl inzwischen unbekannt geworden sind? Die werden sich doch nicht ohne uns in die Welt hineintrauen? Essen Sie! So essen Sie doch Vitamine, Benno!

BENNO *heult, immer noch hopsend*: Ach, Carmilla, könnte ich meinen Kopf noch einmal in deine weiße Schürze legen! Einmal, für eine Stunde nur!

HEIDKLIFF *ebenso*: Ach, Emily, könnte ich meinen Kopf noch einmal in deine weiße Schürze legen! Einmal, für eine Stunde nur!

BENNO *heulend, aber fröhlich hopsend*: Sie hat dreien Stücken Kinder voll ausgesoffen, verstehn?! Dann mit meiner Hobbysäge das ganze Fleischhaufige so zertrennt, gell, in Töpfe eingekocht und dann draus so Packeln gell so in Packeln eingemacht und in der Tiefkühltruhe, ja. Es hat also geheißen wohin mit dem Fleisch gell! Stinkt so. Kann man nicht aufheben. Hab ich eine zweite Truhe eigens kaufen müssen. Wohnt nicht auch die Lust im Körper, fällt mir jetzt ein? Und wird der Körper nicht schon vom Blick durchbohrt? Jetzt beißt mich mein Gewissen irgendwo!

HEIDKLIFF: Ich habe gehört, sie nährt sich inzwischen zur Gänze von Menschenfleisch.

BENNO *tritt gegen die Schlafzimmertür*: Sie ist obszön! Grausam wütet nichts als Vergnügen in ihrem Körper. Mein Blick wird von ihrer Leere eingesogen. Mein Geschlecht streikt. Sie verführt mich nicht mehr!

HEIDKLIFF *tritt gegen die Tür*: Sie nährt sich von Menschen und weint nicht einmal. Ihre Materie ist unentschlossen. Soll sie schlecht sein? Soll sie Fett ansetzen? Soll sie die Alpen besuchen gehn?

BENNO *tritt spielerisch gegen die Tür*: In einer Frau muß jeder unwillkürlich das Blut sehn. Ich fahre gern ins Blaue. Ich mache eine Spritztour. Das Blut wird viel. Einmal ist es dann so weit, daß die Gattin aus ihm Kraft zieht. Sie wird plötzlich durch ihr rinnendes Blut nicht länger geschwächt. Dieses Säugetier! Und damit nicht genug: Jetzt sucht sie auch noch mein Blut! Das meiner Kinder! Diese Trinkerin. Sie wird mir entschieden zu stark.

HEIDKLIFF: Sie spotten uns aus! Auf einmal ist ihnen das Geschlecht nicht mehr tödlich und ernsthaft! Sie betrachten es nicht mehr als Körperhygiene. Es bricht aus ihnen hervor. Ein Springbrunnen. Plötzlich ist ihnen das Geschlecht nur eine Gefälligkeit unter vielen. Sie wollen nichts Außergewöhnliches mehr! Diese Küchenschaben! Lustdiebinnen!

BENNO: Ich glaube: Dadurch, daß meine Frau Carmilla jetzt Blut ißt, hat sie etwas Männliches bekommen, das mir nicht gefällt.

HEIDKLIFF: Ist ohnedies ein halber Mann, was man in diesem Land Frau nennt. Ist nicht viel besser als Minerale. Ist ganz ausgedörrt von Leben. Ist eine Liebeskrise. Meine Emily! Sie gehorcht nicht mehr dem natürlichen Monatszyklus. Sie ist so gemein zu mir! Sie ist dagegen. Sie will mir weh tun! Ich stehe vor dem Paradies und habe gute Chancen, eingelassen zu werden. Aber alleine! Ich bin ich. Ich erneuere mich nicht. Ich werfe keine Haut ab. Ich gebe nichts her.

BENNO: Ja, auch ich persönlich finde, ich bin aufgebaut ganz wie ein Haus. Ich werde aber gleich unregelmäßig, wenn ich diese blöde Axt nicht finde! *Sucht.*

HEIDKLIFF: Ich vernachlässige heute sträflich meinen Beruf. Ich treibe mich herum. Ich bin schon viel zu lang auf dieser Strafexpedition. Kümmern wir uns einfach nicht mehr! Seien wir ihnen nicht böse! Sie können nichts dafür, schwach, wie sie sind.

BENNO: Irrtum! Diese Knochenbrecherinnen! Carmilla! Schlechte schwarze Köchin! Man kommt nicht einmal zum Einkaufen wegen ihr. Ich werde sie gleich ausräuchern. Sie werden am Schluß Schauspielerinnen gewesen sein. Aus. Lächeln werden sie nie wieder! Nirgends mehr werden sie sich ordentlich anmelden können. Sie werden zwischen uns zermahlen werden. Wo ist die bestellte Familienhelferin von der Caritas? Heute früh war sie noch hier. Was haben die bloß mit ihr gemacht? Haben Sie sie gesehen?

HEIDKLIFF: Nein. Kenn ich nicht.

BENNO: Ich hasse nun meine Frau Carmilla.

HEIDKLIFF: Ich hasse nun beide! Sie machen alles! Aber keiner soll davon erfahren. Vor allem nicht die Nachbarn. Spitzig und kleinlich.

Benno hüpft immer noch, brüllt unartikuliert durch die verschlossene Tür, hinter der die Frauen in ihren Sargbetten entsetzt aneinandergeklammert sitzen. Er hämmert gegen die Tür, tritt. Dr. Heidkliff tut es ihm gleich.

BENNO: Ihr seid unerträglich den Konventionen verhaftet, ihr!

HEIDKLIFF: Auch ich bin dieser Meinung. Seid nicht wie ihr seid! Seid hygienisch! Folgt eurer Natur! Putzt! Putzt! Putzt! Putzt!

BENNO: Verlaßt euer bakterienverseuchtes Milieu! Schabt euch den Schimmelpilz ab!

HEIDKLIFF: Ihr blutet scheußlich wie schalenlose Wesen. Jeder kann in euch hinein. Man sieht durch euch hindurch. Keiner von uns wird davon gerührt. Ihr seid sehr entblößt. Ihr seid kein Anreiz zur Liebe. Ich möchte nämlich weniger Schönheit als tobendes Unwetter. Seid bitte aristokratischer! Haltung! Gerade sitzen! Vergeßt das Bügeln nicht! Pfui Teufel!

BENNO: Wo, meinst du, Heidkliff, war das Geschlecht, bevor man darüber gesprochen hat?

HEIDKLIFF: Die Klinik ist geboren. Und das Geschlecht ist dann auch irgendwann einmal geboren.

BENNO: Warum hat Geld einen großen Wert?

HEIDKLIFF: Emily! Emily! Komm heraus! Bitte, bitte!

BENNO: Carmilla! Carmilla! Gönn mir deinen geraubten Anblick! Sei eingeschränkt! Existiere nicht mehr! Habe Krisen! Du tropfendes Körperfragment.

HEIDKLIFF: Emily, wir sind fast miteinander verwandt. Komm heraus! Nur mehr der Blick gilt jetzt. Ich sehe dich ganz objektiv. Ich verschaffe mir Zutritt rein als Zuschauer. Ich bin gewiß von meiner Macht verführt. Ich will zu dir gelangen. *Schlägt wütend gegen die Tür.*

BENNO: Familien sprechen sogar im Fernsehn! Familien sprechen sogar im Fernsehn! Sprich auch du, Carmilla! Sie sind alle gemeinsam. *Wirft sich gegen die Tür.*

HEIDKLIFF: Seid adrett! Seid gepflegt! Seid eine Agentur! Gebt unsere Lust wieder heraus! Gebt etwas von euch her! Verbindet euch mit uns! Seid fraulich. Sonst würden wir nämlich mit der Zeit ebenfalls stumpfe Rockträger. Werdet wieder leer! Wir oder ihr!

BENNO: Ihr seid eine einzige Geschichte der Krankheit. Ihr gebt es ja zu!

Es ertönt eine monotone Frauenstimme, die im Stil der Fernsehsprechansagen tönt: Es wird mit dem Summerton zweiundzwanzig Uhr Null Minuten Null Sekunden. *Beide Männer erstarren und lauschen. Moment lang Stille. Dann springt mit einem Ruck die Eingangstür auf und hereinrasen rollend und brüllend auf ihren Rollschuhen die beiden noch übriggebliebenen Kinder, die den Kinderwagen mit der Puppe mit sich führen, den sie im Raum wild herumschleudern. Die Männer halten sich die Ohren zu. Gleichzeitig erhellt sich das Schlafzimmer unheimlich. Scheint aus sich selbst heraus zu leuchten. Carmilla und Emily steigen aus ihren Särgen. Sie machen Toilette, frisieren, schminken sich gegenseitig, weil sie sich im Spiegel (der verhängt ist) ja nicht sehen können. Draußen rasen die Kinder johlend herum. Die Männer versuchen erfolglos, sie einzufangen. Nach einer Weile treten die Frauen leuchtend und mühelos aus der Tür ins Wohnzimmer. Man sieht ihre Vampirzähne. Emily hat ihre hervorschnellen lassen.*

3. Licht geheimnisvoll gedämpft. Emily und Carmilla schweigend im Raum. Dann quäkt die Babypuppe im Kinderwagen los. Bitte ein recht ansprechendes Tonband! Kurze Zeit nur die Puppenstimme vom Band, während die Frauen die Szenerie überblicken. Dann stürzen sich die beiden Frauen wie die Wölfinnen auf je eins der Kinder und reißen es zu Boden. Es gibt einen wahnsinnigen Kampf, weil das Kind sich wehrt. Die Frauen beißen den Kindern die Kehlen durch. Der Säugling quäkt: Mamaa! Mamaa! *Die*

Frauen trinken die Kinder aus, die Männer stehen unbeteiligt daneben. Schütteln die Köpfe, reiben sich die Hände, ungeduldig. Benehmen sich etwas wie die Ringrichter beim Boxen. Das Folgende sprechen die Männer unbeteiligt, während die Kinder im Todeskampf zucken. Die Frauen heben immer nur kurz den Kopf, saugen gleich wieder weiter.

BENNO: Carmilla, du hast mir immer noch nicht verraten, wo du meine Axt versteckt hast. Die neue. Gestern war sie noch da.

CARMILLA *kurz unterbrechend*: Sie ist dort, wo sie immer ist. Kinder sind eben Kinder.

BENNO: Aber dort ist sie nicht! Ich kann sie nicht finden!

HEIDKLIFF: Das ist keine Mutter mehr. Das ist ein Mädchen!

BENNO: Im Vorzimmerschrank ist sie auch nicht.

HEIDKLIFF: Emily! Ich schäme mich für dich.

EMILY *kurz unterbrechend*: Die Macht ist ein Kreislauf wechselseitiger Verführung.

BENNO: Carmilla, eines sag ich dir: Eine Medea wirst du trotzdem nicht! Du bist und bleibst eine Hausfrau. Wenn du nun stirbst, bist du eine tote Hausfrau.

HEIDKLIFF: Schicksalshaft wirst du nicht werden, Emily! Du bist und bleibst eine einfache Krankenschwester.

BENNO: Carmilla, ich darf dich pro forma daran erinnern: Dies ist dein eigen Fleisch und Blut!

HEIDKLIFF: Grobe Insekten seid ihr! Ihr seid Mutterland. Ihr ordnet euch wie Bienen an, läßt man euch einmal allein. Ihr steht herum. Blind. Wie wohltuend eure Fruchtbarkeit sich auf die Menschheit auswirken könnte! Wir sind gerührt gewesen. Und jetzt macht ihr alles kaputt. Ihr werdet wieder Jungfrauen! Ihr werdet rückläufig. Eine graue Gesellschaft von Tanten und Nichten. Schwestern. Wo ist euer schönes Geschlecht? Wie soll man euch genießen? Man kann euch verhüllen oder anschauen. Sonnige Ammen kann man aus euch nicht machen. Ihr seid Gift für alle! Seid nicht so schwanger! Unterbrecht nicht eigenmächtig den hübschen Rhythmus eures Blutes! Jeden Monat! Es gefällt uns so. Und überhaupt: Geht nicht in die Welt hinein. Danke für den guten Rat.

BENNO: Ihr schönen Erscheinungen. Aber schön zu sein ist nicht alles. Ihr seid lang gewesen, was den Mann freut. Im vorgerückten Alter mag euch nun keiner mehr. Ihr könnt nicht einmal Zutaten überlegt auswählen. Und vor so etwas habe ich mich früher höflich verbeugt.

HEIDKLIFF: Da liegt ihr gerötet. Sonst könnt ihr nichts. Aber bei einer Geburt, pfui, da zerreißen euch die Eingeweide, ob ihr wollt oder nicht. Da seid ihr schwach und schreit! Ich habe mich in meinem Beruf davon überzeugen können.

BENNO: Ist es nicht so, Doktor, daß ihnen bei Bedarf eine milchig-schmutzige Flut grausig aus ihrem kleinen verstümmelten Organ stürzt? Ich habe es entsetzt in einem Buch gelesen und bin zurückgewichen. Sie als Arzt haben es sicher schon gesehen.

HEIDKLIFF: Als Fachmann kann ich es Ihnen voll bestätigen.

BENNO: Auf einer Abbildung habe ich einmal schematisch dargestellt gesehen, wie die sogenannte Gebärmutter aus ihrem Endlosnetz roter Fasern, die Seidenfäden, purpurne Haare zu sein scheinen, Blut weint. So etwas ist nicht als Scherz gemeint.

HEIDKLIFF: Das kann ich Ihnen aus eigener Anschauung bestätigen. Ich kann es allerdings nicht nachempfinden. Es ist zu schrecklich. Man müßte neues Menschenfleisch erfinden, nicht von einer billigen Mutter gemacht. Uns graust. Sie haben kein Herz. Aber das Geheimnis des Lebens geben sie vor zu kennen.

BENNO: Carmilla. Küßdiehand. Diese Anstrengungen, die du unternimmst! Wo du doch sonst in deinem Bett liegst, in deiner frischen Truhe. Ist das dein neues Hobby? Pflückst du Blumen?

HEIDKLIFF: Die Frau verliert monatlich mehr Blut, als ein Mann mit dem Mund zu sich nehmen könnte.

BENNO: Jawohl. Ihr seid in Wirklichkeit die Stärkeren! *Er bellt kurz.* Und wir sollen es dann gewesen sein. Wir sind!

HEIDKLIFF *spricht von kurzen Bellstößen unterbrochen, die sich in der Folge steigern*: Ihr habt nämlich das Glück, euer Inneres mit Hilfe des Blutes einmal pro Monat gründlich giftreinigen zu können. Ihr künstlichen Instanzen! *Bellt.* Ihr wißt ja nichts Modernes über Technik!

BENNO *bellend*: Unordentlich! Unordentlich! Papier mit braunen Striemen. Es weht! Es schwebt! Es wehrt sich!

HEIDKLIFF *ebenso*: Der Wahn eines Dienstmädchens ist der Wahn einer Serviererin ist der Wahn einer Installateursgattin ist der Wahn der Köchin ist der Wahn einer Sekretärin ist der Wahn einer Kellnerin ist der Wahn einer technischen Zeichnerin ist der Wahn einer Lehrerin ist der Wahn einer Kindergärtnerin ist der Wahn einer Putzfrau ist der Wahn einer Stewardess ist der Wahn der Diätassistentin ist der Wahn einer Krankengymnastin ist der Wahn der Sozialarbeiterin ist der Wahn einer Verkäuferin ist der Wahn der Krankenschwester.

BENNO *bellend*: Ich erfinde gern von selbst etwas. Und sei es aus Langeweile. Ich denke sehr gern. Ich habe die Kraft der Überlegung, die dem Vampir versagt ist. Der Vampir ist geistig Kind. Ich mache wissenschaftliche Erfahrungen. Ich denke. Ich handle. Ich widme mich einem Ziel und denke nicht an mich dabei. Ihr sucht doch immer nur den praktischen Nutzen. Ich will eine winzige Kleinigkeit noch: Bitte gebären können. Bitte auch stigmatisiert werden können! Danke sehr. Ich bringe doch auch Instrumentengezupfe hervor. Warum also keine vollständigen Menschen? *Bellt laut.*

HEIDKLIFF: Was war zuerst da. Die Henne oder das Ei? Na also.

BENNO *bellend*: Ihr seid nur eigensinnig! Ihr seid kindisch! Überall lehnt ihr euch an, wo frisch gestrichen worden ist. Schmuck kaufen wir euch! *Bellt laut.*

HEIDKLIFF: Eure natürliche Haut genügt euch nicht mehr. Ihr cremt euch ein! Ihr folgt blöden Moden. *Bellt.* Ihr begegnet nie der Liebe. Ihr haltet alles, was euch passiert, für Liebe. *Bellt.* Ihr lebt in eurem Leibspelz dumm herum. Ihr habt Lippen und nutzt sie wofür? Wozu? Zum Sprechen! *Bellt furchtbar.*

BENNO, *Bellanfall*: Bitte. Danke. Bitte. Danke. Ihr habt viel Haar auf dem Schädel. Unten teilt ihr euch unentschlossen in zwei Hälften. Ihr seid unentschieden. Ihr seid nicht elektrisch. Ihr leuchtet nicht einmal unter Stromeinfluß. Ihr macht euch ja strafbar. Ihr übertretet ein Gesetz. Ihr kommt, wenn ihr wollt, die Wundmale Christi aufweisen. Und was macht ihr daraus?

HEIDKLIFF *bellend*: Es gibt kein einziges Mittel gegen euch. *Bellt. Versucht, noch etwas Zusammenhängendes zu sagen, kann aber nur noch furchtbar bellen.*

Die Kinder liegen jetzt reglos da. Die Frauen wischen sich die bluttriefenden Mäuler ab, sie sind überall voll Blut.

BENNO *bellend, in Stößen, eruptiv:* Ihr schlaft in Betten. Ihr wohnt in Einfamilienhäusern. Kusch! Kusch! Ihr seid meist nicht groß gewachsen. Kusch! Ihr geht mit den Füßen auf dem Boden. Ihr tragt euch selbst nicht einmal! *Will weitersprechen, kann aber nur bellen. Beide Männer bellen wütend die Frauen an. Die sitzen satt und blutig auf dem Boden.*

Langsam Dunkel.

4. Szene wie vorhin, nur mit folgendem Unterschied: Alles muß jetzt leicht vergammelt, faulig wirken. Links in der Landschaft erheben sich zwischen den Kreuzen die Trümmer von Kriegsgeräten. Und zwar vorerst noch vereinzelt, leicht verfremdend. Bis zum Schluß wird sich die Landschaft mit Waffen anfüllen. Die Kinder liegen in ihren Blutlachen. Die Frauen, denen Blutbächlein vom Kinn rinnen, lehnen müde aneinander und regen sich nicht. Die Männer durchwühlen hektisch die Küchenkredenz und füllen Sachen in Plastik-Einkaufstüten.

BENNO: Jetzat sind sie stillenen. Wenn ich gut nachdenk: Daß wir das alles Zeugs noch im Kirchenbau weihen zu geben haben!

HEIDKLIFF: Noch mehr so Oblaten hast? Brauchen! Dringend!

BENNO: Aus unseren Haus Hostien, heilig, heilig, wollte die Meine die Meinige eine Pischingertortn. Wollt sie verbringen, die Luderin! Die Hostie ist ins Gotteshaus gehörig. Nix gegen Wohnhaftigkeit. Was waren diese Frauenen, bevor von ihnen die Red war? Weißt? Weißt richtig Antwort?

HEIDKLIFF: Hättenen mir gestern jemand von Vampir gesagt, ich hätt ihn ausgelachert. Sind Fresserinnen! Sein mir jetzten eine Risikogruppen? Eine K-Gruppen? Gefahr! Ich möchtenen sofort exkrementieren. Ja.

BENNO: Horchen zu: Gefährdung durch Vampir weithin unterschätzt. Oft vorkommen in freiem Land hinter Grenz.

HEIDKLIFF: Kaufenen mir Knoblauchgasen unterwegs. Schau her. Unsere Plastiksackeln selbstvernicht. Steht drauf. In

Schrift. Gehen in den Boden brav ein. Keine Widerred wie von Frau. Bevor Frau begrab, spricht sie lang. Reden hält. Bewußt habenen mir solche gute Umweltsackeln gekauft. Habenen immer paraten! Umwelt schütz!

BENNO: Unsere Frauenen sein nicht besser als Krupp-Husten. Hört? Muß mich von ihnenen mit Papier immer abwischen.

HEIDKLIFF: Unsere Ehren heißen Treue. Unser Pflicht das Gericht. Strafen. Hinrichten. Kehricht wegsaubern. Wo und wer kann solchenes noch glauben: Politisches wahr?

BENNO: Carmilla: Warnung, Mahnung, Schild, drauf steht: Widersprechen Gesundheit und Vorschrift! Blutfahn! Will dich kaufenen mit Geld! Hasten mich ausgesoffen bis auf Knochen innen! Mitsamt mein Gehalt! Hoch!

HEIDKLIFF: Abend dämmert wieder hauf. Es fährt durch dunklig Tannwald. Dorten werden schön Licht aufleucht. Die Stadt! Die Stadt! Bildnis von gut Wunsch! Arbeit und Menschengetrieb, sagt, wer Abitur macht hat. Ein Brahms so Musik klingert auf in mein Herz. Ich nehm Abschied oh weh und geb jemand die Händ herum. Wie froh hocker ich mich dann zusamm und verricht mein herrlich Notdurft!

BENNO: Jetzt liegenen still sie, Ekzentrik ach Ekzem sind. Eins noch sagen: Zerstört muß werden, wenn neu geschaffen soll! Kann nicht den Vampiren befrein und sein Leben ins Schon beziehn, wie man nicht kann die Arbeit freien und das Geld dabei schonen. Is wahr!

HEIDKLIFF: Bittschön revolutionär Menschenaufwühl sei, mein Benno mein Freud! Paßt dir gut, find ich. Eurynnien töt! Wegmachen! Absporteln!

BENNO: Jetzat prinzipiell einigschlag mit Geschichtserzählung! Mit Plakat Großwerbung zum Knoblauchkauf animo. Mir schmieren mit Zeit uns ganz ein. Noch nicht fertig sind mir. *Bellt kurz auf, schlägt sich gleich erschrocken mit der Hand auf den Mund und hört wieder auf.*

HEIDKLIFF: Ein Macht groß und krampfert in der Hosen. Bis zum Unterschlund. Uns allen gebührt! Widerstand bleibt aus. Unser Spielen klinget besser als ihrs! In ihrer Loch hinvortasten nach Entartung und Schwulsten. Mir haben einen solchenen

Schrecken erlebt. Kinder! Kinder! Sauen! Aber balden ist wieder alles im Fließen kein Angst! Stummen! Was mir jetztern braucherten ist ein Gewehr wie ein Jager.

BENNO: Nichts allzu leicht. Mein zweites Lieben meine Haberei: Jagen, fetzen, mordlich am Kadaver Kleben. Ja. Zwei schöne Hunterln. Pfeif ihnen jetzt und los Pfiff jetzt. *Er pfeift schrill. Zwei Hunde kommen brav. Sie folgen ab nun den gegebenen Kommandos.*

HEIDKLIFF: Kugerln wollen auch in Weih sein! Denken. Gewöhnlich Schosse kein Furchen ziehn über Scheitel von Vampirn. Breitmasse ach, die Mensch sind nie in Gärung die Unter Käsler. Die Taten werdenen immer von Einzelnen wie mir geführt. Der Most kimmt auch aus der Pressen.

BENNO: Munition. Hier ist! Bittsehr. Stopf allgleich Patronen in die Tüten he. Unsere Auflehnung gegen das Weib ist ein schöpferisch Akten. Fühls! Epochen brechenen zusammen. Ende davon! Und jetztern ziehen mir ein Sportel über uns drüber! *Beide ziehen sich um: Jagdkleidung. Ländlich.*

HEIDKLIFF *im Umziehen*: Selbst! Selbsten! Freilich! Preissel! Noch ein zweite Waff?

BENNO *im Umziehen*: Ein Set Waff mit Schüsse hat ernsthafter Jager immer paraten. *Holt zwei Jagdgewehre.*

Die beiden Frauen regen sich sacht im Schlaf.

Wir Jungenen können bald auch vom Krieg derzählen! Wir Mann. Der Russ ist ungerechtig gegen uns. Er hat dabei gar kein Grund dazu. Gefraß!

HEIDKLIFF: Der Ausländer sieht nicht, was unter unserer morschen Zudecken sich schon strecken wie durstig Zecken. Mir Jungenen sein erst ein Gedank, allerdings, aber mir reifen schon heraußen aus uns zur Tat!

Die Frauen richten sich langsam auf, lecken sich die Lippen, ihre Augen funkeln gierig.

BENNO: Kräftig anstrengen. Mir führen das ehrwürden Rituell vom Tod wieder neu herein. Wir können solches einpacken: Munition. Kugerl. Flieg Kugerl. *Sie packen ein, ziehen sich weiter an.* Frauenen sind Knie auseinand. Nix dafür strafen. Hockerln. Versteckerln. Ihnere Mäuler schnappen auf dem

Trockenboden. Stört keinen dorten. Verdorr. Zähne beißen auf Luftig. Essenen unsere Lust kompletten auf. Futsch! Wir machen jetzt Expediern. Morgens liegen unsere Kinderen totgehust in ihre Bett. Wer weiß Ursach? Ihr! Frauenen ihr Schwebstoff! Ungesund. Luftschaden. Luftfresserinnen! Blutbeißerinnen! Essenen allen gut Sauerstoff aus Luft heraußen! Beißen uns zu Lungenkrebs zusamm! Herumschnapp. Schmutzerinnen! Allergien. Ihr Atemsymptomaten. Das ist von euch undemokratisch.

HEIDKLIFF: Ihr spät erreichtes Ausmaßen! Ich fang mich an. Ihr Ursach für plötzlich Kindstoden. Krippentot. Ihr Zivilisationskrank aber ohn Zivilisation. Ihr Smogalarm!

Die Frauen springen auf, die Männer weichen erschrocken zurück. Die Tüten entfallen ihren Händen. Sie können nur noch sinnlos stammeln.

BENNO: Hab mich fangen. Hab mich fangenlassen. Nun bin stillig ich und voll der selig Empfänglichkeit. Wir Frauen. Atem. Atem. Atem. Gut!

HEIDKLIFF: Ach ich hab mich auch fangen! Nun bin still. Hineinklapsen. Au. Jetzat ist mir alles neu und unbekannterweise schön Gruß an Sie!

BENNO: Gleich issenen mir eine Blum, ein Gedichten, ein Bildnis was? Erlebnis!

HEIDKLIFF: Danke Fott! Danken Gott! Nach Haus! Voran! Offentüren einrennen! Schwarzwälderkirsch.

Emily stürzt sich auf Heidkliff, Carmilla auf Benno. Die Hunde wedeln animiert mit den Schweifen.

BENNO *halb erstickt*: Stillene Tage herbeiführen! Kommen! Bitte kommen! Sehne mich nach Erfüllung von meine Namen. Zur Waffen!

HEIDKLIFF *ebenso*: Mit Gott und Teufel fest streiten. Unrasten. Gluten. Streiten auch mit Frauen führen im Häuptel. Warum find ich keine Erfüllung warum nicht warum nichts? Leer. Ans Geräten. An den Einsatzort fort. Wenn notwendig fest hineinfahren dorten!

Beide Frauen beißen in ihre Männer. Emily bricht zuerst mit einem Wehschrei ab.

EMILY *zu Carmilla*: Kommt bei dir was dabei raus?

CARMILLA *hebt ebenfalls den Kopf*: Ich bin ja recht praktisch veranlagt. Aber in diesen Adern absolut kein Blut.

EMILY: Auch bei mir ist leider nichts vorhanden, was diesen Namen zurecht verdienen würde. Was ansonsten reichlich quellsprudelt.

CARMILLA: Ob sich vor uns eine andere bedient hat, was meinst du?

EMILY: Kaum. Eine Frage steht in Raum.

CARMILLA: Benno. Du bist fast schon so fürchterlich wie die ganze Schweiz.

EMILY: Auch ich breche den Saugvorgang vorzeitig ab. Du bist innerlich total hohl, Heidkliff.

CARMILLA: Ich will nun versuchen, wenigstens sexuell aktiv zu werden. Zumindest was ich darunter verstehe. Eigentlich ist das dein Part, Benno. *Wirft sich wie eine Mänade auf Benno. Kein Ergebnis.*

BENNO: Das ist mir aber sehr mißfällig, Carmilla.

EMILY: Das gefällt mir nun weniger, Carmilla.

CARMILLA: Ich mache einen einfachen und rührenden Anfang. Er gelingt mir nicht. Wir verbergen scharfes Heidentum. Wir sind leidenschaftlich. Wir leiden nicht. Furchtlos haben wir Mitleid, müssen uns verstecken. Wir sind machtlos.

EMILY: Wir verhalten uns zum Mann wie die Idee zum Instinkt.

CARMILLA: Wir können sie nicht bluten lassen, es kommt nichts, wenn man sie ansticht. Ihre Gedanken gehen bereits über uns hinaus. Sie wünschen jetzt, fremde Länder in Anspruch nehmen zu können.

EMILY *schaut herum*: Habe ich etwa diese Kinder auf dem Gewissen, Carmilla?

CARMILLA: Wir zu zweit, Emily. Aber wir sind nicht gerichtsmündig. Wir sind unsere Körperteile, und die stehen unter Kuratel. Wir sind vieler Gerichte längst müde geworden.

HEIDKLIFF *eifrig einfallend*: Richtig! Das stimmt genau. Ihr zersetzt und zerbrechenet jede Mauer. Nichts stark genug. So verlassen wir uns im Schuß auf die geweihte Dings na Kugel. Wird vom Vampirenen mehr gefürcht als der helle Tag.

BENNO: Jetzt nun seid ihr das Wild Brett. Den Spieß lassen umkehren. Wir bestreiten, je genießbar gewesen zu sein.

HEIDKLIFF: Wollet wohl gern erlöst werden, Lieben?

BENNO: Mir ist so schlau. Der Mann ist dazu ausgelesen, euch die ewige Ruh zu schenken. Wir tun!

HEIDKLIFF: Wir benutzenen die Gabel der Wissenschaft und der Überleg, die dem Vampir verzagt ist. Der Vampir ist dumm und schlau.

Die Frauen weichen zurück.

BENNO: Können wir nicht gebären, so können wir doch immerhin Architekt. Nein. Briefe im Umschlag schänden.

HEIDKLIFF: Mir können beim Onkel Gott ein gut Wort hineinlegen. Ins Glasel.

BENNO: Mir könnenen erlösen.

HEIDKLIFF: Mir könnten auch fahren. Richten und retten.

BENNO: Mir werden euch niederkugeln. Dann Lüge fort Rübe ab Mund zu. Knoblauch zuschießen: Vampir Ohnmacht. Pfahl dann ins Herzeleid. Aus.

HEIDKLIFF: Werden ehrbietig ihrer werten Hausfrau Kopf abschnappen dürf? Groß und artig! Gefällig!

BENNO: Selbstverständlich. Einvernehmlich. Meine Bitte ausdrücklich darum. Sicher sie selbst würde betteln. Is meine kleine Schaffnerin.

HEIDKLIFF: Zuvor die Kugelweih. Reine Formalität. Geduld, meine Damen. Keine Dramen.

BENNO: Gleich seids ihr von diesenen unförmig Erkern und diesen unkleidsamen Köpflern befreit. Gleich seids von diesem Dasein in euer eigen schlecht Luftig erlöst.

HEIDKLIFF *schiebt sich an die Frauen ran*: Ruhig seid! Auf Einlaß wartenen! Spüren schon eurer Zukunft in mir hausieren. Krieg sei glühender Kampf. Unrast. Krieg is Gas. Spei!

BENNO: Mir kommenen aus unsrer Scheinsamkeit in einer Höhl heraußen und machen Erden aus euch. Ihr staubzerfallt soforten. Ihr altenen Weib!

HEIDKLIFF: Mir nehmen nun unsere Waff aufn Buckel und geh.
Schultern die Gewehre. Die Hunde brav Fuß, auf Kommando! Die Männer nehmen die Plastiktüten.

BENNO: Gleich wird euere Stunden schlagen poch poch poch.

HEIDKLIFF: Gedanken sein bereits in Marsch Marsch gesetzt.

BENNO: Wer gibt Kommando zum Vorwärts? Ich geben Kommando vorwärts. Gebenedeit. Bin mitgefühlig Mensch! Zu eurem Bestien.

HEIDKLIFF: Nein ichenen! Ichenen! Ich aufzeigen! Melden! Freiwill melden! Vorwärts! Vorwärts! *Marschieren auf die Frauen los.*

CARMILLA *schreit*: Bitte gib mir deine Hand und nicht mehr Emily!

Emily verschwindet einfach, Carmilla schreit um Hilfe.

BENNO: Mir hassenen euch gar nicht.

CARMILLA: Hilfe! Hilfe! Emily zurück! Sei nicht fort!

HEIDKLIFF: Die Erleuchtung von Geist kommt über mich zum Stand. Ich glaube ja wieder! Kunststoff! Plastikilin!

CARMILLA: Hilfe! Mich nicht alleinlassen hier!

BENNO: Schreibe morgenen ein Drama auf. Der Held ist der Fels ist Jesum Christrumm. Bin nicht für Embryos empfänglich. Trotzdem Leben schütz! Embryo Leben von ganz Anfang an. Blühnatur ist so schön. Genieß! Melde mich mit frei Willen für Natur. Bin für werdend Leben hellwach. Werf mich über Leben und schon! schon! schon! Schütz.

HEIDKLIFF: Ihr seid verantwortlich. Aber nicht strafbar. Wer euch straft straft sich selbst. Und muß sein. Schlechtigkeit für allene!

CARMILLA: Mayday! Mayday! Blockflötenunterricht!

BENNO: Damit mir zu mehren leben können, müßt ihr tot sein. Klar! Mir brauchen mehrn Raum und nehmen ihn gleich hier von. Ein gut Klima seind gesund.

HEIDKLIFF: Bin allein. Es ekelt mich. Ficken will ich bis absolut Finis.

BENNO: Mir erlösen euch soforten! *Er ist dicht an Carmilla, greift nach ihr, da taucht im letzten Moment Emily auf und zerrt Carmilla davon. Die Männer stehen starr, die Frauen rennen in Zeitlupe davon.*

HEIDKLIFF *gleichgültig*: Futschi! Unangenehm wär mit Zeit kommt Rat der Gebrauch, den ihr von öffentlich Toilett so Aborteln machertet! Müßt euch ja vom Bluten säubern, das aus euch raus spintisiert. Brauchen Platz wir! Viel!

BENNO: Jeder Mensch kann beim Vortraghalten selbst schnallen, daß Vergiftungen in sein Körper nur von euch verursacht sein können.

HEIDKLIFF: Ja. Sprechen normal. Freche Antwort darauf: Entlastet Mensch und Walden und Wildnis! Gute Stimmung Natur! Seid endgültig toten! Mir braucherten Platz! Mehr Platz! Gebt! Mehr Licht! Mehr! Mehr Lichten! Mehr Lausch! Bell! Bell!

BENNO: Sage darauf: Tränen kommen mir in die Augen und ins Maulen. Weiter! Weiter voran! Sprech normal. Sonnen! Sporten! Helligkeit! Sundheit! Gebläse! Nehm! Prosten! Mahlzeit! Hurra!

HEIDKLIFF: Sprech wie andere. Darauf antwort vorlaut: Ihr meine Brüderen in Grub und Werkstatt: Ich büße für euch. Ich grüße euchen! *Stürzt sich mit Gewehr und Hunden vorwärts, beginnt wieder zu bellen. Verfolgt die Frauen.*

BENNO: Normalen. Sprach. Sprach. Sagen darauf: wohlen tut! Ebbe und Hut! Laurel und Hardy. Scheinbraten und Knödel. Carmill und Hermelin. Ich hab direkten Heimweh nach deinem stolzen Kipfel auf Haupten! Jetzert reiben wir uns bitten nicht mehr in kleinlichen Kämpfen auf. Der Wind singt ein Lied im Bäumling. Vorwärts. Normal! Vorwärts! Normal! *Er stürzt samt Hunden zweistimmig bellend hinterdrein.*

5. Es wird hell. Links ist aus der Wohnung eine Damentoilette mit Waschraum geworden, von der Seite aus gesehen. Im Vorraum, vor den Waschtischen und Spiegeln stehen zwei, drei schöne Frauen in wunderbaren extravaganten Kleidern und Hüten. Mit ihren hohen Stöckelschuhen staken sie im Sand herum, der den Boden zentimeterdick bedeckt. Sie machen sich vor den Spiegeln schön. Hinter den Klotüren sieht man nebeneinander zwei Klositze. Die Landschaft rechts hat sich in eine riesige Müllhalde verwandelt. Abfall, Müllsäcke, etc. Die Waffen haben sich auch vermehrt. Endzeitstimmung. Ein militärischer Schrotthaufen.

Emily und Carmilla laufen Hand in Hand die Müllhalde herunter. Hinter ihnen in kleinem Abstand die Männer mit ihren Waffen und Hunden. Die Hunde gehen brav Fuß. In letzter Sekunde erreichen die Frauen das Klo, öffnen die Tür und stürzen hinein. Die schönen Frauen beachten sie nicht und umgekehrt. Nach einiger Zeit werfen sich die Frauen mit den schönen Kleidern dann auf den Boden, wälzen sich, machen die Kleider mit Sand schmutzig, reißen sich gegenseitig Ärmel etc. herunter. Die schöne Aufmachung wird zerstört. Benno und Heidkliff prallen vor der geschlossenen Klotür zurück wie der Vampir vor dem Kreuz.

BENNO *tief sportlich durchatmend*: Hier sind wir an dem Ort, wo selbst der Kaiser zu Fuß geht. Für Damen.

HEIDKLIFF *ebenso*: Hier ist Leo. Für Damen. Der Ort, wo wir nicht hindürfen. Unsere revolutionäre Tätigkeit ist unterbrochen.

BENNO: Hier ist nur für Damen. Diese Kugelweihe – ein Erlebnis fürs Leben! Alte Weihnachtslieder. Ich denke an zu Hause.

HEIDKLIFF: Ladies only. Ich denke da ganz ähnlich. Sind die Patronen jetzt drinnen? Damit wir Köpfe und Bauchhöhlen eröffnen können? Damit wir harte Schädel vollständig zerstören können?

BENNO: Jawohl. Für kleine Mädel. Mit geweihter, frei erhältlicher Teilmantelmunition. Sie vergrößert Wundhöhlen auf das Siebenunddreißigfache. Die Wunden flattern, geraten in Schwingungen. Das schlägt ein.

HEIDKLIFF: Wie sie wunderbar in Leibslöchern arbeiten, die Geschosse! Sie explodieren förmlich im Fleisch. Wundhöhlen schaffen mit guten Waffen.

BENNO: Oh, ihr Berge! Quadertürme! Ich mache Bilanz: Die Frau hat jetzt keinen Zweck mehr.

HEIDKLIFF: Ich sage darauf: Vater, es wird vollbracht sein. Wir werden wieder in die weiße Jungfräulichkeit der Berge gehen. Wir werden uns dort wiederfinden. Wir werden tief atmen. Gib mir diesen Kelch. Sofort! Wird's bald!

BENNO: Ich sage darauf: Nur hier dürfen wir nicht rein. Wir sind gebremst. Ohne Wut den Lichterbaum anstecken! Doch für wen?

HEIDKLIFF: Ich sage darauf: Ich bin ich selbst. Danke dir, daß du mein Trost und meine Stärke als Kamerad bist, Benno.

BENNO: Ich sage darauf: Ich danke dir ebenfalls. Und wenn wir durch das Türschloß schössen? Wir reiben uns in kleinen Kämpfen auf.

HEIDKLIFF: Ich sage darauf: Wir sind dem Weltgeist nahe. Wir warten. Das uralte Lied von der Erde hören wir gesungen.

BENNO: Ich sage darauf: Seliges Wandern. Angenehmes Rasten. Grüner Teppich des Waldbodens. Wirkung, die ich trinke! Ferner Schall. Herrschendes Geräusch. Köstliche Einbildung von Duft. Sensibler Spaziergänger. *Zu den Hunden:* Platz!

Die beiden Frauen stürzen drinnen entsetzt in je eine Klokabine und verriegeln hinter sich. Sie setzen sich auf die Klomuschel. Die Männer lagern vor der Außentür, rauchen, etc. Halten aber immer die Gewehre schußbereit in Händen.

HEIDKLIFF: Wir gebären nicht. Wir begehren nicht. Wir bekehren nicht. Der Knoblauch, den wir gekauft haben, stinkt zum Steinerweichen.

BENNO: Ich sage darauf: Gutes Essen macht Sorgen vergessen. *Er packt Brote aus. Sie essen und trinken.* Die Nichttoten schauen aus den Spiegeln hervor als das Nichts, das sie sind. Schleim. Nahrung fällt durch sie hindurch! Gleich werden wir sie über das Vorläufige ihres Daseins hinwegtrösten, so gut sind wir ihnen.

HEIDKLIFF: Ich sage darauf: Dieser Knoblauch! Mir ist schlecht. Nein, mir ist nicht schlecht. *Raucht.* Eine Zigarette hilft. Aber auch Atemziehen in Luft kann Wunder tun. Atme, Benno, atme! Habe ein Schicksal! Fahre Schi! Genieße! Erhöhe Wirkungen! Küsse! Sei schweigsam! Sei schreibfaul! Gestehe Fehler ehrlich ein! Steig ins Gebirg! Es erscheine wer will!

Die Männer rauchen, überprüfen ihre Waffen, etc. Die Hunde liegen brav. Und die Märtyrerin erscheint tatsächlich, in eine Wolke Licht gehüllt. Parallel zum berühmten Heiligen tritt auch sie als eine Art Ikone auf, vielleicht trägt sie ihre Brüste auf einem Teller oder ihr Rad. Nonnentracht?

MÄRTYRERIN: Ich habe viele Namen. Niemals bin ich liebkost worden in meinen neuen Schuhen. Kann mir doch selber kaufen, was ich am Fließband erwirtschaftet habe für die Allgemeinheit. Mein Mann sagt jedoch, spare fürs Auto. Noch naß vom Genuß des Abends vorher aufs Fahrrad steigen, hinaus zur Fabrik. Dort sind sie wie ich und bauen einen Winkel für Gott in ihren Bauernstuben. Mit sechzehn das erste Kind, noch unehelich. Ist es nicht ein Trost zu wissen, daß man auch bei Kurzarbeit noch ein Mensch ist, nur dümmer? Wer zahlt jetzt unser Häusl, wird unsere Kraft doch langsam abgebaut? Wie lächerlich, es gibt keinen Werkskindergarten, um fünf in der Früh bring ich die Kleinste zur Oma. Ich habe bereits verlernt, wie es ist in Italien. Einmal Urlaub, wo man in der Welt zuhaus war. Der Mann trinkt jeden Abend, bis er wie gejätet ist aus meinem Bett. Unkraut! Der Arzt wird mich bald ausräumen kommen. Er macht sich solche Umstände, nur meinetwegen! Der Älteste spart auf ein Moped, damit er gelangweilt seine Glieder von sich werfen kann, dort, schauen Sie, an der Autobahnbrücke! Jetzt ist es vermutlich aus, die einzige Lage, in der ich vor Schmerz noch schlafen kann. Ich habe außer mir nichts mehr übrig, auch für den Mann nicht. Ich bin müd und gehe jetzt fort. Ich hab noch so viel Wäsche! Wer ersetzt mir den von mir verursachten Schaden? *Sie verschwindet wieder.*

Jetzt beginnen die Frauen im Klo-Vorraum durcheinander zu sprechen. Wie Bienengesumm. Tonmontage vom Band aus dem off. Die Sätze überlagern einander. Die Frauen zerreißen ihre Kleider, wälzen sich im Sand, der den Boden bedeckt. Sie staken in ihren hohen Stöckelschuhen darin herum, beschmutzen sich, reißen sich die Ärmel herunter, usw.

FRAUENSTIMME *vom Band*: Wir sind mit uns intim. Wir bekommen Briefe. Wir mit unseren Menschenstirnen. Wir sind nicht einfach. Wir kennen den Ausgang. Wir kaufen etwas. Man soll uns nicht unnötig behalten. Uns ist einmal etwas passiert. Gebührt es uns? Herrlich fallen Säulen aus ganzer Kultur über uns zusammen. Das Gehen wird geradezu zu einem Genuß. Man kann in uns lesen, ohne daß einem das Hirn schwer würde. Die Denker haben nur ein Geschlecht, das der Idee. Sie sind trockene Leichen. Geben nichts heraus. Wir müssen noch zum Fleischhauer um Wurst gehen. Wir müssen auch uns noch beschauen lassen. Wir könnten ja Trichinen sein in einem Fleisch! Parasiten. Wenigen gelingt es, eine Substanz einzunehmen, die sie am Sterben hindert. Wir machen uns ja selbst unglaubwürdig, einmal dies, einmal das. Wir müssen irgendein Geheimnis haben, das mit Leben nur unzureichend erklärt ist. Wir können nur kurze Strecken zurücklegen. Wir sind nicht irrsinnig. Wir färben uns das Haar und schreien unverwundet über Wehtaten. Echt zu sein ist nicht alles. Froh zu sein bedarf es wenig. Mit solcher Art von falschem Gesang gehen wir in ein großes Haus offiziell hinein. Man staunt über uns. Wir suchen Krawatten und Socken aus. Was kochen wir? Unsere Tätigkeit orientiert sich an der Aufhebung der Vergeßlichkeit. Wir leben ähnlich den Organen im Körper: Festgewachsen an Schläuchen und Stielen. Schön kann man trotzdem sein! Wir fallen durch fahlweiße Haut auf. Ameisen sind wir auch. Viele und flink. Wir Insektengesellschaft! Man sieht uns: gewagt entblößt. Wir sind dumm in der Familie. Was für ein zusätzlicher Genuß für sie! Am liebsten wären sie unsere Ammen. Hüter unserer Geheimnisse. Sie essen uns. Aber wir kochen das Menü. Auch Suppe. Und Nachspeise. Sie liegen uns hilflos zur Seite. Sie hören ein Steichquartett von wem wohl von Mozart natürlich. Wir erkennen es nicht nach dem Hören. Beethoven wiederum offenbart ihnen, wie sie glauben, das Ende. Es besteht aber ein Unterschied zum echten Tod. Wir kippen um. Man zieht an unseren lebendigen Fingern. Die Frau und der Körper gehören untrennbar zusammen. Geht der Körper, geht auch die Frau. Die Frau gehört in vielen Ländern zum Alltag des Straßenbilds. Das Bild der Frau läßt sich in vielen Ländern im Alltag nachvollziehen. Der Alltag der Frau vollzieht sich im großen und ganzen vor den Bildern der Frau. Nach der Frau folgt nur mehr Alltag. Groß die einen Frauen, die anderen klein. Mehr. Vor dem Bild der Frau verblaßt sogar das All. Die Frauen haben Tage. Die Frau ist das Kleine neben ihrem Bild. Das Vermögen der Frau ist von ihrer Größe abhängig. Die Größe des Bildes besteht in dessen Abhängigkeit von der Natur. Die Frau ist Natur. Die natürliche Frau stellt vermöge ihres inneren Halts vor die Frau, welche nur als Bild auftritt. Keine Frau stellt etwas dar. Das Bild der Frau bringt Gehalt ein. Ihr Auftritt Frau. Die Natur ist das Bild. Das Bild von der Frau besteht lange. Das Innere der Natur verkörpert in der Frau. Der Körper der Frau geht ins Innere. Der Körper und die Frau gehen zusammen in die Natur. Keine Frau mehr. Die Natur drängt es zu Bildern. Ein Bild ist nicht jede Frau. Alltäglich ist die Natur nie. Geh halt Frau. Die Natur kennt den Abhang. Die Frau vermag. Insgesamt besteht Natur in Frau fort. Fort mit dem Bild. Ein wahrer Abhang ist der Körper der Frau. Abhängige Naturen gehen von der Frau fort. Mitgehen Frau. Von Natur wird der Körper der Frau zusammengehalten. Innen ist es kleiner. Von der Straße macht sich ein anderes Bild. Das All ist Straßenbild geworden. Die Frau vermag Körperliches. Vermögen bildet Abhängigkeiten. Die Frau stellt ihren Körper. Bitte Gehalt darbringen. Zusammennatur. Nicht jeder Abhang muß fort. Große Natur. Das Bild muß ins Innere. Körpergröße. Die Frau muß ab. Trennen Sie den Körper vom Land. Der Vollzug tagt. Alle Tage Frauen. Ganz groß. Natürlich ein Bild vom Gehalt. Fort die Frau. Ab Trennung natürlich körpern. Das Bild ist blaß. Frauen erhalten Tritte. Zusammenhalt im All. Natur von innen. Abhängig von Bildern. Kein Gehalt in Natur. Körper an Land. Kleine Frau. Naturvollzug. Alltägliche Länder. Der Tag macht das Bild. Es geht bei der Frau trennend nach innen. Ein Bild die Frau. Her Natur. Fort Frau.

CARMILLA *rufend durch die Trennwand*: Stell dir vor, Emily, wir wären zentimeterdick von strammen Maden bedeckt! Mückenschwärme würden über uns kreisen. Im Wienerwald würden wir dunkel auf das Vierfache unseres Volumens aufquellen!

EMILY *ebenso*: Daß ich lesbisch bin, stelle ich mal so für den Erzbischof in den Raum.

CARMILLA: Ich bin nicht mehr für andere da. Benno soll mich bitte nicht für aufdringlich halten. Danke.

EMILY: Sehr geehrter Herr Kaplan! Ich stelle mich unter Kuratel.

CARMILLA: In mir eine schneidende, kräftige Furcht.

EMILY: In mir eine tiefe Furche. Ich freue mich unbeschreiblich auf eine komplizierte Form der Erlösung.

CARMILLA: Mir ist jede Lebenslust gründlich vergangen. Zu beichten habe ich nichts. Ich bin ein zärtliches Geschwür in einer Hautfalte.

EMILY: Wie spät ist es bitte, Carmilla?

CARMILLA: Dicht spät. Schein übers Gesicht! Ich bin der Busch, der sich liebend über den kleinen Haufen breitet.

EMILY: Zapptelt dir ein Fisch mit einer schäbigen Geschwulst womöglich ist ein Krebs an der Angel? Sehr schön. Warum haben sie uns aus dem Element herausgenommen? Sie sollen uns wieder zurückwerfen in den schlechten Geruch nach Abort.

CARMILLA: Ich stelle mich einer modernen Frage. Darf ich den Abtritt verlassen? Danke. Ein Essen. München heißt Menschengewühl. Was wollte ich vorhin wissen?

EMILY: Wir haben uns voneinander losgelöst. Das mußte sein.

CARMILLA: Lustig im Körper den Weg des Essens zu verfolgen!

EMILY: Warum sind wir nicht besser bewohnbar? Warum nehmen wir nur?

CARMILLA: Ich möchte bitte meine Kinder einmal die Woche besuchen und mich über den Verkehr freuen dürfen. Danke.

EMILY: Wir sind ein Blutbefund.

CARMILLA: Wir sind ein Faktor, mit dem man nicht rechnen muß. Wir sterben nicht. Wir streben nicht. Wir kaufen nichts.

EMILY: Ich empfinde selbständig lesbisch und sadistisch. Ich möchte Einblick in Leiden erhalten. Ich möchte eine Kartei anlegen.

CARMILLA: Ich rette vor dem sicheren Tod. Selber möchte ich ja auch nicht sterben. Danke sehr.

EMILY: Man kann sogar einen Mörder lieben, finde ich, wenn er seine blutigen Hände ansieht und dabei schaudert. Man kann sich zu einer Frau neigen. Man kann in Ehebetten schlafen. Man kann nebeneinander als bedrohte Art vorkommen.

CARMILLA: Ein Wille ist notwendig und geschehe. Ist es deiner?

EMILY: Nein. Ich möchte ohne Kontrolle Leiden zufügen dürfen. Vielen Dank.

CARMILLA: Ich möchte verständnisvoll angesehen werden, Emily. Ist das zuviel verlangt?

EMILY: Nein. Ich möchte, daß mir nichts in den Weg gelegt wird, wenn ich selbständig von meinem Züchtigungsrecht Gebrauch mache. Ich will mir das von keinem Vater verbieten lassen. Nur weil er selbst prügeln möchte.

CARMILLA: Ganz tot möchte ich persönlich nicht sein. Ich möchte, daß man meinen Spuren noch lang im Tiefschnee folgen kann. Ich möchte sichtbar sein. Wie ein gelbes Pißloch mitten auf einer Abfahrtspiste. Ich möchte sehr tief in den gefrorenen Boden hineinreichen.

EMILY: Ich erlaube es dir, Carmilla.

CARMILLA: So danke! So herzlich!

EMILY: Ich möchte meinerseits in einem voll klimatisierten Bus überlandfahren. Mit vielen Gesichtern hinter den Fenstern.

CARMILLA: Ja, gut. Pauschaltouristin möchte ich nicht gern sein, danke. Individualistin bin ich lieber.

EMILY: Den Mistkübel verfehle ich manchmal absichtlich. Damit was los ist. Ich möchte mich beobachten lassen.

CARMILLA: Ich beobachte dich. Es hat gut geschmeckt. Man kann alles sagen! Das Gericht und die Behörde sagen alles.

EMILY: Wie geht es dir, Carmilla? Danke gut.

CARMILLA: Ihre Firma hat mir etwas geliefert, das mir ein Greuel ist.

EMILY: Ich habe den Willen zu leben und muß daher den Anschein erwecken, ich hätte dafür einen Fensterplatz ergattert. Stadtmitte!

CARMILLA: Die Wohnung ist voll Dampf. Ein Blutschacht. Benno steht in Badehosen auf dem Balkon und wirft mich den Hunden als Bissen zu. Die Kinder sind noch unentschieden. Es genügt, mich nicht zu hassen. Ich bin keine fest gebundene Krawatte, die man lösen könnte.

EMILY: Fehlt sonst noch was? Salz? Pfeffer? Essig?

CARMILLA: Nein, danke. Hervorragend. Ich weiß nichts. Auf Wiedersehn und vielen Dank. Die Sonne soll bitte noch lang nicht scheinen.

EMILY: Ich führe es herbei, Carmilla.

CARMILLA: Ich möchte jetzt bitte wieder saugen. Ich möchte nicht, daß an mir gesaugt wird.

EMILY: Saug dich selbst! Komm in Betracht! Verabschiede dich jetzt! Verabrede dich nicht mehr!

CARMILLA: Vielen Dank und auf Wiedersehn.

6. Die Toilette ist links voller Menschenhaufen, die mit weißen Leintüchern bedeckt sind. In den Tüchern große Blutflecken. Über der Müllhalde roter Schein, wie Brand. Die Sonne geht auf. Alles starrt vor Waffen. Leise Unterhaltungsmusik ist zu hören, typische Berieselungsmusik wie in Kaufhäusern, sie kommt aus einem kleinen Kofferradio. Das Radio wieder gehört, man sieht es, wenn sie auftritt, einer riesigen, dicken Frau, dem DOPPELGESCHÖPF. Diese Frau (sie kann auch ausgestopft sein) ist der siamesische Zwilling Emily/Carmilla, in ein gemeinsames Kostüm eingenäht. Das Doppelgeschöpf trägt je eine Rotkreuzbinde an den Oberarmen. Das Geschöpf balanciert über die Waffen und Abfälle hinweg. Es trägt einen Picknickkorb und eben das Radio. Das Radio spielt. Nach einer Weile setzt sich das Geschöpf ächzend und umständlich nieder. Es holt sich Essen aus dem Korb. Es nagt ein Kinderbein ab, wie man an einem Hühnerbein nagt. Ab und zu trinkt das Geschöpf leuchtendrotes Blut aus einer Doppelliter-Weinflasche. Nach einer Weile kommen die beiden fröhlichen Jäger mit ihren Hunden. Sie stochern mit den Läufen ihrer Waffen interessiert in den Abfällen herum. Ab und zu heben sie etwas auf, zeigen es einander und stecken es in ihre Plastiktüten. Sie bemerken das Doppelgeschöpf vorerst noch nicht. Das frißt stumm weiter.

HEIDKLIFF: Wer suchet, der findet. Ich hoffe, sie hatten eine gute Show.

BENNO: Bakterien führen ihr eigenes Leben. Manchmal brechen sie aus. Wollen ihren Horizont erweitern.

HEIDKLIFF: Wir sind nämlich zurückkehrende Ritter. Jede Gattung hat ein letztes Exemplar. So spricht die Naturgeschichte.

BENNO: Wir sind echte Leute. Wie Elektro! Wie Atom!

HEIDKLIFF: An der Wirklichkeit zerbricht die Gedankenwelt noch lang nicht.

BENNO: Wir sind es selbst! Ich übergebe mich. *Tut es.* Ich bin übergeben.

HEIDKLIFF: Was für ein Mantel über den Schultern vom Land! Schau doch! Der Blick kennt seine Grenzen noch nicht. Ich übersehe kein Feld in diesem Sonnenaufgang. Ich grabe meine Wurzeln tief ein, man kann mich nicht herausreißen. Ich gehöre hierher. Ich gehöre als allererstes hierher!

BENNO: Auch ich bin bitteschön zurecht und zugleich hier anwesend.

HEIDKLIFF: Wir wachsen einfach so wild dahin. Man schaut auf uns. Wir schauen aus uns heraus.

BENNO: Je nach Temperament ist die Arbeit für uns getan.

HEIDKLIFF: Unser Hals verschwindet nahtlos im Körperbau. *Benno füttert die Hunde, die er zu sich gerufen hat, mit Wurststücken.*
Ich kann das Blut von Millionen Menschen für Luxusartikel ausgeben. Billigend lege ich es beim Kauf auf den Ladentisch. Ich bekomme sogar etwas zurück!

BENNO: Ich möchte ein berühmter Patient sein. Ich möchte, daß es von mir einen Überfluß gibt.

HEIDKLIFF: Im Schlamm meiner Fachsprache zum Thema Medizin möchte ich übelriechend gären.

BENNO: Ich möchte Opfer fordern. Ich möchte Krieg sein!

HEIDKLIFF: Stürmen möchte ich mit anderen über die Geschichte wie über ein Stoppelfeld.

BENNO: Mit dem Mund küssen! Was Kleines!

HEIDKLIFF: Innen sind sie alle irgendwie verschieden. Nach außen sprechen sie laut heraus, damit man über sie schreibt. Sie sagen viel und werden auf viele Rollen verteilt. Während Insekt, Fisch, Reptil stumm sind vor Staunen über ihre Umgebung. So etwas vernichtet man nicht leichtfertig durch Schüsse!

BENNO: Sie hauchen aus sich Atem heraus, der nicht wiederkommt.

HEIDKLIFF: Ein ungeheurer Abstand zwischen Haar und Verstand ist ihnen eigen gewesen.

BENNO: Ich ziehe eine feurige Südländerin vor. Bitte mir eine Carmen geben!

HEIDKLIFF: Mein Herz ist unartig. Es schwimmt mit Fieber in meiner Mitte. Ich habe den dringenden Wunsch nach Zuneigung und Zeugung.

BENNO: Tut mir leid. Jetzt weiß ich das Geheimnis des Lebens und bin auch nicht klüger. Meine Hose ist abscheulich geschnitten. Ich gebe eine Erklärung ab und verlange sie nicht zurück.

HEIDKLIFF: Muß unbedingt spazieren. Wanderer braucht Kontakt mit belebter Welt. Schallplattler tanzen. Einem Dorf dabei zuschauen. Ohne Gehen könnt ich gleich ein Toter sein. Brauch Natur!

BENNO: Erlaub dir Promenaden. Erlaub auch Bericht. Was sieht man nicht für Lebenswunder, wenn man geht.

Sie bemerken das fressende Doppelgeschöpf.

Ich seh. Was du nicht siehst. Natur ohne das wär schöner!

HEIDKLIFF: Ich bin Steuerzahler. So etwas noch nie gesehen. Dafür nicht zahlen würde. Liebe meine Verpflichtungen.

BENNO: Schmalzlawinen. Schwimmt ja Fetten bei derer davon.

HEIDKLIFF: So ausschauen – gut. Aber nicht so anziehen. Ungustig. Mit Schlitzen, wo Fleisch aussi kann. Kommet von uns aus auf Korrekturbank. Wir haben selbst entworfen. Von uns aus gesehen rechts.

BENNO: Talg. Margarinehauf. Märtyrerin. Cholesterin Kompost. Schuhunter quatschig und gelb. Als Angebot von der Post mit Schnürl zusamm. Spezialität aus dem Weinviertel. Ein Braten in einem Netz.

HEIDKLIFF: Fettgranaten. Fleischbomben. Ab sofort Essen beschneiden. Sich versagen, also jetzt! Verlegen Sie sich aufs Züchten, Sie!

BENNO: Ungustiös. Monstrosität. Landschaftsauswuchs. Zum Abschluß einen Abschuß vorweisen können. Knall! Ihren Vorbau abbremsen. Ihr die Gräten ausm Pansen rupfen. Sie unter ständigem Schnüren einrollen.

HEIDKLIFF: Starken Abgang machen.

BENNO: Ranziges Mensch. Tirolerknödel. Sollen fernbleiben und schnell. Sie soll sich einem Feldsoldaten nicht durch Falschparken entgegenstemm. Auf keinem Lipizzaner als solchenem reiten. Nicht drauflassen. Pferd wehr dich sofort!

HEIDKLIFF: Durchwichsen. Mit einem Pracker.

BENNO: Augen instrumental herauskratzen. Mit Blutfinger dann in Augenhöhlen herumwurln wie Ameisen. Weh! Ehrungen und Erhebungen tauchen aus dem Weinviertel auf. Eine Tierschlacht. Tote. Katholisch von Blut auf. Römische Kathoden austun. Löschen. Weh. Weh.

HEIDKLIFF: Aufgeblähte Monstranz zum frohen Leichnam. Bald zu Aas geworden sein. Feistwurm! Bodenverbesserer. Traut sich und zersetzt sich öffentlich.

BENNO: Aber auf dem freien Acker, der gesetzlich allenen gehört, klagen, das kann sie! Gebilde daran hindern, sich aufzustellen. Auch könnenen!

HEIDKLIFF: Die Sprach und die Anschau gehören zusamm. Mir stochern ihr den Binkel Fett auf. Nehmen ihr die falsche Leibsfrucht. Freust, Benno?

BENNO: Freu mich wie ein Kind auf Erstkommunion. Wir essen ja auch die Hostien. Aber nicht so stürmig.

HEIDKLIFF: Bald ihren Leib sezieren! Weggeschmissener Fetzen Haut mit so Poren. Samen, von einem Wanderer still begleitet. Das war der Beamte laut hinter dem Schalter klagt. Merkwürdige Wolkenformation voller Wetter.

BENNO: Der Schein ist klein.

HEIDKLIFF: Mein Genital ist schmal. Es gehört uns die Luft darüber. Bis ganz hinaufen!

BENNO: Österreichgebirg aus Fleischen umhauen. Spaß, wenn danach lustig. Leid. Ein Mitteloser soll sich sein Kunstglied jetzen umschnallen. Die Kasse zahlt gern. In den Hügeln vor der Stadt.

HEIDKLIFF: Wissen, daß Transport übernehm? In Gier trumpfen wir froh.

BENNO: Sturm wär schön. Bitte kommenen einher! Gewand runter und durchhauen.

HEIDKLIFF: Graben mir uns ein Loch in unsere Weichteil! Was sagen sie über uns?

Er legt das Gewehr auf das Doppelgeschöpf an. Die Hunde stehen. Benno legt ebenfalls sein Gewehr an.

BENNO: Grandios. Üppig. Bewuchs. Spezialität.

HEIDKLIFF: Ich bewundere mich. Irre. Irreparabel.

BENNO: Wollen mit Genießen warten. Absichtig auf Ordnung warten! Auch Goethe war – wie Gott – ohne Geduld, wenn was wollte.

HEIDKLIFF: Betrag uns auf Konto gutschrift, Butterknospe!

Beide beginnen, auf das Doppelgeschöpf zu ballern. Das Geschöpf kippt um, zuckt, bleibt still liegen.

BENNO: Schweinstasse. Zurück ins Grab!

BENNO *und* HEIDKLIFF *bis zum Schluß immer beide gemeinsam, aber auch durcheinander, jeweils abwechselnd den Kopf hebend. Sie saugen nämlich beide am Hals des Doppelgeschöpfs*: Um einen trübligen Klotz gehört ein festes Seil. Mir haben es voll gebracht. Mit fünfzig werden Professor sein. Gewiß. Werden einen Zuckergehalt haben. Gewissen. So wenig wie der Wein von Brünnerstraßen. Bewunderung für uns! Klatschen! Trampeln! Normal. Etwas Schönenes ist immer vorhersehbar. Manche wollerten über achtzig Jahr lang atmen. Manche gleich unbescheiden das Ewigleben. Nichts da! Saufen aus einem Kübel. Wie Viech. Wirt, wir werden jetzten bis zu unserem Tod in einem Haufen unter einem Asterl herumstieren. Bis zum Schlussen sind wir da. Mir kennen kein Maß! Wir werden unserer erinnern. Leben wohl! Mir werden sehr lang erinnern. So danke. Herzliche Grüße schick euch! Auch von mir. Auf Wiedersehn. Jetzat bitte weggehen. Licht aufdrehn und in Helligkeit weggehn! Bald! Sofort! Hinauslaufen! Licht im Raum aufdrehn und hinaus! Gleich raus! Gleich wenn jetzten Helligkeit hinausgehn! Weg! Verschwinden! Abtauchen! Verpissen! Abschäumen! Licht an und forten! Presto weg! Noch immer nicht hell? Noch immer da? Dann jetzt soforten hell machen! Jetzt Licht und sofort fort bitte! Jetzt! Jetzt Licht und ab! Jetzt!

Vorhang.

NACHWORT

Nach wie vor bestimmen einige wenige Namen maßgeblich den zeitgenössischen Aspekt unserer Spielpläne. Sie lauten Thomas Bernhard, Heiner Müller und Botho Strauß.* Hinzu kommen natürlich einzelne Stücke von Newcomern, die aber kein Bild des Theaters ausmachen. Gibt es so wenig Neues, nehmen die Stücke der genannten Autoren neuen Autoren den Platz weg? Liegt die Taubheit vieler prominenter Theatermacher gegenüber dem ungesichert Neuen daran, daß sie mit ‹ihrem› Theaterapparat sich vornehmlich selbst sichern und in der Inszenierung des bereits Erprobten (insbesondere der Klassiker) mit anderen Regieleistungen messen wollen; liegt es an der mangelnden Neugier der breiten Kritik, die selbst neue Stücke «alter», bekannter Autoren nicht zulassen oder gar unterdrücken will wie im Falle von Heinar Kipphardts letztem Stück *Bruder Eichmann*? Ein Beispiel für viele: *Cloud nine*, das erste bei uns vorgestellte Theaterstück der international bekannten englischen Autorin Caryl Churchill, fiel bei der deutschen Kritik durch und wurde nicht nachgespielt. Diese Autorin, die formal und inhaltlich abgestandene Erfahrungs- und Theatermodelle sprengt, was im Ausland auf brennendes Interesse stößt, blitzt dank ihrer Originalität bei uns ab und muß mit ihrem nächsten Stück, *Top Girls*, bei der Kölner Erstaufführung gar noch erleben, daß ihr Stück von der Regie willkürlich verändert, ja verfälscht, und aufs bekannte alte Mittelmaß zurückgebogen wird. Will unser Theater das wirklich Neue nicht wahrhaben?

Eine Tatsache ist, daß das Theater im Unterschied zu den sechziger und siebziger Jahren heute gesellschaftlich nicht mehr im Gespräch ist, nicht einmal negativ. Wichtigen Gruppierungen einer wachsenden Jugend, wie beispielsweise der Friedensbewegung, ist das vorherrschende Theater offenkundig restlos egal, sie diskutiert darüber nicht. Es ist auch ein auffälliges Phänomen, daß

* Als ich 1984 diesen Text zuerst verfaßte, konnte ich an dieser Stelle noch Franz Xaver Kroetz nennen. Dazu später.

im Unterschied zu den sechziger und beginnenden siebziger Jahren Jugend, vor allem in repräsentativen Inszenierungen, kaum als Thema auf der Bühne erscheint; das war exemplarisch mit Stücken wie Edward Bonds *Gerettet*, Peter Tersons *Zicke Zacke*, Wolfgang Bauers *Magic Afternoon*, bis hin zu leichter Kost wie Ann Jellicoes *Was ist an Tolen so sexy* (als Film *Der gewisse Kniff*) anders. (Die dann in den siebziger Jahren entstandenen Jugendtheater sind ein Sonderkapitel, sie funktionieren im Grunde genommen als Getto.) Ohne Frage spielt hier auch ein Teil der Kritik ihre Rolle, denn es war auffällig, daß Peter Stein für seine Inszenierung eines Stücks mit zeitgenössischen Jugendproblemen, *Klassenfeinde* von Nigel Williams, keineswegs den Beifall erhielt wie für seine Klassikerinszenierungen. Andererseits fällt im deutschsprachigen Bereich auf, daß junge Autoren sich heute mit Vorliebe der Zeit ihrer Großväter widmen: Nazizeit/ Nachkriegszeit (Thomas Hürlimann, Herbert Kapfer, Klaus Pohl, Thomas Strittmatter). Vielleicht, weil sie auf dem Wege der direkten Selbstdarstellung mit einer 1968 geschulten und mit allen antiautoritären Wassern gewaschenen Generation der älteren Brüder nicht fertig werden können?

Ästhetiken des Theaters, oder zumindest dramaturgische Linien wie absurdes Theater, Dokumentartheater, Volkstheater, armes Theater usw., werden nicht mehr entworfen, auch nicht von den genannten Autoren. Jeder stirbt für sich allein. Mörderische Aussichten verstellen die Zukunft für Gefühl und Bewußtsein. Das Theater als ein Medium der Kommunikation driftet ins Abseits (vgl. auch die Bedeutung, die eben deswegen bloß noch das Intendantenkarussell zu erlangen vermag).

Keine Entschuldigung für Resignation. Nur die schöpferische Anstrengung, ob gleich mit überzeugendem erfolgreichem Resultat oder nicht, zählt, und zählt unter erschwerten Voraussetzungen doppelt. Ich sehe den eigenwilligen Versuch von Elfriede Jelinek mit dem Theater als einen Beitrag in diesem Sinne. Nimmt sie doch aus einer neuen, ‹feministischen› Fragestellung heraus die Anstrengung eines eminent politischen Theaters auf sich (alle Stücke sind auch ein Beitrag zur Faschismuskritik), und zwar mit künstlerischen, sprachlichen Mitteln, die der direkten Diskursivität des herkömmlichen politischen Theaters und seinem Verständnis gerade nicht entsprechen mögen.

«Kein aggressives linkes Schmuddeltheater» hat der designierte Intendant des Thalia Theaters Hamburg, Jürgen Flimm, 1983 als Programm von sich selbst gefordert. Worauf bezieht sich dieses unqualifizierbare Vokabular? Auf keinen ernst zu nehmenden Autor, auf kein ernst zu nehmendes Stück trafen je oder treffen diese Simplifikationen zu: «links», «aggressiv», «Schmuddeltheater». Aber sie kennzeichnen die Schwierigkeiten, mit denen ein Autor zu kämpfen hat, der etwas Neues riskiert – und eigentlich sollte das Theater doch die Arme ausstrecken nach dem Befremdlichen, Kritischen, Originären und helfen auf dem schweren Weg zur Bühne (wie z. B. in England mit der Position des author in residence). Der Theaterautor braucht das Theater, aber mehr denn je, man kann ruhig sagen überlebensnotwendig, braucht das Theater den Autor. Nicht als Erfolgsstücke zum Nachlesen werden hier die Stücke von Elfriede Jelinek als Buch vorgestellt, sondern als Literatur, deren Gehalt und Phantasie mehr Lebendigkeit vermittelt als das augenblickliche ewige Wiederkäuen des Altbekannten durch manchen Theatermacher, für den Ria Endres' auf Thomas Bernhard gemünztes polemisches Diktum «Am Ende angekommen» ebenfalls gilt.

Elfriede Jelineks Theaterstücke haben Versuchscharakter im Sinne der experimentellen Anordnung. Sie wollen das Verhalten bestimmter Personen oder Figuren mit biographisch bekanntem Hintergrund in zeitfremden Situationen testen, um so zu prüfen, ob die Probleme, wofür diese Personen oder Biographien stehen («das Exemplarische reizt mich», Programmheft zur Bonner Uraufführung von «Clara S.»), sich erledigt haben oder nicht eigentlich mit dem Hinweis auf sie nur angeschnitten und gerade unter den Teppich gekehrt werden («Auf der Bühne z. B. wird Noras historisch vergangener Befreiungsversuch unablässig hermeneutisch gedreht und gewendet – männliche Regisseure haben offenbar mehr Interesse daran, der Flucht aus dem Puppenheim aktuelle Aspekte abzugewinnen, als die aktuelle Situation der Frau in den siebziger Jahren zu interpretieren; vielleicht auch eine Art der Verdrängung eines Themas durch ästhetischen Rückzug aufs *Ver-*

gangene» – schreibt Marlies Gerhardt 1977 im *Kursbuch 47*, das unter dem Titel «Frauen» steht).

Biographien neu zu schreiben, liegt dabei nicht im geringsten im Interesse Elfriede Jelineks. «Daß dergleichen nicht weniger ‹Wahrheit› enthält als die gebräuchlichen biederen Lebensbilderbögen, die ein Schicksal in gepfefferten Dialogen und wirksam ausgebauten Stationen erzählen, versteht sich angesichts der eindringlichen visionären Stimmungen der Jelinek von selbst» (Hellmuth Karasek im *Spiegel* zu *Clara S.*); in ihrem Roman *Die Klavierspielerin* (1983) höhnt Elfriede Jelinek über die «Künstlerbiographien, welche überhaupt das Wichtigste an den Künstlern sind».

Ein Interesse an Geschichte ist dabei ihre Sache ebenfalls nicht. Theater als Medium ist der Ort, wo ihre heftigen Fragen am unausweichlichsten Öffentlichkeit finden, und sie scheint im Fundus der Geschichte ein für ihr Theater geeigneteres Spielmaterial, Rollen, Masken, Handlungselemente, ein besseres «Podest» zu entdecken als in der Gegenwart; jedenfalls fällt es auf, daß sie im Gegensatz zu ihren sonstigen Werken – Hörspiele, Prosa, Romane, die ausschließlich in der Gegenwart handeln – ihre ersten drei Theaterstücke aus einem historischen Arsenal bestückt. Übrigens, obwohl der jeweilige Schauplatz der historischen Figur nicht entspricht, das heißt hypothetisch im Sinne des Experiments ist, vernachlässigt sie keineswegs die genaue Wiedergabe des gewählten Zeitkolorits, der politischen und gesellschaftlichen Verhältnisse. Gesichert aber ist nur ihr Instrumentarium, das heißt ihre spezifische Sprache, die sie sich, zwar offensichtlich geschult, zum Beispiel an den Arbeiten der Wiener Gruppe (Verwendung der Montagetechnik, der Trivial- und Massenkulturpartikel, des Zitats etc.) und denen der Grazer Autoren ganz eigenständig über Jahre hinweg in ihren Hörspielen und Romanen erarbeitet hat.

Es soll nicht behauptet werden, die Theaterstücke von Autorinnen stießen bei ihrem Weg auf die Bühne grundsätzlich auf mehr Schwierigkeiten als die von neuen männlichen Autoren, obwohl es eine Tatsache ist, daß das deutschsprachige subventionierte Theater (Stadt- und Staatstheater) ausschließlich von Männern bestimmt wurde und wird. Die Probleme, die Else Lasker-Schüler hatte, ihre Stücke auf die Bühne zu bringen, oder die von Marie-Luise Fleißer sind zumindest offenkundig nicht derart, daß man eine generelle Ablehnung aus männlicher Überheblichkeit, aus Konkurrenzkampf dafür verantwortlich machen könnte. Die Stücke von Gerlind Reinshagen haben sich bei den Bühnen widerstandslos durchgesetzt. Friederike Roths erstes Stück *Klavierspiele* löste noch Knirschen aus, aber ihr *Ritt auf die Wartburg* bereits erfreute sich allgemeiner Beliebtheit.

Wenn also ein so witziges, zupackendes, theaterwirksames erstes Stück wie Jelineks ‹Nora› nach dem einhelligen Publikumserfolg der Uraufführung – das Stück war im Großen Haus des Grazer Theaters immer ausverkauft – zehn Jahre lang nicht nachgespielt wurde, so liegt das nicht an einem Vorurteil gegenüber schreibenden Theaterfrauen, sondern an dem Stück selbst; wie man wohl behaupten darf, an seiner offensiven Attacke auf, verkürzt gesagt, Rituale «patriarchalischer Herrschaftserhaltung», der sich in dieser kompromißlosen, komisch ätzenden Schärfe auch Künstler, das heißt die Theatermänner, nicht aussetzen wollen. Elfriede Jelinek beschreibt ihren eigenen Schritt als unangepaßte Autorin, wenn sie die «unschön» gewordene Nora, die die anderen Frauen des «Anarchismus und Terrorismus» anklagen, sagen läßt: «Indem die Frau nicht mehr gefällt, tut sie den ersten Schritt zu ihrer Freiwerdung. Ein Tritt gegen die Basis einer Pyramide aus stiller Gewalt.» Elfriede Jelinek will nicht nur inhaltlich die «unschönen» anspruchsvollen Fragen von Frauen stellen, sondern auch formal frei werden und nicht die alten Muster beispielsweise von Henrik Ibsen kopieren (*Ein Puppenheim*, 1879; *Stützen der Gesellschaft*, 1877), das heißt ein großes bürgerliches Theater, das in vielen kleinbürgerlich-naturalistischen Fortsetzungen bis heute überlebt. Ihr erstes Stück *Was geschah, nachdem Nora ihren Mann verlassen hatte* wurde im Oktober 1979 uraufgeführt und entstand 1977. Der Plan, das Stück zu schreiben, datiert noch aus einer etwas früheren Zeit. In dieser Zeit ist die neu entstandene Frauenbewegung auf ihrem Höhepunkt, gibt es eine Fülle von feministischen Theorien, von literarisch mehr oder weniger gelungenen Frauenbiographien (exemplarisch Verena Stephans *Häutungen*); zwei der bedeutendsten Künstler des Theaters, nämlich Ariane Mnouchkine und Pina Bausch, beeinflussen nahezu schockartig gerade in diesen Jahren durch ihre Arbeit das Regietheater. Die «Phantasie dieser Frau [Pina Bausch] erweitert den Vorstellungsraum des fast nur von Männern geprägten deutschen Theaters um eine ganze Dimension» (*Theater heute*, 1978, S. 125, Rolf Michaelis), und Jelineks Stück gehört durchaus in den Hoffnung erweckenden, in jeder Hinsicht den Vorstellungsraum um eine ganze Dimension erweiternden Aufbruch der Frauen in dieser Zeit. Aber was die Autorin Jelinek mit ihrem Stück an Neuem und Stimmigem zu sagen hatte, blieb abhängig von der Realisierung durch einen männlich orientierten Theaterapparat, den Ariane Mnouchkine und Pina Bausch als Regisseurinnen immerhin unterlaufen konnten. Zudem enthielt ihr Stück ironische Stacheln, thematisch und dramaturgisch, die dem Optimismus der Zeit (auch bei den Frauen, wie sich in Diskussionen über das Stück zeigte) nicht entsprachen (erst recht nicht dem Opportunismus der Theater-Softies), die es heute aber desto realistischerund präziser in seiner Sondierung der Situation «Noras aus dem gleichnamigen Stück von Ibsen» erscheinen lassen; heute, wo der Schwung und Glanz der Frauenbewegung in langwierigen Arbeitsprozessen zur Anstrengung geworden ist, wo dem Gefühl einer globalen Bedrohung auch Frauen kaum noch lustig und einfallsreich, frech und selbstbewußt wie um 1977 begegnen können. Die «Stützen der Gesellschaften» – «das Kapital ist jedoch von allergrößter Schönheit» – haben exemplarisch mit Pershing II gesiegt; anders als in Ibsens *Stützen der Gesellschaft* sind die «Stützen» in Jelineks Stück wie in der Realität nicht fähig, Vernunft und Moral sprechen zu lassen.

Der Pessimismus von Elfriede Jelinek gegenüber der Frauenbewegung der siebziger Jahre hat seinen historischen Anhaltspunkt in der Zeit des aufkeimenden Faschismus der zwanziger Jahre in Deutschland. In *Männerphantasien* (Theweleit, 1977/78) wird zur Genüge der Zusammenhang zwischen Faschismus und Männerherrschaft belegt. In eben dieser Zeit ist auch die Sprache des Kapitalismus im Klassenkampf noch unverbrämter, fröhlicher gewissermaßen, also klarer als kaltes Spiel von Interessen erkennbar zu machen als heute. Das Stück von Jelinek versucht die vielschichtige ökonomische, traditionelle, biologische, emotionale Abhängigkeit Noras von der Um- und Außenwelt nach ihrem Ausbruch aus dem Puppenheim zu erzählen, und es gelingt ihr, eine ganz neue Figur zu schaffen, eine Figur, die in ihrer Radikalität Züge von Ulrike Meinhof trägt (die 1975 umkam), aber auch solche von unzähligen Bildern aus dem Bereich der Trivialliteratur, des Fernsehens, der Illustrierten, also aus der Zeit der ‹Freiheit› Noras. Spiegelbildlich erscheinen die Möglichkeiten Noras sowohl in der puritanischen, häßlich nüchternen und unter ihren politischen Einsichten schmerzhaft leidenden Eva (vgl. den großartigen Schluß der 15. Szene), als auch in der Figur der Frau Linde, Inbegriff der neckisch ihre Gefühle toupierenden Hausfrau als sexuell selbst entfremdeter, peitschender Domina, von Helmer im Ton von «Halt endlich die Klappe, Linde!» traktiert und vor allem finanziell an der Angel gehalten.

Nora, die ihren Mann «selbsttätig verließ» und «aus einer verwirrten Gemütslage in einen Beruf» flüchtet, kann nicht lange die idealistische, heroische Kraft der Figur Ibsens bewahren, und Elfriede Jelineks Stück zeigt den schrittweisen, tragikomischen Verlust aller Illusionen, die am Schluß von Ibsens Stück für die Zukunft Noras mitschwangen. Sie hat zwar ihre ‹natürliche› Rolle als Frau, nämlich als Mutter, hinter sich gelassen (was ihr gerade von den ausgebeuteten Arbeiterinnen vorgehalten wird), aber verführt von den Wünschen nach Konsum und Sicherheit und zugleich von ihrer triebmäßigen ‹Natur› als Frau, bleibt sie dem Bedürfnis nach Bindung und Besitz des Mannes, also nach Ehe (mit Weygang) voll verhaftet. Sie erfährt, wie sie vom Lustobjekt sehr schnell zum Instrument von wirtschaftlichen Interessen gemacht und zur Sado-Nutte erniedrigt wird, und ihre Geschichte ist bei Elfriede Jelinek ein Gleichnis für die des «femininen» Volkes im Konzept des Faschismus (3. Szene). Schließlich ist die «kleine Heidelerche» «geschäftlich ungeheuer informiert» und deswegen sollen ihr Körper und ihr «kleiner Kopf» liquidiert werden. Dieser doppelte Tod ist die neue alte Ehe mit Helmer. Ein böser Schluß. Die Postulate, die das Stück aufstellt, sind nicht positivistisch im Sinne der Frauenbewegung und des davon unlösbaren Klassenkampfs, nicht positivistisch im Sinne einer neuen Rollenverteilung in der Beziehung zwischen Mann und Frau, für die sie weder bequem einen ewigen Geschlechterkampf nach dem Modell von August Strindberg voraussetzt noch dem Mann jetzt den Küchendienst verordnen mag, sie lauten nur: erkenne die komplexe Lage. Und das Stück selbst leistet diese Haltung in seinen künstlerischen Mitteln.

Der Ton, mit dem Elfriede Jelinek alle sozialen Gruppierungen ihrer Figuren höchst differenziert charakterisiert, mit sich im Verlauf des Stücks steigerndem schrillem Beiklang, hat eine Treffsicherheit, die unmittelbar die sozialen Unterschiede und ökonomischen Interessen herausholt, sei es die Subalternität des Sekretärs – «So was, Herr Weygang» – oder den satten, verführerischen Zynismus Weygangs (vgl. den raffinierten Schluß der 9. Szene, wo er Nora noch ihre Sprache nimmt) oder das konventionell ungewandte Aufsteigertum Helmers – «Oh, lieber, verehrter Herr Konsul».

Die Masken bombastischen Männergehabes, öffentlich oder privat, werden gerade durch das Theater, mit Hilfe von Zitatmontagen zum Beispiel aus dem Medien- und Werbebereich, als Affentheater dem Spott ausgesetzt, nicht aus einem satirischen Impuls, sondern als Attacke gegen Einschüchterungsversuche. Die Mächtigen, so sagt das Stück, verfügen tatsächlich über eine umfassende, lebenvernichtende Macht, weil sie wie eine Maschine identisch sind mit ihren Interessen (Maschinenkritik, auch Maschinenstürmerei, ist ein Leitmotiv vieler Arbeiten von Elfriede Jelinek) und nicht wie die Aufsteiger Helmer / Krogstad aus Dilettantismus sich in kolportagehaften Aktionen verzetteln; aber ihre Macht ist eine gemachte, es ist auch eine nur vorgestellte Macht im Kopf der Manipulierten, also wäre sie abbaubar.

Der Bühnenvorgang, die Sprache, die körperliche Aktion stehen in komischer, gehetzter Spannung zu einer Wirklichkeit, die der Zuschauer besser als seine selbsterfahrene kennt, nämlich zu einer medialen. Fortwährend wird eine vorgeblich natürliche, vorgeblich schöne, harmonische Verhaltensweise, Rolle, Funktion oder besser die Suggestion davon auf der Bühne beim Wort genommen, so in der Tanzszene Noras: «Wenn meine kleine, übermütige Hummel denn durchaus will», sagt Weygang, und Nora: «Oh, bitte, bitte... schmeichelnd hüpfe ich aus dem Stand heraus sehr oft und sehr hoch in die Luft empor. (Tut es.)», und sie fängt auch noch an zu summen und zu singen und ist tatsächlich zur Hummel geworden, Lachen erregende Verkörperung des trivialen Idols als Frau. Das Theater als ein altmodisches, in seiner unverstellten Künstlichkeit knarrendes Vehikel dient der Jelinek auch als Sonde am Leib der Medien, die sie fasziniert haßt und auf die verschiedenste Weise in vielen ihrer Werke anatomisiert und als Manipulationsinstrument zu unterminieren sucht. Für das Theater neu und ungewohnt ist die Ausgesprochenheit ihres Dialogs, die fortgesetzte Artikulation der Interessen der Figuren, die auch eine auf der Bühne ungewohnte Begrifflichkeit nicht scheut, eine a-naturalistische Kälte, die zwar auch bei anderen österreichischen Autoren wie Thomas Bernhard und Peter Handke anklingt und vielleicht Ausdruck von Melancholie ist (auch Raimunds Geist, der Hamlet erscheint: «Ich bin dein Vater Zephises, ich habe dir nichts zu sagen als dieses», und verschwindet, liegt nicht fern), aber die dennoch bei der Jelinek einen ganz eigenen Charakter hat, insofern mit dieser Kälte gerade sehr heftige Verzweiflungen und Verletzungen ausgesprochen werden, wie sie die Figuren der genannten Autoren gar nicht kennen. Das Stück ist in seiner Gespanntheit, auch dramaturgisch im sich überstürzenden Handlungsverlauf von einer solchen Unruhe beherrscht, daß es nie zur beruhigenden, kalten Affirmation der dargestellten Verhältnisse kommt, in keinem Empfinden oder Zustand können die Figuren oder der Zuschauer sich ausruhen. Nicht zuletzt diese Motorik führt das Stück über jede inhaltlich konstatierbare Resignation hinaus.

Das Jelineksche Theater, um voll zur Wirkung zu kommen, fordert Mut zur Leidenschaft im wörtlichen Sinne, zum Pathos, das, formal gesprochen, vielleicht bei Racine vorgegeben ist und im augenblicklichen Theater unangemessen, wenn nicht peinlich wirkt und von ihr aus auch peinlich wirken soll und eben deswegen das Material liefert, aus dem sich die schmerzhafte Komik und der theatralische Neuansatz voll entwickeln könnten; will sie doch Deformationen von Gefühlen und Personen aufzeigen, die ihren Ausdruck im Manierierten finden (vgl. ihren Hinweis zu Beginn von *Clara S.*). Goethes Charakterisierung «das Manierierte ist ein verfehltes Ideelle, ein subjektiviertes Ideelle; daher fehlt ihm das Geistreiche nicht leicht» (Wanderjahre 2. Teil) beschreibt Voraussetzungen und Stil der Theaterstücke von Elfriede Jelinek.

Mit ihrer Clara nimmt sich Elfriede Jelinek wieder eine Frau als Heldin, die zu ihrer Zeit die avancierteste vorstellbare Position errungen hatte. Als Interpretin der Kompositionen von Männern war sie gefeiert, hing jedoch so wie ihre Tochter bei ihren Klavierübungen im Logierschen Gestell im «Trainingsgestell» ihrer Rolle als Mutter, Ehefrau, «Künstlerfrau». «Ist sie ebenfalls Künstlerin, verfaulen ihr die Glieder einzeln bei lebendigem Leib unter der Kunstproduktion des Mannes.» Robert, das übergekippte Genie des 19. Jahrhunderts in seiner «wahnhaften Sucht» nach «Ori-gi-na-li-tät», dessen Angst vor «Kopfverlust» in Wahrheit die um «Verlust des Schwanzes» ist, hat seinen Gegenpol in dem italienischen Dichterfürsten D'Annunzio, in dem sich die Reaktion des 20. Jahrhunderts auf die schwere Kopflastigkeit des 19. Jahrhunderts verkörpert: in seinen «Begierden, die krampfhaft und maßlos sind. Die eine Begierde enthält das Leben der besiegten Massen und den Rausch der unbekannten Liebhaber meiner diversen Geliebten. Die andere Begierde enthält die Vision orgiastischer Vermischungen.» Mit der Wahl dieser Heldin, von einer romantisierenden Überlieferung nur im Glorienschein des Erfolgs als Klaviervirtuosin und als Liebe des großen Komponisten Robert Schumann gesehen, betreibt die Autorin auch eine Aufarbeitung der Geschichte der Frau, die ihre Misere gerade in den exponiertesten Frauenschicksalen offenbart. In *Clara S.* wird eine Fülle von Themen angeschlagen und, musikalisch gesprochen, auch durchgeführt. Ein Thema ist das Verhältnis zwischen Kunst und Geld.

Elfriede Jelinek lebt als freischaffende Autorin, das ist ein hartes Brot, insbesondere für einen Theaterautor. Der Markt sowohl als die Unkalkulierbarkeit der Produktivität machen den schöpferischen Künstler (nicht nur den «wahnsinnigen») ausweglos abhängig vom Gnadenbrot der Reichen oder heute der öffentlichen Hand. Abhängig in einem ganz anderen Sinne als der ‹Arbeitnehmer›, der seine Arbeitskraft verkauft. Elfriede Jelinek fristet freiwillig ein Dichterdasein (und schlägt Angebote zu anderer Tätigkeit aus), das qualifiziert und legitimiert sie zum bitteren Angriff in ihren Stücken auf die Anfälligkeit des Künstlers wie des Bankangestellten gegenüber dem Faschismus als einer Verführung zum Reichtum, zum Wohlstand, zum Geld, der «Scheiße der Toten». Aber so komisch und genau betrachtet auch die Nebenfiguren das Thema durchspielen und variieren («Nur noch 120 Hingaben» bis zur Tournee in Amerika, die auf diese Weise erkauft wird, freut sich Luisa), es verdeckt nur die wirklich existentielle Tragödie der Clara, in der die Nebenfiguren die unvermeidbare Salonstaffage bilden, die Clara selbst auch bewußt als Versteck für ihre Probleme benutzt. Schmerzhaft empfindet man hinter all ihren Ausführungen über die Welt der Männer als «kühne Eroberer» oder «kühne Künstler» einen Selbstzweifel, der auch der der Autorin Jelinek ist.

In ihrem Roman *Die Klavierspielerin* hat sie diesen Selbstzweifel neuerlich thematisiert, in der Geschichte der Klavierspielerin Erika Kohut, die zu den Sternen des Musikhimmels greifen will und als Klavierlehrerin am Konservatorium auf ihre wirklichen Beine fällt. Aber: «Was Erika Kohut musizierend nie erlebt, führt Elfriede Jelinek schreibend vor: den Triumph der Virtuosität. Große Musik.» Benjamin Henrichs (*Die Zeit*, 15. Juli 1983) nannte auch *Clara S.* als deutsches Stück bei der Umfrage von *Theater heute* nach den «Höhepunkten der Spielzeit 1982/83» in *Theater 1983*.

In *Clara S.*, im Unterschied zu dem Roman, versteht sich dieser Selbstzweifel noch aus der Spannung zu der Welt der Männer, deren Prinzip Naturfeindlichkeit und Naturvernichtung (Schumann und D'Annunzio) ist. Aber Clara empfindet auch quälend das Unvermögen der mäßig Begabten, gerade weil sie als Interpretin die höchsten Ansprüche stellt und erfüllt: «Dies Leid in Töne zu setzen, das kann ich nicht, wenn du es auch von mir willst. Es ist nicht Faulheit! Nein, dazu gehört Geist, den ich nicht habe.» Als unbewältigbare Antinomie stellen sich diesem Selbstzweifel zugleich Musik und Liebe dar: «Das Universum der Tonkunst ist eine Landschaft des Todes. Weiße Wüsten, Eis, gefrorene Flüsse, Bäche, Seen! Riesige Scheiben Arktis, durchsichtig bis zum Grund, keine Tatzenspur des Raubtiers Eisbär. Nur geometrisch angeordnete Kälte. Schnurgerade Frostlinien. Totenstille.» Natur

– die Frau – ist in diesem Universum aufgehoben. Clara bringt ihren Robert aus Bewunderung und Fixierung auf seine verhaßte geniale Originalität um und geht selbst daran zugrunde, vor der Kulisse eines kitschigen Alpinums, weil sie nur in den eigenen, selbstgezogenen Grenzen der Frau existieren kann. Das Zitat am Schluß des Stücks läßt vielleicht als Hinweis auf die geschichtliche Bedingtheit ihrer Erfahrung eine Hoffnung offen: «Grün ist der Jasminstrauch abends eingeschlafen, als ihn mit des Morgens Hauch Sonnenlichter trafen, ist er schneeweiß aufgewacht. Was geschah mir in der Nacht? Seht, so geht es Bäumen, die im Frühling träumen.» Aber der Tod der Frau, die sich wohl wehren, jedoch in keinem Sinne durch ihre Liebe siegen kann, macht das Stück zur «musikalischen Tragödie»; Natur und Kunst (erst recht in ihren faschistischen Ableitungen wie Sport, Fliegerei, Massenaufmärsche) bleiben unversöhnlich.

Österreichische Autoren haben sich – meines Wissens – im Unterschied zu den Dramatikern des politischen Theaters in der BRD, Rolf Hochhuth, Peter Weiss, Heinar Kipphardt, nicht mit der Vergangenheit ihres Landes, der Nazizeit, beschäftigt. Damit soll nicht behauptet werden, die österreichischen Autoren seien im direkt verstandenen Sinne unpolitisch. Im Gegenteil haben sie immer klar Stellung bezogen, so beispielsweise schon bei der Frage der österreichischen Wiederbewaffnung (vgl. Rühm *Die Wiener Gruppe*, Reinbek 1967). Erst in jüngster Zeit, 1979, brachte mit *Vor dem Ruhestand* Thomas Bernhard diese Zeit auf die Bühne, angesiedelt aber in Deutschland.

1938 war der Anschluß Österreichs an das Tausendjährige Reich proklamiert worden unter der Zustimmung großer Teile der österreichischen Bevölkerung und unterstützt durch eine starke militante, nationalsozialistische Bewegung in Österreich selbst. Elfriede Jelineks Stück *Burgtheater* schneidet ein heißes, unberührtes Thema an, die Vergangenheit derjenigen, die nicht als Nazis im SS-Kostüm, sondern als Inbegriff der österreichischen (= Wiener) Kultur auftreten, mit dem Etikett Burgtheater denkmalsmäßig geschützt.

Im unangetasteten, bruchlos umglänzten Überleben dieser Institution und ihrer Protagonisten zeigt sich für die Autorin der

Skandal, und man darf vermuten, daß das Aufdecken des Skandals in ihrem Stück der Grund dafür ist, warum es bislang in Österreich nicht gespielt wurde.

In Österreich, insbesondere in Wien, hat der Schauspieler bis heute eine Attraktion, wie sie für die BRD kaum noch vorstellbar ist. Die Theaterliebe der Wiener zeigte sich nach dem Krieg zum Beispiel auch darin, daß das Burgtheater noch in einer Zeit wirtschaftlicher Misere, zum Teil mit privaten Spenden, im vollen Glanz wieder aufgebaut und restauriert wurde. Die ambivalente Liebe der Wiener zu ihren Schauspielern, die diese kritiklos zu Lieblingen macht und in ihrem Überdauern das Überdauern des eigenen «Ludersinns» feiert, steht in *Burgtheater* ebenso am Pranger wie die Lieblinge selbst. Der Mut zur Publikumsbeschimpfung (auch die Happenings von Nitsch und Mühl müssen hier erwähnt werden) ist ein Charakteristikum der österreichischen Autoren im Unterschied zu den deutschen, bei denen die Zielscheibe meist ‹die da oben› sind.

Elfriede Jelinek verwendet hier zum erstenmal in einer Arbeit den Dialekt, der in Österreich mit den Stücken des Grazer Dramatikers Wolfgang Bauer in neuerer Zeit wieder ein musikalisch-witziges Instrument des Realismus, Bestandteil eines neuen «Volksstücks» geworden ist (Bauer bezeichnet allerdings nur sein frühes Stück *Party for six* als Volksstück), wie auch seit Artmanns *Dialektgedichten* ein poetisches Element der Verfremdung, das sich als «Kunstsprache» eignet. Elfriede Jelinek verwendet in *Burgtheater* beide Möglichkeiten auf organische Weise. Im Dialekt sind alle Horrorseiten des österreichischen Volkscharakters gespeichert, und zugleich gewinnt der Dialekt durch die Art und Weise seiner Entstellung bei der Jelinek etwas total Irreales, Künstliches, Gefälschtes.

Die grausige Sprache hämmert auf den Leser / Betrachter wie im Stakkato ohne Pause ein, unterstützt von unausgesetzter Bühnenaktion, Tanzen, Hauen, Ringen, Umkippen von Möbeln, so daß im doppelten Sinn des Worts eine fortgesetzte «Hetz» (österreichisch für Spaß) los ist. Von «Hetz» ist fortwährend die Rede, und eine dritte Bedeutung schwingt angesichts des erschreckenden Verhaltens dieser Darsteller mehr und mehr mit, die von Hetze,

Hetze gegen Juden, die rote Pest, Russen usw. Die Turbulenz (Käthe «Tunkt Mausis Gesicht in den Teller. Mausi gurgelt», Istvan und Schorsch «tanzen singend einen feurigen Csárdás», Istvan «schlägt Käthe mit der Faust brutal nieder, sie fällt um und reißt ihn natürlich mit» usw. usw.), der «gellende» Ton Käthes, der sich im zweiten Teil zum Dauerton bei ihr entwickelt hat, reproduzieren Tempo und Ton überdrehter alter Filme und sind Ausdruck eines wirklich begabten Komödiantentums, für uns heute doppelt und unfreiwillig komisch gemacht als Zitat aus munteren Schnulzen, wenn es zum Beispiel anfangs heißt: «Istvan (reißt die Tür auf, erscheint, posiert, lacht schallend zwischen den Sätzen, strahlt, fuchtelt herum, etc. Reitgerte!!): Grieß enk Gott alle miteinander, alle miteinander, alle miteinander!» und sind zugleich pathologische Produktion, um die Wirklichkeit zu bannen, im zweiten Teil die Angst. Diese Erzschauspieler dürfen sich selbst nicht zur Ruhe kommen lassen, sonst müßten sie hören, was zum Beispiel ihr Kollege Otto ihnen mitteilt, bevor sie ihm den Mund verstopfen und ihn zum «blutigen Bündel» zusammenschlagen: «Wir benötigen noch Geld- und Sachspenden für den österreichischen Widerstand, bitte sehr. Wir werden zu gegebener Zeit eine detaillierte Abrechnung darüber vorlegen. Viele sind jedoch bereits geköpft worden.» Aber sie können sich auch nicht still verhalten, weil sie, und das gilt insbesondere für Käthe, zentrumslos von völlig auseinanderstrebenden Kräften getrieben, als Schauspieler total auf ihren Spiegel bezogen sind: «Das daitsche Publikum aller Stämme will auch juchzen! Nur eine ainmalige künstlerische Begebenheit wie ich [Käthe] verhilft dazua. Österreichertum!» Im zweiten Teil wird dem Zuschauer die Farce der Entnazifizierung mit der Geschichte des angeblich versteckten Zwergs vorgeführt, nach der Melodie des bekannten Alliterationssprüchleins «Wir Wiener Wäscherinnen wollen weiße Wäsche waschen, wenn wir nur wüßten, wo weißes Wasser wär», das in Fetzen immer wieder aufklingt. Die Reinwaschung gelingt, und es bleibt alles beim alten. Heiter sei die Kunst im Faschismus und nach dem Faschismus, aber zwischen den Falten dieses irrwischartigen Irrsinns lauert der Tod, der den ruhigen Schlaf des brutalen Egoismus stört: Schorsch: «Seind Kommunisten aus die Fenster vom vierten Stock ghupft!

Homma inare Knocherl bis auffe krickeln ghert... sovü Bluat! Außen Rot und innen aa. Haha... In der Nocht hot man net schloffen kennen. Scheißlich!» Der Widerspruch zwischen Pose und Verzweiflung entlädt sich auf jede Weise in Gewalt, neckisch und mörderisch, und am Ende siegt die alte Lüge «Des sengan mir gor net. Wos mir net sengan, des gibts net!» und wuchert als Kitsch wie eine Pilzkrankheit in der Sprache weiter (letzte Szene), während Käthe «still blutet».

Das Entsetzenerregende dieser «Posse mit Gesang», die die widersprüchliche Motivation dieser Schauspieler im Verlauf der Handlung genau nuancierend und wirkungsvoll entwickelt (Unbefriedigtheit im sexuellen Verstand bei temperamentvoller Vitalität, abgründige Angst im Übermut, Selbstzerstörungswut im Gewaltakt gegen andere), beruht darauf, daß diese Personen kaum aus ideologischer Überzeugung als Nazis handeln, sondern daß sie sich selbst zu kasperlmäßigen Puppen gemacht haben, deren Gefährlichkeit in ihrem automatenhaften, spielerischen, ziellosen Aktionismus liegt. Am deutlichsten wird bei Käthe dieser zufallsgesteuerte, trancehafte Zwang zur Pose als Furie, als Tragödin, als Naive, als Charakterfachschauspielerin, als Heroine, wenn sie ihre eigene Tochter anzuzünden oder sich selbst umzubringen versucht. Gefährlich ist weniger die manifeste Brutalität (Szene mit Otto), als die latente des Schmierenkomödiantentums, das die Autorin nicht nur bei diesen Schauspielern am Werk sieht, sondern in ihrem Institut, dem Burgtheater, in der österreichischen Operettenkultur – «das Salzkammerblut... Das Musikkazett» – in einem schmierenhaften, kitschig-blutigen Traditionalismus («Trachtenkostüm mit applizierten riesigen Eichenblättern»), der Kunst und Leben gleichermaßen beherrscht und jederzeit zu zerstören bereit ist. Die böse Komik des Stücks, die mit Johann Nestroy, Ödön von Horváth, Karl Kraus, den Kabarettisten Helmut Qualtinger und Georg Kreisler ihre positive, österreichische Tradition hat, zielt am Beispiel der brutalen Vergangenheit auf heute, auf das Potential, das unter den Teppich gekehrt werden soll und das die Jelinek hier und in anderen Texten (insbesondere in dem Hörspiel *Portrait einer verfilmten Landschaft*) in Sisyphos-Arbeit immer von neuem ans Licht zu zerren sucht. Kunst und Liebe, das Zentrum, das Ziel der weiblichen Hauptfiguren ihrer Theaterstücke, sieht Elfriede Jelinek als existentielle Fragen von allgemeinem, öffentlichem Belang (ihre Hinwendung zum Theater findet auch von daher ihren Sinn), nichts erregt sie mehr als die Lüge, hinter welchen Masken auch immer.

Burgtheater kam 1985 zur Uraufführung am Schauspiel Bonn (Regie Horst Zankl). In der Kritikerumfrage im Jahresheft 1986 der Zeitschrift *Theater heute* wurde es als eines der drei «besten neuen Stücke» der Saison bezeichnet.

Krankheit oder Moderne Frauen wurde 1987 ebenfalls am Schauspiel Bonn uraufgeführt; die Inszenierung von Hans Hollmann war anhaltend ausverkauft. Angesichts dieses Stücks aber registriert Regine Friedrich in ihrem treffenden Nachwort zur ersten Buchausgabe 1987 ein «Kampfvokabular» vieler männlicher Kritiker, das in dem Diktum «Abnormität» bei Ulrich Schreiber in der *Frankfurter Rundschau* eine exemplarische Zuspitzung fand. Seit der Uraufführung gab es nur fünf weitere Inszenierungen.

Über den Rang eines Werks besagt die jeweils vorherrschende Richtung der breiten Kritik so wenig wie die der Spielplangestaltung, auch wenn die jeweilige Mode immer von neuem mit dem Anspruch objektiver Kunstkriterien auftritt; ein Beispiel für ihre Vergänglichkeit sind die 1984 hier noch genannten Erfolgsstücke von Franz Xaver Kroetz; sie sind schon 1992 fast ganz von den Spielplänen verschwunden. Ein anderes Beispiel liefert das folgende Zitat über Beckett, es könnte sich ebenso auf die Jelinek und ihre Stücke beziehen und *tröstet* angesichts des nachmaligen Erfolgs dieses Theaterautors, denkt doch der Zeitgenosse, dank eines wuchernden Kulturbetriebs brauche Qualität heute zum Erfolg keine Zeit mehr: «Allerdings sollte nicht vergessen werden, daß Becketts erste Erfolge auf dem Theater und vor einem größeren Publikum Erfolge gegen die Institution des Theaters waren... Die Maschinerie der ‹großen› Theater war der Herausforderung, die Becketts Stücke darstellten, nicht im geringsten gewachsen... Beckett revanchierte sich dafür auf seine künstlerische Weise... und schrieb eine Reihe von Stücken, die nicht nur auf konventionellen Theater-Dampf verzichteten, sondern es selbst radikal in Frage stellten.» (Klaus Birkenhauer: *Samuel Beckett*, Reinbek 1971. S. 120)

Von Anfang an gab es zwischen dem Interesse des Publikums und ungewöhnlich vieler Schauspieler an den Stücken der Jelinek (*aller* die je bei einer Aufführung mitwirkten) einerseits und dem der Theaterleitungen (Intendanz und Dramaturgie) sowie eines Großteils der Kritik andererseits eine auffallende Diskrepanz. So setzte sich noch vor der Uraufführung eine so prominente Schauspielerin wie Gisela Stein für Jelineks «Nora»-Stück am Berliner Schiller-Theater ein, sie wollte die Titelrolle spielen, aber sie scheiterte mit ihrem Vorschlag. Kein Einzelfall. Wie wohl keine andere Institution als die der Kirche, mit der das subventionierte Theater verblüffende Ähnlichkeiten aufweist, ist das Theater heute – wieder – hierarchisch strukturiert, autoritär in der modernen Attitüde des Fußball spielenden Pfarrers, der aber gegen Abtreibung wütet, und verächtlich gegenüber den Fragestellungen des Publikums. Bekanntlich ist das Theater immer in der Krise, aber insbesondere in der Leitung vieler Theater hat sich aus gesellschaftlicher Überangepaßtheit eine zynische Indifferenz breitgemacht, die doch erschrecken läßt. Auch angesehene Regisseure haben zunehmend Schwierigkeiten, bei der Theaterleitung neue Stücke durchzusetzen. Wenn man sich die welterschütternden politischen Veränderungen der letzten Jahre vor Augen führt, wird die Stagnation des subventionierten Theaters augenfällig. Hier hat sich nichts verändert, wird Veränderung nicht künstlerisch reflektiert. Dramaturgen hören schon an den meisten Universitäten entweder gar nichts von der Existenz heutiger Stücke – abgesehen von den wenigen Modenamen – oder nur von deren angeblich mangelnder Qualität. Die Folge ist oft wirkliche Urteilsunfähigkeit und daraus resultierend nur noch autoritätsgläubiges Nachspielen. So begegnen viele Dramaturgien dem neuartigen Stück hauptsächlich als Verhinderungsinstanz.

Die Stücke der Jelinek sind fraglos solche, «die dem Theater etwas voranlaufen» (Heiner Müller über ihre Stücke), «mit Vorliebe bewegt sie sich auf tabuisiertem Terrain» (Regine Friedrich). In *Krankheit oder Moderne Frauen* wird zum Beispiel das geheiligte Geheimnis der Geburt schaurig als für die Mutter tödliche, für den Frauenarzt metzgerhafte Arbeit dargestellt; wird Mord nicht nach alter Dramentradition heroisch verklärt zur tragischen, existentiell notwendigen Schuld des (männlichen) Menschen, sondern als lustfeindliche, ekelhafte, infantile Zerstörungswut – «Augen instrumental herauskratzen. Mit Blutfinger dann in Augenhöhlen herumwurln wie Ameisen», empfiehlt Benno Hundekoffer –; werden Frauen und Männer jeder, aber auch jeder angemaßten Gottähnlichkeit entkleidet und mit den Figuren ihr Überbau, insbesondere der katholische. «Mein Gott, was bin ich doch für eine tolle Hose», meint der Facharzt für Kiefer- und Frauenheilkunde Dr. Heidkliff, und tatsächlich, er ist auch nichts als das: eine Hose eben.

Krankheit oder Moderne Frauen ist jedoch auch ein Künstlerdrama, vielmehr: ein Künstlerinnendrama, und als solches zwar nicht tabuiert, fraglos jedoch zunächst fremd, ungewohnt, obwohl die Weltliteratur bis heute zahllose Künstlerdramen geliefert hat und den Künstler als den (männlichen) Menschen schlechthin feiert. Emily Brontë, die englische Romanschriftstellerin des vorigen Jahrhunderts (1818–48), liefert Züge für die vampirische Dichterin Emily in *Krankheit oder Moderne Frauen*; dieses Stück spielt in einer zeitlosen Gegenwart, in der das Drama der eigenschöpferischen, der nicht nur wie Clara Schumann interpretierenden Künstlerin kein exotischer Sonderfall mehr ist, auch wenn bislang Künstlerinnen in Wirklichkeit und als Dramenheldinnen noch selten auftreten. Das Drama der Künstlerin rüttelt viel heftiger an allen Festen bisheriger Vorstellungen von sozialen Rollen als das Drama des Künstlers, lebt die Künstlerin doch nicht nur im Widerspruch zur Gesellschaft und deren Herrschaftsstrukturen wie beispielhaft etwa Goethes Tasso, sie lebt, anders auch noch als in ihrer Zeit Clara S., auch im Widerspruch zu dem, was bislang der Begriff der «Natur» umfaßte: sie ist Frau, aber nicht Mutter.

Die Rebellion gegen alle sogenannten Gesetzmäßigkeiten zielt also viel tiefer als die des männlichen Künstlers gegen die soziale Wirklichkeit. Eine Harmonisierung der antagonistischen Möglichkeiten der Frau – Mutter zu sein *und* selbstbestimmte, gottgleiche Schöpferin eines Artefakts, also Künstlerin –, eine solche Harmonisierung kennt das Stück nur in Gestalt einer Art Mutation. Am Schluß tritt das Doppelgeschöpf auf, zusammengewachsen aus Emily und Carmilla. Es säuft Blut und wird von Heidkliff und Benno in einer waffenstarrenden Todeslandschaft abgeknallt. Die Frau als selbstbestimmter Mensch tritt nur als eine Art Mißbildung in Erscheinung und zu spät, um geschichtsbildend wirken zu können: die Welt ist bereits verwüstet und ein solches Wesen muß beseitigt werden.

All die Erkenntnisse der Jelinek, der Horror insbesondere in *Krankheit oder Moderne Frauen*, ihre tiefgreifende analytische Fähigkeit zur Durchdringung der Wirklichkeit – deren Blutigkeit keine Talkshow wegplaudern kann –, vor allem die Darstellung der Beziehung zwischen Mann und Frau – all das könnte der abgebrühte Theaterhase als bekannt oder degoutant abtun, wenn nicht durchgängig in allen Stücken eine dramatische Sprachmächtigkeit überzeugte, die man ganz gelassen der eines Kleist an die Seite stellen kann. Und wenn nicht eine abgrundtiefe Trauer, im Unterschied zu vergleichbaren Texten männlicher Autoren, jenseits aller polemischen Aggressivität und Selbstgefälligkeit Schmerz beschriebe und auslöste. Die Stücke der Jelinek suchen keine Schuldigen, so wenig wie sie eine allgemeinmenschliche Schicksalhaftigkeit für den Zustand der Welt verantwortlich machen. Noch intensiver entfaltet sich diese klaglose Trauer in ihrem neuen Stück *Totenauberg*. Ihre Mittel, abgesehen vom Witz, sind vielleicht denen der Musik zu vergleichen, die Ausdruck und zugleich Auslöser noch ganz anderer Empfindungen und eines erweiterten Denkens sein kann, als es der «moralischen Anstalt» Theater bislang vorbehalten war. Vielleicht liegt in dieser theatralisch noch ungewohnten, faszinierenden Weise, das Zusammenspiel auf der Bühne sprachlich und kompositorisch dem von Musikinstrumenten vergleichbar zu ordnen, auch der Grund, weshalb Schauspieler die Stücke der Jelinek lieben. Ihre Stücke eröffnen mit der Möglichkeit des Spielens überhaupt die der Befreiung von den gesellschaftlichen Seelen- und Gedankenschlachten, die sie zu ihrem blutigen Inhalt haben. Die Stücke der Jelinek könnten dem Theater eine neue kathartische Funktionsweise zurückgeben, die uns heutige Doctores Allwissend überhaupt erst wieder erreicht.

Nun, gegenüber 1979, dem Jahr der Uraufführung von Elfriede Jelineks ersten Theaterstück *Was geschah, nachdem Nora ihren Mann verlassen hatte* (das 1992 buchstäblich Triumphe feiert im Großen Haus des Wiener Volkstheaters in der Regie von Emmy Werner), scheint sich zumindest die Akzeptanz der Kritiker maßgeblich verändert zu haben. Kurt Kahl, der Kritiker des *Wiener Kurier*, faßte seinen Eindruck für viele andere zusammen und schrieb zur österreichischen Erstaufführung von *Krankheit oder Moderne Frauen* 1990 am Volkstheater Wien (Regie Piet Drescher): «Manchmal liest der Kritiker ein Stück und denkt sich dabei: Das bitte nicht: So geschmacklos, so geschwätzig, so schematisch darf Theater nicht sein, und dann sitzt er am Abend in der Vorstellung und alles ist anders. Die Geschmacklosigkeiten haben Witz, die Schwatzhaftigkeit erweist sich voller funkelnder Pointen und die Schemen sind aus Fleisch und Blut.» Auch diese Inszenierung, die noch einmal die enorme Bühnenwirksamkeit der Jelinek-Texte bewies, wurde zum Publikumserfolg. «Minutenlange Bravo-Chöre ohne Gegenstimme» (*Kronenzeitung*, Wien, 24. April 1990). Jelineks neues Stück *Totenauberg* kommt 1992 am Burgtheater Wien zur Uraufführung. Vielleicht ein Signal.

Ute Nyssen
1984/1992

LISTE DER URAUFFÜHRUNGEN

Was geschah, nachdem Nora ihren Mann verlassen hatte oder Stützen der Gesellschaften: Vereinigte Bühnen Graz, Steirischer Herbst, 6. Oktober 1979, Regie Kurt Josef Schildknecht

Clara S. musikalische Tragödie: Theater der Stadt Bonn, 24. September 1982, Regie Hans Hollmann

Burgtheater: Theater der Stadt Bonn, 10. November 1985, Regie Horst Zankl

Krankheit oder Moderne Frauen: Schauspiel Bonn, 12. Februar 1987, Regie Hans Hollmann